LES YEUX PLUS GRAN

François Cavanna est né en 192[...] [...]
italien et de mère nivernaise. So[...] [...]
bords de Marne, la chaleur de[...] [...]
liberté — il l'évoque dans *Les Riu[...]* [...]
A seize ans : premier emploi, trieur de lettres aux P.T.T. La
guerre, l'exode, le retour à Paris où il devient vendeur de
légumes et de poissons sur les marchés, puis apprenti maçon.
La suite, il la raconte dans *Les Russkoffs* (Prix Interallié 1979), le
S.T.O., l'apocalypse de la fin de la guerre à Berlin, etc. *Bête et
méchant* est le troisième volet de son autobiographie. Le quatrième est *Les Yeux plus grands que le ventre.*
A partir de 1945, début de sa carrière de journaliste. En 1949, il
devient dessinateur humoristique. En 1960, il crée avec des
camarades *Hara-Kiri, journal bête et méchant.* En 1968, c'est
l'hebdo qui connaît le succès que l'on sait et qui devient en 1970
Charlie-Hebdo.

ŒUVRES DE CAVANNA

Dans Le Livre de Poche :

CAVANNA

Les Yeux
plus grands que
le ventre

PIERRE BELFOND

DU MÊME AUTEUR

Chez Pierre Belfond :

LES RITALS.
LES RUSSKOFFS.
BÊTE ET MÉCHANT.
LES ÉCRITURES.
ET LE SINGE DEVINT CON.
LOUISE LA PÉTROLEUSE, *théâtre.*
L'ALMANACH-AGENDA DE CAVANNA.

Aux Éditions du Square :

LE SAVIEZ-VOUS ?
LE SAVIEZ-VOUS ? (2ᵉ fournée).
LES AVENTURES DE NAPOLÉON.

Aux Éditions Hara-Kiri :

4, RUE CHORON.

Chez Jean-Jacques Pauvert :

STOP-CRÈVE.
DROITE-GAUCHE, PIÈGE À CONS.

Chez 10/18 :

JE L'AI PAS LU, JE L'AI PAS VU MAIS J'EN AI ENTENDU CAUSER.
(1969-1970).

Aux Éditions l'École des Loisirs :

Adaptés en vers français par Cavanna :
MAX ET MORITZ, de Wilhelm Busch.
CRASSE-TIGNASSE (Der Struwwelpeter).

Chez Julliard :

CAVANNA.

Chez Albin-Michel :

LA GRANDE ENCYCLOPÉDIE BÊTE ET MÉCHANTE.
LA NOUVELLE ENCYCLOPÉDIE BÊTE ET MÉCHANTE.

Parlez-moi d'amour
Et je vous fous mon poing
Sur la gueule,
Sauf le respect
Que je vous dois.

Brassens

*Ce livre aurait dû s'appeler
« Mémoires d'un vieux con »,
mais le titre était déjà pris.*
                    Cavanna

PROLOGUE

Trente-cinq ans. L'âge des ogresses qui rôdent, claquant des mâchoires. L'âge des mantes religieuses. Les redoutables divorcées de trente-cinq ans. Petit homme triste qui rêves d'un gros doux cul pour y poser ta tête, petit homme triste, si tu en vois une à l'horizon, fuis à toutes jambes, fuis!

Sur leurs hauts talons pointus, belles mille fois plus qu'à dix-huit ans, et tendres, et juteuses, et malheureuses, et tellement, tellement, tellement compréhensives, elles t'auront jusqu'au trognon, petit homme triste, jusqu'au trognon.

Les refaiseuses de vie, les redémarreuses à zéro-mais-cette-fois-c'est-la-bonne... Elles sont sans pitié, petit homme, car il y va de leur peau. Fuis. Ou sois sans pitié toi-même. Si tu le peux. Mais tu ne le peux pas, petit homme triste, tu ne le peux pas. Alors, fuis, cours, vite et loin, sans te retourner.

A quarante-cinq ans, elles pleurent, elles se suicident, un peu, et le soir même elles dansent le rock, et se soûlent la gueule, et s'envoient un minet de consolation. A vingt-cinq, elles partent sur le tandsad d'un copain pour un rallye chez les pingouins. A trente-cinq, rien à faire. Tu es foutu. Trente-cinq ans, c'est l'âge de la dernière chance. La ménopause se profile à l'horizon. A quarante-cinq, elles ont sinon passé le cap, du moins atteint son ombre, et se sont résignées. D'ailleurs, des gosses, elles en ont pondu leur content, ils ont entre douze et vingt ans, ils les font chier comme il est d'usage chez les enfants de divorcés (on leur a tellement dit que c'est eux les plus à plaindre, pauvres petits, perturbés à tout jamais, ils le leur font payer, aux vieilles salopes), alors côté marmaille elles n'ont plus d'illusions... Mais pas à trente-cinq. A trente-cinq leur ventre crie famine, elles veulent un gosse de toi, tu es un distributeur automatique de spermatos, vite, vite, remplis-moi, il est encore temps mais juste temps, c'est le tout dernier carat pour le mettre au four si je veux être une maman-copain, une maman-complice, une maman de plain-pied avec l'adolescence. (Là aussi, elles se préparent des larmes : le premier devoir d'une mère est d'être larguée, ringarde, plus dans le coup. Une mère DOIT appartenir, et outrageusement, à la génération d'avant. Les mamans-grandes sœurs font bien plus de dégâts parmi la jeunesse que les parents divorcés...)

L'homme, même s'il prétend le contraire, même s'il croit le contraire, n'a pas cette pendule entre les entrailles. L'homme reste un vieux maraudeur qui veut tirer son coup, et poser sa joue sur quelque chose de chaud et de vivant, et pleurer en pensant à sa vie ratée. L'homme est un petit homme triste.

Petit homme triste, quand tu sors au crépuscule, si tu vois à l'horizon une divorcée de trente-cinq balais, prends tes jambes à ton cou, petit homme triste, et cours, cours, cours...

ELLE ÉTAIT VENUE

Elle était venue quémander des dessins et des conseils. Un peu de pub-copinage, aussi. Entre marginaux, on se soutient. Elle lançait, avec des copines, un journal destiné aux vieux et à ceux qui font métier de s'occuper des vieux. Destiné comme un coup de pied est destiné aux fesses : pour les réveiller. *La Pantoufle enragée*, « Journal des vieux qu'ont pas froid aux yeux ». Ça s'appelait comme ça. Très ambitieux, très courageux. Sans le sou. Vogue la galère.

Elles étaient un quarteron de grandes filles enthousiastes pétrissant à pleins bras la pâte de vieillards : psychologues, sociologues, de ces métiers dans le vent, pour moi nébuleux et plutôt bidon, comme tout ce qui « fait dans le social ». Elles animaient un foyer, ou peut-être bien un centre, enfin, bon, un « lieu » – c'était un de ses maîtres mots, je ne savais pas alors qu'il deviendrait un des clous de ma croix –, un lieu, donc, et même un « lieu de vie », où les vieux du quartier étaient pris en charge, et justement l'astuce c'était de ne pas les prendre en charge mais de leur inculquer le goût de faire ça eux-mêmes, d'opposer l'activité « pas con » et librement choisie au gouzi-gouzi organisé – belote, télé, goûters, « sorties » – qui ronronne dans les Foyers des Anciens et autres placards à balais pour séniles.

Nous étions *Hara-Kiri*, nous étions *Charlie-Hebdo*, La Mecque de la marginalité, les papes du non-conforme, tout ce qui se voulait contre se tournait vers notre astre noir, et donc ces vaillantes laboureuses du champ social décidées à secouer la routine et à bousculer les idées reçues devaient tôt ou tard, en ces bouillonnantes années de l'après-soixante-huit, frapper à notre huis, rue des Trois-Portes.

C'est, tapie derrière la Maube, une antique venelle à clochards et à crottes de chien. Nous nous y étalions sur tout le rez-de-chaussée d'une masure de plâtras bricolée sous Louis XIV pour y entasser des pouilleux et qui ne s'est pas arrangée depuis, vingt mètres de façade rien que pour nous, on était les rois, nos canards se vendaient et, même, on était payés, on a bien fait d'en profiter, ça n'a pas duré, trois cents mètres carrés déployés en fer à cheval autour de la cour pavée, au milieu de la cour la suintante baraque au toit colmaté de bouts de plastique où finissait de croupir Mme Martin, concierge déchue par l'avènement de la copropriété besogneuse mais maintenue dans les lieux par la culpabilité collective, dans l'ombre dansante du grand noyer d'Amérique qui hisse sa touffe pathétique vers le ciel, pas souvent bleu dans ce quartier mais si bleu quand il s'y met – Wolinski dit l' « acacia », il faut toujours qu'il sache tout mieux que tout le monde, et là, justement, c'est pas un acacia –, poutres en vrai bois d'arbre que rongèrent et gercèrent les siècles et le ver artiste, carreaux à l'ancienne par terre, caves puissamment voûtées, le salpêtre fleurit sur les pierres monstrueuses et tu penses aux Huns qui éventrèrent ici, ici même, en ricanant de joie mauvaise, les outres en peau de bique gonflées de ce pinard péniblement mûri au pâlichon soleil des coteaux de Lutèce, sans soupçonner un instant, les grossiers Asiates, que peut-être ça se buvait, ce truc rougeâtre, que ça n'avait sûrement pas été entreposé avec tant de soin dans le seul dessein de devenir boue puante clapotant sous les fesses de la bonne femme du vigneron gallo-romain, sous celles de ses filles, de ses esclaves et sous les genoux de son fils bien-aimé tandis que ces viandasses à vainqueur soubresautaient au rythme sec du viol mongol.

Au fond de la cour, à l'écart, mon bureau de rédacteur-en-chef : une petite piaule en rez-de-chaussée, presque enterrée, une planche sur deux tréteaux, un matelas mousse par terre dans un coin, une douche, un réchaud. Tout ce qu'il faut. Un cocon. Un ventre-de-ma-mère. Et, submergeant tout, un vorace océan de bouquins, de paperasses et de lettres de lecteurs annotées « Urgent! Répondre! », une marée de remords qui montait, montait, et jamais ne refluait. Des volets de bois plein toujours clos. Pour travailler, il me faut la nuit tout autour. Pour ne rien foutre aussi. Ces volets clos intriguaient beaucoup les habitants de la cour.

J'arrive, elle était là, entre deux portes, pas encore tout à fait entrée, déjà plus qu'à demi sortie, essayant de communiquer son enthousiasme à Reiser qui, emmerdé mais gentil, lui faisait face d'une épaule, l'autre filant par la tangente. Elle était là. J'ai su tout de suite. Comme dans les romans à deux ronds. La vie est un roman à deux ronds. La mienne, toute une bibliothèque de gare.

Le passage était étroit. Il fallait ou bien la contourner en raclant le mur, ou bien attendre qu'elle s'efface. Reiser me voit, s'accroche à la bouée. Présentations. Gabrielle et quelque chose de très long derrière, au moins six syllabes, avec un trait d'union ici ou là. Je reçois ses yeux en pleine figure.

Pause. Ses yeux.

Deux flèches vertes dardées droit sur la cible à travers une jungle de boucles noires tombant en pluie devant le front et les joues. Du fond de cette nuit, le double rayon vert, rectiligne comme un laser, te cloue. De haut en bas. Chose déconcertante. Je mesure un mètre quatre-vingt-deux quand je n'oublie pas de me tenir droit. Il est rarement arrivé que des femmes me regardent de haut en bas.

Elle était effectivement très grande. Pas aussi grande que ça, quand même. Elle rehaussait son mètre soixante-quinze par des talons de quinze centimètres sur lesquels elle oscillait, pieds en dedans, comme la pisseuse montée en graine qui a fauché les escarpins de maman pour aller au bal.

« Salut! »

Petit coup de menton.

Le sourire ne vient pas tout de suite. Il frémit, à bord de lèvres, comme attendant, pour oser, que le signal lui soit donné. Les yeux dardés lui disent : « Tu peux y aller », le sourire aussitôt file, mais d'un seul côté, découvrant la canine, sourire de chien. C'est le sourire de Gabrielle.

Elle en a un autre, il viendra plus tard, sourire des deux joues plein la figure. Comment décrire? Eclatant et sinueux, c'est ça, les deux à la fois. Le sourire de Charlie Chaplin, si Charlot avait été une femme. Avec encore plus de choses dedans. Des harmoniques à l'infini... Yeux cependant attentifs, prêts à arrêter net la sympathie offerte, comme on referme un parapluie, prêts aussi à se laisser basculer dans le grand rire aux larmes, l'un ou l'autre, c'est selon l'accueil d'en face.

Quelque chose me gênait, je sais maintenant quoi : la contradiction. Elle se juchait sur des échasses afin d'exalter encore sa stature de jeune géante, mais en même temps se tenait toute rétrécie,

14

comme confuse d'occuper tant de place. Courbait le dos, serrait les épaules, ravalait ses seins, baissait le nez, dissimulait derrière ce noir rideau de cheveux ses yeux trop brillants.

Cependant, tout en elle était taillé ample, dru, généreux comme une moisson d'abondance. Elle avait de bonnes grosses joues rouges, des joues d'enfant de la campagne, des pommettes hautes, écartées, un visage modelé en plans larges et sereins, des yeux, quand enfin on les pouvait voir sans pénombre et sans mystère, c'est-à-dire quand d'un revers de main elle rejetait la tignasse d'encre vers l'arrière pour, aussitôt, d'un coup de tête de chèvre, la mieux ramener sur le front – le moment propice était donc bref –, des yeux invraisemblablement grands, presque trop, oui, bon, un peu saillants, disons, ardents, un peu hallucinés, des yeux qui ramenaient tout à eux, brûlaient tout à leurs soleils verts. Nul besoin de les cerner de noir, ils dévoraient le visage, ils annulaient le monde, il n'y avait plus qu'eux. N'empêche que, du noir, elle en mettait, et à la pelle, alors, pensez!

Et tu as vu tout ça du premier coup? Oui. Tout ça et bien d'autres choses encore. On le voit du premier coup, mais c'est plus tard qu'on se rend compte qu'on avait vu tout ça. Plus tard, c'est maintenant. Je sais aujourd'hui, au fond j'ai toujours su, que j'avais tout vu alors, et surtout l'essentiel. L'indicible essentiel. Ce qui faisait que je savais que ce serait elle. Comme je l'avais déjà su, trois fois, pas davantage, au long de ma vie. Cet essentiel que je n'arrive pas à dire, que j'essaie de cerner par le portrait de Gabrielle. Car il y est, dans le portrait, je ne sais où, tu l'y trouveras, ici ou là, si je te donne tout le portrait. Et c'est peut-être aussi de l'ensemble même que naîtra l'essentiel.

Et d'abord, moi, j'ai envie de parler de Gabrielle.

Belle? Triomphale. Elle le savait et n'osait pas le savoir. Quelle main de fer lui maintenait donc la tête sous le sable? Elan brisé, envol renfoncé, gros comme une maison... Certes pas l'épanouissement. Dans les vingt-cinq ans. Coupée en deux, à mi-corps. Le buste était d'une longue fillette aux épaules pointues, aux seins en boutons rejetés presque sous les bras, très loin l'un de l'autre, strictement coniques, comme des mamelles de chienne primipare, buste garçonnier, étroit de taille jusqu'à l'invraisemblable, posé comme sur un socle sur les hanches soudain splendidement épanouies. Torse de libellule sur cul d'impératrice.

C'était l'époque où elles se couvraient de friperies barbares. Aux épaules de Gabrielle pendaient des oripeaux superposés, jetés là comme sur un porte-manteau de bistrot, gazes de quatre sous, cotonnades bariolées, une fourrure pelée à laquelle les chiens avaient arraché des lambeaux... La bohème arrogante, sequins et paillettes, haillons étudiés. La queue de la mode baba-cool. Mode créée comme tout exprès pour Gabrielle.

Longues fortes musculeuses cuisses de danseuse, longues jambes, longs bras, longues étroites mains, grands pieds cambrés, puissamment agrippés au sol, long flexible cou hissant la noire tignasse tout là-haut, ampleur des grands gestes fauchants quand elle oublie de se rétrécir. Ampleur, voilà. Le mot est beau. Il lui va tout à fait.

Reiser promet un dessin, et s'esbigne. On cause. *La Pantoufle enragée* consiste pour l'instant en huit grandes pages blanches avec quelques îlots de texte vaguement promis. Les vieux... Au fait, j'ai plein de choses à dire, sur les vieux, moi. Plein de choses. Cite-moi un sujet sur lequel je n'aie pas plein de choses à dire... Bon, les vieux. Les vieux ne meurent plus, il faut prendre conscience qu'ils sont là, qu'ils y seront de plus en plus. Les vieux sont des personnes à part entière, pas des demi-portions, ils votent, eh là, en tenir compte, ne veulent pas qu'on se contente de les mettre dans le bac à sable pour faire mumuse. Veulent vivre pour de vrai, les vieux, être utiles, bâtir et planter, mourir d'amour, faire du théâtre engagé, étudier les langues ouralo-altaïques, lutter contre l'injustice, se planter la calandre dans le platane, rempiler dans la Légion, monter un groupe rock, se faire tabasser la gueule par les C.R.S... Vivre, quoi, vivre, bon dieu de merde, comme n'importe quelle bête vivante!... Eh bien, voilà. Je vais leur dire ça. Si elle est d'accord. Elle a une moue polie. Oui, bien sûr... C'est un peu primaire, tout ça. Ça s'arrangera à l'écriture, je lui dis. Je pense très bêta à haute voix. Il me faut le papier, le stylo-feutre, et puis du temps pour raturer, beaucoup de temps, afin d'arracher l'idée à la gangue et lui donner le fini penseur. Enfin, bon, elle peut y compter, je lui ferai un papier, si si, je trouverai le temps, c'est que ça m'emballe, vous savez! Les vieux, peste, vachement important, les vieux!

Je fais la roue, quoi, con comme un balai. Con comme un vieux con qui fait la roue.

Très « de-vous-à-moi-chère-collègue » :

« Vous faites un numéro zéro? »

Les « numéros zéro » sont des numéros faits dans les mêmes conditions que le seront les « vrais » numéros, jusqu'au stade du tirage exclusivement. Ils sont destinés à roder l'équipe, à voir si l'on est capable de remettre en temps voulu un journal complet à la rotative. (Note du professionnel.)

« Un numéro zéro? Oh! non. On part bille en tête. Ce sera tout de suite le numéro un.

– Et vous le vendrez comment?

– Eh bien, déjà, il y a plein de travailleurs en gériatrie qui s'abonneront, c'est sûr. Et on va le faire acheter par les bibliothèques des foyers de vieux, on va le colporter dans les facs, dans les manifs, partout.

— Ce sera vous, le colporteur?

— Bien sûr! Je fais ça très bien. Et les copines aussi. »

Elle parlait à voix très basse, par moments presque inaudible. Comme quelqu'un de maladivement timide, ou alors qui souffre des cordes vocales. Et puis elle avait un accent. Elle butait sur des mots, comme une étrangère douée mais que déconcerteront toujours certains sons du français. J'essayais de deviner. Américaine? Mais non. Pourtant... Elle disait « ridiquioule », elle disait « j'en poh pliou »... Pas à tous les coups, d'ailleurs. Elle dérapait soudain dans l'accent exotique au beau milieu d'une phrase très parisiennement prononcée. Et, chaque fois, avait marqué une hésitation, comme devant un obstacle. Cela ajoutait à son charme étrange. Au point où j'en étais, tout ne pouvait qu'ajouter à son charme étrange... Quand même, cette voix mourante, rauque, tragique, ça ne correspondait pas. Ce n'était pas la voix de ses joues de pommes d'api. Fabriquée? Contrainte? Quand l'emportait l'entrain de la polémique, quand ses joues s'animaient et que ses yeux brillaient plus fort, alors cette poigne velue qui la tenait à la gorge oubliait pour un instant de serrer. Gabrielle s'exclamait, s'imposait, d'une voix claire et qui ne trébuchait pas. Il y avait là un mystère, un mystère excitant, j'en pris note comme prend note l'explorateur en terre inconnue, sans chercher plus loin pour l'instant, on verra bien...

*

La cinquantaine m'avait mordu de ses crocs jaunâtres, jusqu'à l'os, et ne me lâchait plus. Il m'arrivait avec une brève épouvante de me souvenir que

je serais bientôt un sexagénaire fringant. Fringant...
Horreur.

Gabrielle avait vingt-huit ans, un petit garçon
d'un an, un jeune mari qu'elle aimait, qui l'aimait.

Elle avait une âme sérieuse, rieuse, candide. Une
bien jolie âme.

Je ne me trouvais ni fou, ni ridicule. Ni salaud.

L'amour est un chien de l'enfer, a dit Bukow-
ski.

CEPENDANT

CEPENDANT, par-delà les banlieues, parmi les premiers arbres, m'attendait une Tita merveilleuse,
vingt-sept ans de vache enragée partagés sans faiblir et même, ça arrivait, en riant, cinq enfants
élevés cahin-caha jusqu'à l'âge où ils font leurs
conneries eux-mêmes, un amour à déceptions, à
concessions, à amputations, un amour à cicatrices,
un amour de vingt-sept ans. Rien entre nous ne
pouvait marcher, rien, dès le début, mais nous nous
aimions si fort, nous avions si fort envie que ça
marche que ça avait marché quand même, envers et
contre tous. Surtout grâce à elle. Nous venions tout
juste de quitter la petite maison du Plessis, rattra-
pée par le béton conquérant, pour une autre, plus
éloignée, plus grande, si grande! Un délire de pierre
qui nous dévorait tout crus. Nous pataugions de
nouveau dans la glaise et les gravats.

Et moi, je jouais aux billes au lieu de rentrer tout
droit de l'école, et je ne savais pas que l'enjeu de la
partie était un amour de vingt-sept ans, et que déjà
ricanait la tête de mort.

FAUX DÉPARTS

Les malheurs viennent de ce qu'on ne connaît pas
sa vraie nature. Pas assez vite. Moi, en tout cas.

C'est une fois marié que j'ai su que le mariage
n'était pas pour moi. Une fois père de famille – de
famille d'emblée nombreuse! – que j'ai su que j'étais
un père détestable. En fait, pas du tout un père.

Pourquoi, aussi, pourquoi ont-elles attendu si
longtemps?

*

Mai 68 m'a surpris au lit. Dans un lit, je veux dire,
d'hôpital. Une crise d'hémorroïdes aussi soudaine
que sauvage m'avait jeté là, enragé de souffrance,
honteux de l'endroit où elle siégeait. On ne choisit
pas ses bobos. Cette saleté ne cédant devant aucune
chimie, il avait été décidé d'opérer. C'étaient des
hémorroïdes de la variété interne, énormes, paraît-
il – je n'y suis pas allé voir –, pleines de vice et
pétant le feu, solidement retranchées au fin fond du
boyau, hargneuses comme des molosses, cramponnées au gîte comme une nichée de renardeaux. On
m'avait d'entrée de jeu fendu le cul en quatre.
Vacher, le chirurgien, bel athlète à l'assurance

convaincante, m'avait dit, avant de m'envoyer au tapis :

« Comme avec la main! Demain, vous n'y penserez plus. »

Le lendemain, j'avais cent mille fois plus mal qu'avant, le surlendemain deux cent mille, je hurlais grinçais me cognais la tête au mur, rien n'y faisait, aucun calmant, ou alors peut-être la morphine, mais Vacher préférait ne pas céder à cette facilité, et moi je gueulais, je gueulais.

« Hypersensibilité. Tout est normal. Pas à s'inquiéter. »

Je ne m'inquiétais pas. Je mordais les barreaux du lit.

Pendant ce temps, le monde explosait. Sans moi, la vache. Mai 68 restera pour moi une cavalcade d'infirmières surexcitées, plongeant d'un malade à l'autre pour coller l'oreille au transistor, ça leur mettait la lingerie à l'air, on était en pleine mode mini-mini.

« La Sorbonne est occupée!

— Ils ont pris l'Odéon!

— La Bourse flambe! Nom de dieu, la Bourse, tu te rends compte, Gisèle? Ils ont foutu le feu à la Bourse! Ouh, là là...

— Ben, ma petite, on l'emportera pas en paradis! Parce que c'est encore sur nos gueules que ça va retomber. »

Je suppose que, dans les hôpitaux et cliniques de France, ces nuits-là, quelques goutte-à-goutte se sont coincés, quelques aiguilles ont loupé la veine, quelques petits vieux ont oublié de respirer...

Il y a eu la rue Gay-Lussac, il y a eu le mort, il y a eu Charléty, il y a eu la disparition de de Gaulle puis sa réapparition triomphale, Wolinski a reçu le pied d'un C.R.S. dans le cul, glorieux trophée. Et moi, comme un con... Où étiez-vous en Mai 68? Euh... à l'hosto. Ah! oui? A Beaujon? Non, non...

Qu'est-ce que vous aviez? Grenade, coup de trique? Ben... Euh... On m'avait opéré. Tiens, donc! De quoi? Des hémorroïdes! Et merde!... Succès garanti dans les repas de famille jusqu'à la fin des haricots.

Bon. Dans la rigolade et la trouille générales – car ils rigolaient, fallait voir, les bons docteurs, et la trouille, ils l'avaient aussi, un peu, qui leur teintait le rire en jaune, plus bourgeois plus snob tu trouveras pas, plus à gauche non plus, pourvu que ce soit de la gauche bien folklo bien marrante – dans la, donc, rigolade-trouille générale, moi et mon cul en charpie n'intéressions personne. J'essayais bien de rire aussi, après tout, ce qui déboulait là, à l'improviste, nous y étions un peu pour quelque chose, les autres arsouilles de *Hara-Kiri* et moi-même, qui battions le fer depuis huit ans. Mais vraiment, le mal de cul était le plus fort...

Enfin, un jour, ayant sans doute besoin de mon lit, on m'annonça comme une gourmandise qu'on allait soumettre mon anus martyr à un proctologue. Proctologue, c'est le spécialiste de ces régions éloignées. Au matin, verdâtre, je me traîne jusqu'au cabinet où m'attendait le proctologue. J'entre. Merde. C'était UNE proctologue. Et une belle comme tout. Oh! non... Une grande belle rousse distinguée qui se foutait de moi dans le coin de son œil, savourant sans pitié la situation, et ma foi elle avait bien raison. Je devais avoir l'air fin, avec mes mollets de coq, mon cul étique que je portais comme un vase de Chine et mon désarroi de mâle en déroute qui va montrer à la belle dame les tristesses grisâtres de son entre-fesses.

« – Débarrassez-vous.

– Montez là-dessus. A quatre pattes, oui. »

Me voilà sur la table d'acier méchant, à quatre pattes, donc.

« Appuyez-vous sur vos avant-bras. Bien à plat,

les mains. Votre visage doit poser sur la table. Tournez la tête, à plat sur une joue. Voilà. »

Voilà. Et alors, quand on se trouve dans cette exacte position-là, eh bien, surprise, les fesses pointent avec un empressement que tu n'aurais jamais cru, le trou de balle s'épanouit et se précipite à la rencontre du visiteur, rien à faire, tu ne t'appartiens plus.

L'infirmière me maintenait la joue collée à la table. J'étais livré à ces mégères, corps et biens. La dame proctologue s'enfila un doigt de gant sur l'index, qu'elle avait long et musclé avec au bout un ongle peint en rouge vif, et puis, alors que je ne croyais pas qu'on en était déjà là, me le propulsa tout de go en pleine cible. La surprise fut totale. Un hurlement, me voilà dans les pommes.

J'émerge. Elle s'étonne :

« A ce point-là ? »

Elle avait l'œil candide, vraiment compatissante. Je réussis à balbutier, du fond de mon agonie, la gueule tordue sur cette table de fer par cette infirmière aux doigts de fer :

« Oui. A ce point-là.

— Vous êtes douillet.

— D'habitude, pas plus qu'un autre. Là, j'ai mal. Vous en avez pour longtemps ?

— Non. Ça me suffit. Je vois ce que c'est. Vous pouvez descendre. »

Elle m'a fait une ordonnance, m'a bien tout expliqué. Il s'agissait de pulvérisations à l'aide d'un gros appareil nickelé qui ressemblait à ces percolateurs des bistrots d'antan. Elle m'a dit je suis sûre que ça vous soulagera, elle l'a dit et en même temps le coin de son œil se payait ma tronche. Les filles du M.L.F. devraient se faire proctologues. C'est là que tu le domines, le mâle superbe, que tu l'as à ta poigne, tout humble tout péteux. La vérole, ça se revendique, c'est viril. Mais les hémorroïdes... T'as déjà vu un gars raconter ses hémorroïdes, à l'apéro?

J'ai quitté la clinique peu après, pas encore très flambard mais bien amélioré par le percolateur de la dame. J'avais hâte de courir les rues pour renifler les derniers remugles de gaz lacrymogènes, on m'avait volé ma part de Mai, je voulais voir du moins où ça s'était passé.

Et voilà. Comme je finissais de payer à la caisse et toutes les paperasses, je me dirige vers la sortie, il y a quelqu'un en blanc appuyé au mur, près de la porte, et c'est cette dame proctologue, cette grande belle femme avec ses cheveux rouges et ses yeux qui se foutent du monde.

Elle me dit :

« Vous partez?

— Ben, voilà. Grâce à vous.

— Trop heureuse si j'ai pu vous aider. Vous allez vous remettre à votre journal?

— Oui. Il me manque et je lui manque. Je l'entends qui pleure après moi. »

On s'est dit encore deux ou trois politesses, et puis on s'est serré la main, et bon, chacun de son côté.

Moi, elle me trottait dans la tête, cette créature superbe. Et cet air gentil qu'elle avait, malgré le coin de l'œil rigolard. Elle m'avait guetté, elle avait voulu atténuer l'humiliation, quelle brave fille! Et soudain, ça m'a sauté au nez : « Mais... elle me drague, non? » La première fois de ma vie que j'osais penser ça... Je me suis senti une chaleur à la tête. J'ai dû devenir tout rouge. Moi? On me ferait signe, à moi? On me remarquerait? On me donnerait à comprendre? J'étais ému comme tout. A quarante-cinq berges, tu te rends compte? Avec déjà plein de blanc dans la moustache. Une belle femme comme ça! Sapée fallait voir. Et docteur, dis donc. Spécialiste, même.

Elle avait une grande bouche très rouge.

C'était à moi de jouer, non?

Malgré mon mal au cul encore vivace, j'ai foncé. J'ai fait ça comme au cinéma. Qu'aurait fait Alain Delon? Qu'aurait fait Yves Montand, plutôt, c'est davantage dans mes âges? Eh bien, il se serait frappé le front du plat de la main parce qu'il se serait justement souvenu qu'il avait en poche une ordonnance avec dans le coin en haut le nom du docteur et peut-être son adresse privée, si pas l'adresse il aurait sauté sur le premier annuaire en vue pour lui arracher le secret, et puis il aurait esquissé un entrechat, et puis il serait parti en sifflotant d'un air flambard en direction du domicile de la dame à la bouche rouge, cueillant au passage un bouquet d'orchidées à l'éventaire d'une fleuriste à qui il aurait jeté par-dessus l'épaule, avec ce sourire qu'il a, un billet bien trop gros mais gardez tout, mon enfant, j'ai le cœur en fête. Et bon, je fis comme ça, juste pareil, sauf les orchidées, il n'y avait pas de fleuriste sur le trajet, et puis d'abord j'ai pas l'habitude d'entrer chez les fleuristes, très intimidant, les fleuristes, les parfumeurs aussi, ni de me propulser sur le trottoir avec une gerbe d'orchidées au poing, alors à la place je fourrai dans un sac de papier le bouquin de moi que les éditions Julliard, sur l'incitation de Jacques Sternberg, venaient de sortir dans la collection « Humour secret » (secret, ô combien!), bouquin très présentable, relié même, dont la couverture portait en toute simplicité mais non sans arrogance mon nom et rien autour.

Je me rendais bien compte que ça faisait un peu bêcheur et tiré par les cheveux, comme prétexte, mais quoi, un prétexte n'est qu'un prétexte, je poussais mon pion, elle acceptait le jeu ou elle me claquait la porte au nez, on verrait bien. En escaladant ses étages, le cœur me cognait.

Je sonne. On m'ouvre. Qui m'ouvre? Elle. Vraiment très belle, juste comme je me l'évoquais, mais encore plus beau. Surprise. Pas longtemps. Grand sourire, moquerie dans le coin de l'œil. Entrez. J'entrons. Je pousse mon paquet devant moi, très Grand Duduche. « Vous avez été si compétente, si patiente... C'est rien, un bouquin de moi, il vient de sortir, j'ai pensé que..., voilà, voilà, quoi. »

Elle se marrait en silence et moi je la dévorais des yeux, mes yeux hurlaient à la lune, on était là, bien polis bien aimables, sachant que ça se ferait, que c'était fait, enfin moi n'osant trop y croire, c'était trop facile, il me fallait le temps de me mijoter le rêve et l'attente fébrile, on a bu quelque chose, sûrement, du thé avec des biscuits, ou peut-être des grands whiskies avec des bulles, j'ai oublié. J'ai même oublié jusqu'où nous sommes allés ce soir-là, en tout cas j'ai descendu l'escalier avec une chanson dans le cœur. Seules les filles connaissent ça, le fameux matin où les nichons leur ont poussé dans la nuit et où un type a sifflé en disant : « Les belles bêtes! »

J'allais alors chaque mois travailler plusieurs jours à Milan où s'imprimait *Hara-Kiri*, la qualité et les prix italiens me valaient ce voyage. Ce mois-là, je n'ai pas pris l'avion, je me suis étalé dans le cabriolet grand sport décapotable rouge vif de mon proctologue personnel, à la « place du mort », et nous escaladâmes l'Alpe farouche, et nous bûmes du chianti, et nous mangeâmes le risotto alla sepia, les conneries habituelles, quoi.

Nous étions très contents l'un de l'autre. C'était la première fois que j'avais une « aventure », c'était aussi grisant que je l'avais imaginé, encore plus même, j'ai la griserie facilement paroxystique. Suzanne – elle s'appelait Suzanne et s'en excusait – paraissait aussi ravie, aussi incrédule de ce qui lui arrivait que je l'étais moi-même, peut-être était-elle depuis toujours devant les hommes comme j'étais devant les femmes : un petit enfant pauvre devant un gros gâteau à la crème qui ne sera jamais pour lui, faut pas se fier aux apparences. La petite bagnole rouge filait dans le grand soleil, nos cheveux volaient au vent, je ne me lassais pas de la regarder, de prendre de grosses goulées de ce puissant plaisir qu'elle soit là, et si belle, et si réelle, et rien que pour moi, et alors, à chaque fois, mes yeux rencontraient ses yeux, et ses yeux justement étaient sur moi, en train de prendre de moi la même grosse goulée du même puissant plaisir, et nous riions aux anges, elle serrait ma main, je l'embrassais dans le cou, j'empoignais sa cuisse nue sous la jupe, tout en haut, c'était bon, c'était très très bon.

*

J'étais bien petit quand j'ai su qu'il n'existait et n'existerait jamais pour moi rien au monde d'aussi merveilleux, d'aussi désirable, d'aussi incroyable qu'une femme. Ni d'aussi terrible. La récompense suprême, tout là-haut, toute en or, perdue dans le ciel sur un socle d'infini. La seule chose qui vaille qu'on vive. La seule qui vaille qu'on meure.

Le jeudi, l'école maternelle n'ouvrait pas ses portes. Maman, n'ayant personne pour me garder, m'emmenait avec elle chez les patronnes où elle faisait le ménage. Je feuilletais, à plat ventre sur un tapis, des livres d'images prêtés par la dame. « Comme il est sage, votre petit François, madame Louis! » Et moi, tout le temps, je n'avais que ceci en tête : regarder sous sa jupe, à la dame. Quel émoi quand je réussissais à apercevoir la cuisse blanche, au-dessus du bas! Et des fois elle était en déshabillé, la dame, en peignoir de bain, j'entrevoyais du noir au-dessus du blanc, tout là-haut, ça me faisait cogner le cœur, et parfois la dame n'était plus très jeune, et parfois elle était même tout à fait très vieille, je m'en foutais pas mal, ce n'était pas ce qui comptait, mais bien ce secret percé, cette intimité pénétrée, ce fascinant refuge de tendre tiédeur où, avec un frisson, les yeux fermés, je me lovais en boule et me laissais fondre.

L'odeur des femmes était alors puissante. Les désodorisants ne sévissaient pas. Même méticuleusement propre, une femme sentait la femme. Sentait la vie. Quel margoulin châtré a prétendu qu'après cinq heures du soir les femmes puent? Et a réussi à le faire croire, le triste con! Et les mâles n'ont pas protesté!... L'aisselle d'une honnête femme, quel tremplin à rêves! Et le sillon entre les seins, où parfois perle la sueur! Et les cheveux! Et le cou, derrière l'oreille! Et la nuque! Et la Chose sous la jupe... J'ai su ça tout seul, d'instinct profond, comme on sait que le lait est bon à téter, je l'ai su dès l'âge où, précisément, je tétais le lait de ma mère, le nez bien enfoncé dans la mamelle qui sent la laiterie... Quand, le soir, harassée, poisseuse de sueur et de poussière amalgamées, elle se lavait à grande eau dans notre cuisine, les pieds dans une bassine, la tête dans une autre, debout devant l'évier, je la regardais, maman, depuis le lit, je voyais son chignon, les épingles ôtées, crouler d'une masse, ténèbres fluides où jouaient des lueurs, d'une seule masse jusqu'à ses reins, je guettais la seconde où la vague d'odeur fantastiquement femelle, fantastiquement sauvage, atteindrait mes narines pâmées. Déjà les avait atteintes la première vague, moins somptueuse, plus mordante, acide et poivrée, jaillie des aisselles touffues lorsqu'en un geste d'altière symétrie elle avait levé les bras pour défaire les multiples épingles qui tenaient en place l'édifice du chignon.

Bien avant la puberté, bien avant de soupçonner

ce qu'on fait avec elles, je rêvais des femmes. Non, de la femme. Jusqu'à l'obsession. Parvenir au confluent fabuleux des cuisses blanches, y être accueilli en ami tendrement, ardemment désiré, en fils prodigue qui rentre au nid, et s'y blottit, enfin rassuré, la joue écrasée sur le vaste ample tendre élastique ventre doucement bombé, le nez palpitant à la chère odeur maternelle-carnivore qui monte du pubis bouclé comme monte la résine d'une pinède dans un crépuscule d'été... S'abandonner tout apaisé parce que c'est le refuge et le but enfin atteint, excité presque douloureusement parce que c'est l'incroyable, l'inaccessible, et qu'il ne sera jamais atteint... C'était là tout mon projet d'avenir, ma ligne de vie. Seul ce Graal valait d'être conquis. Le reste n'était que moyens et cheminements.

Or j'étais un garçon orgueilleux et timide, timide parce qu'orgueilleux, timide seulement devant les filles. Terrible contradiction. Elle a grandi avec moi, plus vite que moi, le résultat fut un adolescent passionné, refoulé, se piétinant soi-même.

Alors que les copains « frayaient » – c'était un mot de ce temps-là –, c'est-à-dire draguaient, flirtaient, dansaient, baisaient ou faisaient tintin mais du moins se donnaient les émotions de la chasse aux filles, de ses péripéties, de ses triomphes et de ses désastres, j'attendais. Celle qui saurait me voir. Qui décèlerait ce volcan secret prêt à s'embraser pour elle. Elle serait secrète elle-même, inhibée autant que moi, parce qu'elle-même tout orgueil et tout amour contenu. Elle seule saurait voir, mais saurais-je la reconnaître, moi stupide ? Tremblant, j'attendais.

Car c'était l'Amour, que je voulais. La grande Amour, majuscule et romantique, l'amour fatal, prédestiné, embrasement, cataclysme, l'amour comme chez Hugo : Marius et Cosette, une explosion et, boum, deux âmes en une... Il avait beau y avoir du poil autour, et du jus de glandes, et du remugle de fauverie, il était pur, et bleu, et innocent. Mes fantasmes se nourrissaient des réalités les plus animales du sexe, et cela n'en contrariait en rien le caractère sublime, tout au contraire : le paradoxe l'exaltait. Plus la femme était femelle, plus elle m'était sacrée. Le jour où, à l'âge du catéchisme, il me vint à l'idée que la Sainte Vierge, sous ses entassements de jupons de grosse bure, devait forcément sécréter un prodigieux fumet de vulve confinée, elle cessa du coup d'être en plâtre colorié et fut vraiment la Reine du Ciel, la nouvelle Eve. Je conçus pour elle une adoration éperdue, je l'aimai d'un amour céleste et lascif, l'un renforçant l'autre. La Mère de Dieu devint la sultane de mes fêtes solitaires. Amour sans espoir, bien sûr, on n'est plus aux temps où les déesses condescendaient aux humains coïts, et d'abord il n'y a plus de déesses, il n'y a qu'un seul Dieu, et s'Il consent à nous faucher nos femelles – assez peu souvent, il faut le reconnaître : une fois en deux mille ans... –, la réciproque n'est pas de mise... Piment de la profanation ? Sans doute, oui, il doit y avoir de ça. Chacun fait avec ce qu'il a. Existe-t-il seulement quelque part, l'amour sans profanation ? La révélation brutale du contraste entre le visage d'ange de la bien-aimée et la bête hirsute tapie entre ses cuisses n'est-elle pas ressentie par le garçon, la première fois, comme un viol ? Qui, par la suite, devient le ressort même du désir ? La première fois où la main ose se risquer sous la jupe, n'est-ce pas là profanation qui nous met en rut et fait de l'acte ce viol consenti ? Et le fait qu'elle se laisse faire, elle, l'ange, qu'elle s'avoue par là même et revendique ses souterrains suintements, que ses yeux dans les tiens consentent à n'être que célestes reflets de tripaille en émoi, n'est-ce pas là profanation bien grande et bouleversante ? La virginité est-elle jamais plus réelle qu'au moment même où on la perd? Chaque abandon n'est-il pas la perte d'une virginité, l'écho du premier abandon?

J'étais, ajoutez cela, imbibé de lectures. Les romanciers du XIXe, renforcés par les chansons de Piaf, de Tino et des autres, m'avaient profondément conditionné à la notion d'amour sublime, d'amour fou, d'amour plus fort que la mort, d'amour-cœur, d'amour-âme, où la chair n'était que suggérée dans un arrière-plan brumeux et maléfique. De tout cela était résulté ce monstre muré en lui-même et voué à s'autodévorer : un obsédé du cul qui cadenasse le cul à triple tour dans un tabernacle d'or. Et qui jette la clef aux pourceaux.

*

Les filles n'aiment pas les transis. Les dévorer des yeux, « faire passer toute son âme dans un regard », comme dit le bon Victor, ça ne leur convient absolument pas. A cause de Hugo, justement, j'accordais à la prescience des filles un crédit infini. Je les croyais pétries d'une essence subtile, sans comparaison avec nos grossières natures, à nous, les mâles. Je les voyais toute finesse et délicatesse, devinant les sentiments, allant au-devant, tout ça...

Je devais avoir quatorze-quinze ans, j'avais poussé plus vite que mes frusques, j'étais trop long, trop jaune, mes pantalons de golf m'arrivaient au genou, j'étais amoureux de la nouvelle petite vendeuse de la crémerie « A la Sainte-Cécile », une rouquine à taches de son. Quand elle me rendait ma boîte au lait pleine, mes doigts tremblaient, je lui tendais mes cinq sous en concentrant dans mon regard un formidable flux magnétique, très fatigant pour les sourcils, et alors, elle, rien. Je n'existais pas. Yeux au loin, visage de bois. Je passais devant la crémerie pour aller à l'école et pour en revenir. Je faisais le con avec les copains, très loustic très sonore, afin d'attirer son attention. Cinquante mètres avant la boutique je me sentais chaud aux oreilles, mon cœur se mettait à cogner tout de travers. Tu ne vas pas me dire qu'elle ne remarquait rien? Les filles, ça voit tout. En tout cas, comme si de rien. Même pas le sourire de mépris qui veut dire « Pauvre con! T'as bien du temps à perdre. » Rejeté dans l'inexistence glacée. Un jour, je lui ai glissé un mot dans la main, en même temps que les cinq sous du lait. J'ai osé. Un tout petit mot, écrit sur un petit carré de page de cahier de brouillon plié et replié sur lui-même : « Je vous aime. » Pâle comme la mort, tremblant comme la feuille. Elle l'a empoché, sans ciller. Le lendemain, je retourne au lait. Gorge nouée, genoux fondus. Elle me sert, prend ma monnaie, comme d'habitude : un zombie méprisant. Et puis, comme je m'en vais, mort de honte, que j'ai déjà un pied sur le trottoir :

« C'est vous qui avez écrit ça? »

Je me fige, la main sur le bec-de-cane, je me sens blêmir, mes yeux se cerner. Je me retourne. Je me force à la regarder bien en face.

« Oui.

– Ah! bon... »

Déjà, elle tournait le dos. Elle s'était refermée, je n'existais pas plus qu'une merde de chien sur le trottoir d'en face.

J'ai beaucoup pleuré. J'avais beau me répéter que c'était une salope et une méchante, je l'aimais, moi! Salope et méchante, certes, elle l'était, et elle avait bien raison. Peu après, je l'ai vue, un dimanche, s'enfoncer dans les fourrés du bois de Vincennes avec Marc Tossi, qui était beau, qui était riche, qui savait leur parler, qui se l'est envoyée dans la bonne humeur et qui l'a laissée tomber aussi sec, c'était son genre, à Marc. Qu'aurait-elle eu à foutre, je vous le demande, d'un triste puceau monté en graine qui l'aurait lanternée des mois avant d'oser lui mettre la main au panier, qui l'aurait sabotée et se serait cramponné pas moyen de s'en dépêtrer, avec drame, pleurs, toute la chierie ? Elle avait eu drôlement raison, oui.

Pendant des semaines, je me suis creusé la tête à chercher des itinéraires pour éviter de passer devant la crémerie.

*

J'ai atteint mes dix-sept ans, l'âge des bals musette, alors que la France gémissait sous la botte teutonne. Interdits, les bals. Pas tellement à cause du respect dû aux malheurs de la patrie, mais à cause des Chleuhs, toujours en guerre, eux, et qui entendaient que le couvre-feu soit respecté. Tout le monde au lit à dix heures, lôss! Alors, il y eut les bals clandestins. Le long de la Marne, dans des trous perdus, vers Noisy-le-Grand, Chelles, Gournay... Les copains y couraient, le dimanche, sur leurs vélos parfois sans pneus. Moi, je ne savais pas danser. Mais t'apprendras sur le tas! Tu verras, ça te vient tout seul! Où tu crois qu'on a appris, nous? Oui, mais eux, ils n'étaient pas paralysés par cet orgueil de hidalgo... Et bon, je me laisse emmener, nous voilà dans un bastringue perdu, devant des limonades à la saccharine, et les gars aussi sec qui foncent sur la viande et se trémoussent en cadence, coincés comme des harengs, serrant chacun une proie sur son cœur, palpant si la marchandise vaut la peine... Alors, François, qu'est-ce que tu fous? Lance-toi, merde! Tiens, Ginette, t'es toute seule? Fais danser ce grand con, ma poule, tu seras un trésor. Ginette se résigne, m'attend. Y'a pas, faut y aller. C'était une petite brune, autant que je me souvienne, avec une indéfrisable et du rouge à lèvres, beaucoup de rouge à lèvres, bien rouge bien gras, soigneusement dessiné en forme de cerise, ça lui faisait une bouche qui remontait jusqu'à toucher le nez, par contre elle n'en avait pas mis aux coins des lèvres, c'était une mode comme ça. Je l'empoigne comme un sac de ciment et je me mets à traîner les pieds en espérant de toutes mes forces que le rythme magique va s'emparer de mon être ainsi qu'il est dit dans les livres et les chansons.

Ginette me fait remarquer, pas spécialement aimable :

« C'est une rumba, vous savez.

– Ah! oui? Tiens donc... »

J'essaie de prendre ça légèrement. On est là pour s'amuser, non? Et je ne demande pas mieux que d'apprendre, moi. Voyons voir. Je regarde bien ce qu'elle fait avec ses pieds, et hop, j'en fais autant. Enfin, j'essaie. Vachement dur.

« Balance-toi! me crie Jean-Jean.

– Quoi?

– Ton cul! Fais bouger ton cul! »

Il me montre. Un vrai serpent, ce mec. J'essaie. C'est là que j'apprends que j'ai un cul tout raide, soudé d'un bloc, sans tous ces petits os à rotule qui devraient se trouver à l'intérieur.

Je dis à Ginette :

« Vous avez de la patience. Ça doit pas être très drôle pour vous.

– Nan. »

Mais c'est qu'elle ne rigole pas du tout, savez-vous? C'est pas ça qui va aider l'adolescence inhibée à s'épanouir dans la confiance en soi...

Je me concentre. Voyons voir. Où il est, le rythme? Suffit de guetter les coups de la grosse caisse. Ah! voilà. La batterie est tellement obsédante que je n'y faisais pas attention. Il paraît qu'on a le rythme dans le sang. Des globules rouges, des globules blancs et le rythme. Ben, je dois être déficient. Pourtant, je m'applique. Suivre la batterie, ne pas s'occuper du reste. Temps fort... Temps fort...

J'en tire la langue. Soudain, Ginette arrête. Me dit : « Non, vraiment, c'est pas possible. » Et me plante là.

Elle a fait ça! Moi qui commençais à me rassurer... Je m'échappe de cette piste d'enfer, je rase le mur jusqu'à la sortie, j'enfourche mon vélo et je me sauve à toutes pédales. Ce fut mon premier bal. Ce fut mon dernier bal.

CINÉ-CULTURE

Elle m'avait dit :

« Ils passent un film sur Sartre et Beauvoir, au studio Gît-le-Cœur. »

J'avais répondu : « Ah! tiens? », vachement intéressé. C'est l'air qu'il faut avoir quand il s'agit de Sartre et de Beauvoir. Ou peut-être était-ce un film de Beauvoir sur Sartre? Bon. Un de ces films.

« Moi, j'y vais. Absolument. Le mercredi, en fin de matiné, j'ai un trou. »

Bon, elle avait un trou. Ça voulait dire quoi? Qu'elle me suggérait d'y aller ensemble? Eh bien, qu'elle le dise. J'en mourais d'envie, qu'elle le dise.

« Si ça te dit... »

Eh bien, voilà. Le cœur s'est mis à me cogner.

« Mercredi, hm? »

Je plissais le front, feuilletant dans ma tête un agenda chargé. Comme si je n'étais pas le maître de mes heures... Aller au cinoche le matin, ça me disait autant que m'enfiler un demi-litre de tord-boyaux au petit déjeuner. Mais pour Sartre, n'est-ce pas... Ce devait être un film confidentiel, pour initiés, je me suis dit brièvement « Tu vas pas avoir l'air d'un con, là-dedans, tiens! »

Ma moue devait être convaincante au-delà de mes intentions. Elle faisait déjà machine arrière :

« Te crois surtout pas obligé! »

Ajoutant, à l'hypocrite :

« Ça risque de te paraître assez chiant. »

Juste ce qu'il fallait dire.

« Je vais essayer d'y aller. »

Tu parles si j'allais essayer!

« Si tu viens, tu me trouveras au premier rang. Il y a toujours de la place, au premier rang.

– Mais ça vous renfonce les yeux dans la tête!

– Moi, il n'y a qu'au premier rang que je vois quelque chose. Je suis myope à ne pas croire.

– Et pourquoi pas des lunettes?

– J'ai ça aussi, mais ça ne suffit pas. »

J'étais sûr qu'elle n'y serait pas, ou que je serais trop niquedouille pour la reconnaître dans le noir, en plus ma timidité...

Elle y était. Au premier rang, mais je n'ai trouvé de place qu'au troisième. J'étais en retard, le film était bien entamé, au moins vingt minutes, quand j'ai vu la suite j'ai pensé que c'étaient toujours vingt minutes de sauvées du désastre, mais je n'étais pas là pour les aventures de Stan Sartre et Oliver Beauvoir, j'étais là pour la regarder, elle, et me convaincre qu'elle existait, elle, et que, confrontée à la statue que j'avais dressée d'elle depuis l'autre jour, elle tenait le coup. Elle tenait, oh! là! là. Et moi j'étais cuit. Ficelé comme un saucisson.

Elle avait relevé ses cheveux, les avait comprimés serré serré dans un machin, une espèce de pansement pour fracture du crâne, un turban, voilà. Ça lui changeait toute la tête. Sale blague. J'aurais pu ne pas la reconnaître, et me tirer tout péteux. Je l'ai reconnue à ses pommettes. Ses bonnes grosses joues. Emmanchées d'un long cou. Et puis elle a tourné la tête, comme inquiète, elle me cherchait, elle m'a vu, elle a eu son sourire de chien, la canine brillait.

Dis donc, elle me cherchait!

A la sortie, elle m'a pris le bras.

« Beuh, oui... Evidemment, faut faire grand public. »

C'était une approche prudente... Mais, ma parole, elle attendait mon appréciation! Mes critiques. Si elle savait ce que je peux être ignare en matière de culture cinématographique! Je modulais un lâche « Beuh... », mais elle fut plus rapide :

« De toute façon, c'est Sartre, et c'est Beauvoir. Je suis contente de les avoir vus. Je les aime beaucoup, beaucoup, tu sais. »

Oh! merde, autant être brutal.

« J'ai lu Sartre, enfin, ses romans, ses nouvelles, et puis *Les Mots*, j'ai bien aimé, il y a longtemps. J'ai vu *Les Mouches* et *Le Diable et le Bon Dieu*, j'ai peur de ne pas avoir tout compris, mais je suis un peu sourdingue, il y a des mots qui m'échappent. Non, franchement, en vérité je me suis fait plutôt chier. Un peu comme aux pièces de Brecht, tu vois? C'est bavard. Prêchi-prêcha et paradoxes à deux ronds. Moi, tu sais, je suis un instinctif, un paysan, une bête. Quant à sa philo, là, j'ai essayé, à l'époque, j'ai calé à la dixième page. Il me manque la base. La mère Beauvoir, ben... Oh! je m'y mettrai un de ces jours. »

J'en faisais peut-être un peu trop? Après tout, personne ne me demandait une profession de foi. Mais non. Bien annoncer la couleur. J'ai rien d'un intello, moi, ou alors un intello de bistrot de village. Quand je me fais chier, je me fais chier, j'ai beau essayer de me persuader du contraire.

« Tou dis n'import' quoâ. (Son accent à éclipses l'avait reprise.) Tou oublies que je souis ta fidèle lectrice depuis des années. Arrête de faire l'andouille. (Mais je ne fais pas l'andouille! Bon dieu, comment se faire comprendre?) Ne me dis jamais dou mal de Sartre! Ni de Simone. Tous les cons leur aboient dessus, ça fait assez de monde comme ça... T'as faim? Je connais un petit restau d'ouvriers, tout près, le plat du jour, sympa, pour trois fois rien, mais faut manger vite, les autres attendent. »

On a attendu dans la rue, et puis on a dévoré le hareng-pommes à l'huile, la côte-purée et la crème caramel, les joues coincées entre les bleus de chauffe impatients des affamés d'un bagne voisin, après on a un peu traîné sur les quais, il faisait froid, l'air était gluant d'un brouillard invisible, ce qu'on s'est dit j'ai oublié, je faisais l'instruit et le sarcastique, ça je peux parier, je regardais ses pieds attaquer le pavé, ses grands solides pieds d'arracheuse de pommes de terre, je découvrais que des pieds peuvent être grands et gracieux, ses chaussures râpées lui allaient drôlement bien, râpées mais chic, attention, elle semblait aussi à l'aise, perchée sur ses quinze centimètres de talons, que si elle avait marché pieds nus. On s'est assis sur la pierre gratte-cul, au Vert-Galant, les jambes pendantes au-dessus de l'eau, on a regardé miroiter la Seine. Un négro bien habillé, imper, chapeau, pompes miroirs, nous a tourné autour trois quatre fois, et puis s'est penché et nous a proposé quelque chose, du hasch, de la drogue, peut-être, très clandestin très mystérieux, j'ai dit non à tout hasard, j'étais très flatté, c'était la première fois qu'il m'arrivait de ces choses qui arrivent.

Au restaurant, ça m'avait amusé, elle avait insisté pour payer sa part, si si, c'est un principe, je lui disais tu m'inviteras la prochaine fois, non non, rien à faire, ça doit être un truc symbolique freudien, très important, ou M.L.F., peut-être bien, enfin, bon, si les femmes se mettent à payer leur écot ça va être la belle vie, d'autant qu'elles choisiront dés cantines économiques, je les connais, il ne leur resterait plus rien pour les fringues.

On s'est dit salut, elle avait son petit garçon à récupérer.

Eh bien, voilà. Ce fut le premier rendez-vous.

DERRIÈRE LA VITRE

ELLE avait vu que j'en séchais sur pied. Elle avait vu mon nez écrasé contre la vitre, de l'autre côté, mes yeux écarquillés de convoitise devant le gros gâteau, elle était le gâteau, elle m'avait cligné de l'œil, elle m'avait fait comprendre l'invraisemblable : « Tu peux y aller, gros bêta! Tu ne vois pas que j'en meurs d'envie autant que toi? Qu'est-ce que tu attends? » Elle était sortie de derrière cette vitre, elle m'avait pris par la main...

Oh! oui, il y a quelque chose de changé! Voilà qu'elles viennent à nous. Elles ont compris que les oisillons, c'est nous. Elles ont cessé de faire semblant. Elles n'attendent plus de nous les initiatives et les virilités. Elles nous choisissent, elles nous draguent, l'âge d'or de mes rêves d'enfant est arrivé! Un peu tard, presque trop tard, mais bon, j'en aurai senti le goût.

J'étais tout fier d'avoir compris ça. Je ne savais pas que je n'avais pas TOUT compris. C'était pourtant simple et évident. Mais quand on est con, on est con.

Je marchais sur un nuage.

AVANT L'AURORE, IL Y A L'AUBE

QU'EST-CE qui m'a réveillé? Je dormais, je ne dors presque plus, je ne dors plus du tout... On a frappé, non? Oui, c'est ça, on frappe. Mais si léger, si furtif... La nuit est totale, dans ma piaule. Je cherche des doigts la petite loupiote japonaise, par terre, le long du matelas. J'allume. De nouveau les quatre heurts ténus. Et je me souviens... Mon cœur du coup bondit, se cogne à sa cage, pistonne à grandes giclées des torrents de sang rouge dans les tuyauteries soudain dilatées à éclater... Elle a tenu parole! Elle avait dit ça comme ça, il y a huit jours au moins, ne l'avait pas répété, je croyais à des mots en l'air... « Je boucle la *Pantoufle* lundi à quatre heures du matin, je passerai te dire bonjour après. » Et la voilà. C'est sa façon de frapper, il n'y a qu'elle.

J'ai moi-même bouclé l'*Hebdo* dans la nuit, ça s'est prolongé jusqu'à plus de deux heures, je viens de m'endormir... Je dis « Ouais! », je m'aperçois que je croasse, l'émotion, la poignée tourne, je dis « Pousse fort, elle est dure », comme si elle ne le savait pas, en même temps je m'arrache au matelas, mais la porte s'entrebâille, une longue silhouette noire se voûte sur le ciel déjà mauve, se glisse, dit « Chut! » Elle est dans mes bras.

« Tu es venue... Tu es là... »

Tout ce que je trouve à dire.

Elle se blottit, petit oiseau de près de deux mètres de haut perché sur ses échasses, fait le dos rond, serre les épaules, a ce bref geste de la tête pour ramener sa tignasse sur ses yeux. Si j'étais moins secoué, je verrais combien elle est crispée. Et combien fatiguée. C'est la fatigue qui lui donne l'audace. L'aube hallucinée des travailleurs de nuit.

Que dit-on, dans ces cas-là? Je ne dis rien. Je la sens contre moi qui frissonne. Je la respire. Elle sent très bon, un parfum, j'n'y connais rien, mais ce parfum est juste le parfum qu'il faut, juste celui dont son odeur à elle est l'autre moitié de la symphonie. Elle dit :

« Recouche-toi, tu vas prendre froid.
– Tu parles!
– Retourne-toi! »

Je me glisse entre les draps, sur le matelas mousse jeté à même le carrelage, et voilà qu'elle a déjà tout envoyé promener. J'ai à peine eu le temps de l'entrevoir, grande fleur pâle dans la nuit, j'ai à peine eu le temps, j'ai eu tout le temps, rien ne m'a échappé, rien, et je n'oublierai plus jamais, plus jamais, aucun instant jamais ne chassera celui-là, le temps d'un éclair et ça suffit, tout est noté, tout est en place, les larges épaules, le torse étroit sur les hanches poulinières, les cuisses triomphales, et cette grâce du geste, cette harmonie musculaire... Tu es là, Gabrielle, tu es là! La plus belle de toutes les femmes et tu es là!

La voici près de moi, tout le long de moi, sur ce sec matelas d'ermite, et mes bras se referment sur le vaste dos, et deux petits seins, projetés par des pectoraux plus durs que les miens, écrasent sur mes seins leurs mamelons plus gros qu'eux-mêmes, et j'enlace à pleins bras ce cul prodigieux, ce cul de miel et de crème, ce cul comme je n'aurais pas imaginé qu'il pût en exister un, je l'encercle comme on fait d'un arbre vénérable, un géant de la forêt, comme si j'allais ne pas pouvoir en faire le tour, et mes doigts s'enfoncent dans ces fesses des Mille et Une Nuits, ma joue se caresse au ventre magnifique, mon dieu qu'elle est belle, qu'elle est belle, qu'elle est belle! Tout en elle est perfection, non, mieux : réussite. Ses muscles très longs, attachés très haut, frémissent sous la peau fine comme ceux d'un cheval impulsif... De partout sortent d'elle des odeurs amies, fauves et puissantes, et chaque endroit d'elle a son odeur à lui, je passe de l'une à l'autre, et toutes ces odeurs mêlées font une prodigieuse odeur qui m'affole et qui m'apaise, mais voici, effaçant toutes les autres, que m'assaille la formidable odeur de son sexe, si sauvage, si violente, si inattendue, que je suffoque d'abord, tant est brutale la surprise, et puis je me sens porté par une énorme poussée de bonheur, et je subis le plus bouleversant choc érotique de ma vie, et je me dis que jusqu'à cet instant je n'ai jamais aimé, et que plus jamais je n'aimerai un autre corps de femme, et que l'orgasme à son paroxysme n'est rien auprès de ce parfait bonheur. On m'a pris par la main, on m'a mené là où je devais aller. J'ai trouvé l'objet de ma quête, or je ne savais même pas que je cherchais. Là est mon refuge et mon accomplissement. Entre ses cuisses.

Baiser? J'en serais bien incapable! L'émotion est trop forte. Mon extase est ailleurs. Je suffoque de bonheur, je ris tout seul, je pleure, je bafouille des niaiseries, je déguste Gabrielle, je m'emplis de Gabrielle, je me convaincs que je ne rêve pas, qu'elle existe bien, je m'en assure par les mains, par la bouche, par le nez, par toute ma peau qui glisse sur sa peau, je la respire, je la bois, je la mange, encore et encore, je plonge en elle, je voudrais m'y engloutir tout entier, je me barbouille d'elle, de ses flux torrentiels, de ses furieuses senteurs.. La voyant basculer dans le plaisir, je deviens fou frénétique, son plaisir est mon plaisir, je n'arrête plus, je la veux hurlante et possédée, je la dévore vivante, je me sens cannibale, je ne la laisse que lorsqu'elle crie de douleur...

Elle est comme frappée de stupéfaction devant son propre plaisir. Soupçonne qu'il y a là quelque chose de diabolique. Tout au moins de malsain. Mi-hébétée, mi-réprobatrice :

« Pourquoi fais-tou ça? Pourquoi n'as-tou pas joui? »

Je lui explique, pas très flambard :

« Je suis trop ému, tu comprends? C'est souvent comme ça, la première fois. Et là, avec toi, comment te dire, c'est vraiment la première fois de toutes les premières fois. »

Je crois malin de lui fredonner Brassens :

« La bandaison, papa, ça ne se commande pas.

— Tu crois? Alors, pourquoi tu m'as fait tout ça? Pour me faire plaisir, c'est ça? Tu t'es forcé? Tu t'es cru obligé? »

Je ne me sens pas en mesure d'entrer dans des explications sur le fonctionnement parfois déconcertant de l'organe masculin et la multiplicité des chemins de l'assouvissement.

« Pour te faire plaisir? J'espère bien! Mais c'est aussi mon plaisir. Comment te dire? C'est très fort, très violent, c'est meilleur que jouir. Non, pas meilleur, autre chose. »

Elle est songeuse.

« Je me sens coupable que tu n'aies rien eu.

— D'abord, je n'ai pas « rien » eu. J'ai eu beaucoup. J'ai eu l'essentiel : tu es venue, tu es là. J'en ai le cœur qui déborde. Si j'avais eu, en plus, le reste, ç'aurait été trop pour une première fois. Je suis d'une nature plutôt excessive, question émotivité, tu sais. Disons que ça se passe dans la tête, que mon excitation est tellement forte qu'elle inhibe le putain de bout de nerf responsable du réflexe qui est censé faire dresser ma queue. Voilà. Il faut que je me fasse à l'idée que tu existes. »

Nous sommes blottis sous le duvet, les grands bras blancs m'enserrent, la noire tignasse épandue sur ma poitrine.

Soudain :

« Quelle hore as-tou?

– Six heures. »

Elle saute dans ses bottes, entasse sur elle les couches successives d'oripeaux, se hisse sur son perchoir double, de là-haut s'incline vers moi, sans plier les genoux, me bise le nez, « Bouge pas. Je suis en retard », ouvre la porte. Le matin gris la happe. Elle ne s'est pas retournée. Elle ne se retourne jamais.

*

Elle avait mis une grande année à se décider. Moi, je n'attendais pas, je n'espérais rien, je rêvais, je frôlais. Je lui donnais par-ci par-là un coup de main pour son journal, toutes ces grandes filles rechignaient devant la technique. J'avais participé à une ou deux « réunions de travail » où je n'avais pas très bien compris de quoi il s'agissait, ça parlait très sciences-zu, il m'aurait fallu un interprète. Je l'avais un peu aidée à arranger son stand à la fête du P.S.U., le soleil tapait comme un cosaque soûl sur les steppes de la Courneuve, elle portait une espèce de maillot de corps de camionneur, rose, parfaitement hideux mais vachement dans le vent, comme je m'en suis aperçu plus tard, heureusement j'ai fermé ma gueule, vaut toujours mieux être prudent quand on arrive de sa cambrousse. On avait déjeuné de deux merguez, le cul dans l'herbe jaune.

*

Cet oiseau-là n'est pas oiseau de passage. Cet amour-là a des chaînes et des tenailles. Je plane dans le bleu, je ne vis que pour le moment où je replongerai en elle, en même temps j'entends claquer le piège, et je me dis « T'es fou! », et je me réponds « Ta gueule! Vis, merde! »

« Une emmerdeuse, avait dit Choron, en voyant ses yeux.

— La peste et le choléra », disaient les regards des autres.

CANTIQUE DES CANTIQUES

Dans son cul fabuleux j'oublie la mort, la vieillesse qui vient, le monde tout autour, la vie à gagner, la connerie de tout ça. Dans ce cul énorme qui me happe et m'engloutit, dans ce cul mon enfer, j'oublie l'enfer.

Pour un instant. Un tout petit instant. Quel instant! Le sait-elle, qu'elle est avant tout un cul, qu'elle n'est que cul, le reste je m'en fous, donnez-moi ce cul et je me sauve avec, je cours, je le renifle en courant, je m'y plonge tête et oreilles, je me dissous dans la délectable puanteur, mâché par les muscles puissants qu'inondent les sucs des glandes carnivores. Terrible remugle de tribus cheminantes, fauves en rut, ammoniaque, litière, tripaille, menstrues, femme, femme, femme! Le sait-elle seulement, la conne?

Sait-elle qu'elle est plus femme que toutes les femmes, c'est-à-dire cul, c'est-à-dire fente, plus fendue qu'une mendiante, plus puante qu'une reine, sait-elle qu'elle se donne comme aucune ne se donne, toujours prête, toujours béante, toujours ruisselante, sait-elle que devant elle le désir jamais ne s'assouvit, qu'il renaît et renaît, la queue n'en peut plus, la tête attend, sait-elle que si putain n'était un métier maudit elle devrait être putain,

putain et rien d'autre, je ne le dis pas en mauvaise part, ceci est un chant d'adoration.

*

Ton ventre. Ton ventre blanc, et vaste, et lisse. Ton ventre, la prairie de mon repos.

Tes cuisses. Tes cuisses puissantes et dociles. Tes cuisses, mon rempart. Entre tes cuisses, je ne crains plus la vie, je ne crains plus rien. Entre tes cuisses, mon amour.

*

Je pense à elle, je bande. Autant de grosse tendresse que de luxure diabolique. Je pense à cette grande conne, je bande. Voilà. A son sourire de chien. A sa façon de se baisser, d'un bloc, comme on plonge, sans plier les genoux, cul offert. A son rire pomme d'api. A ses longues fortes mains. A quelque chose qu'elle a dit, avec son air à elle de dire les choses. Jamais connu ça. Avec cette régularité, je veux dire. Cette placidité. Je bande en bon bourgeois. Sans autre malice que la hâte de retrouver le cher gros cul sauveur. J'entre en elle comme on rentre chez soi. Une toute petite pointe d'inceste, peut-être. Dans le sens petit garçon-maman. Elle est ma maman. Ce cul est ma maman.

Elle, toujours d'accord. A n'importe quel moment, même fourbue, même en pleurs, pour elle c'est la fête. Yeux brillants, joues fendues, cuisses ouvertes, aussitôt ruisselante.

Le plus franc, le plus sain, le plus généreux, le plus lumineux amour.

Qui donc baise pour la baise? Je veux dire pour frotter son truc dans un machin, et cracher sa purée, et pousser son cri? Qui? Pourtant, c'est ainsi qu'on en parle. Entre hommes. Dans le peuple. Peut-être ailleurs est-ce différent. J'en doute. Cette sacrée virilité, n'est-ce pas.

« Au départ », le grand désir, la faim, c'est le contact. Des doigts, de la peau, joue contre ventre, main dans cuisses, ventre contre ventre, joue contre joue, odeurs, chaleurs, élasticités, intimités... Intimités. Recherche éperdue de l'intime, voilà. Chiot se poussant de la truffe dans le tendre ventre de sa mère. « Ne faire plus qu'un », ce n'est pas la pénétration, c'est l'avant-pénétration. La plongée aux entrailles te tombe dessus en ouragan, tu humais palpais dégustais yeux fermés, que ça dure toujours, toujours, et tu as glissé va savoir comment dans le fourreau avide, le processus irréversible est enclenché, tu ne peux qu'en moduler la vitesse jusqu'à l'explosion finale. Ce n'est pas le spasme qu'on avait en tête, c'est pourtant le spasme qu'on récolte. Je ne dis pas « Dommage! », ce serait un peu poussé, j'ai quand même vaguement le sentiment d'être couillonné.

*

Au plus profond de l'instinct, au plus granitique de l'homme, au plus innocent de l'amour, il y a l'odeur.

Car le sexe est odeur, et l'odeur est sexe. Le sexe sans l'odeur n'est rien. L'odeur sans le sexe est quand même le sexe, et cent mille fois le sexe.

Qui n'aime pas par l'odeur n'aime pas vraiment.

L'odorat, sens de peu d'usage par ailleurs, est le char triomphal de l'amour.

Nous sommes bêtes avant que d'être hommes. L'amour n'est pas ce qui fait de l'homme une bête avec quelque chose en plus. L'amour est, avec la faim, la soif et la peur, la pulsion la plus primitive des hommes, la plus bestiale. Ne refusons pas d'être une bête là où c'est de la bête qu'il s'agit. C'est quand est solidement assurée la base, c'est-à-dire quand nous acceptons pleinement notre bestialité, que nous est donné de surcroît le décisif petit quelque chose en plus qui fait de nous la bête de pointe : l'homme. Assumons en nous la bête, ainsi serons-nous d'autant mieux hommes.

Mon amour est amour de bête.

Gabrielle, Gabrielle, sais-tu que c'est d'abord par l'odeur de ton sexe que tu me tiens? Mon amour est amour de bête. Je suis, quand j'aime, totalement une bête, rien qu'une bête, je t'aime en bête, c'est la bête que j'aime en toi.

Quand je pense à toi, c'est d'abord l'odeur sauvage de tes muqueuses qui m'emplit et m'affole. Je flaire sur mes doigts ton souvenir terriblement tenace, et soudain tu es là, tout entière, vivante, plus que vivante.

Mon amour est celui du chien qui hurle à la lune pour une chienne en chaleur dont l'exaltante puanteur, par-delà les kilomètres, l'arrache à la gamelle, à la servitude béate, et le jette sur les chemins, redevenu loup, prêt à tuer.

La vulve de la chienne appelle deux fois l'an. Celle de la femme appelle chaque jour. Chaque jour, chaque nuit, à chaque instant.

A chaque instant, les glandes de Gabrielle lancent leur formidable appel de rut et d'engloutissement. « Monceau d'entrailles, pitié douce... » Le parfum choisi par Gabrielle y enroule ses volutes d'herbes et de fenaison, c'est un parfum comme ça, très champêtre, mais pas des champs de par ici. Je le trouvais « étrange » et « troublant » parce que ce sont les mots qui s'emploient pour un parfum. Je ne serais pas allé jusqu'à « envoûtant », vraiment pompier, mais le cœur y était. Je n'avais jamais senti le même sur une autre femme, ou bien je ne l'avais pas remarqué. Sur une autre, peut-être n'aurait-il été qu'un parfum d'entre les parfums, un parfum même pas très original, si ça se trouve. Sur elle, ô mon ivresse! Quel concert avec les vivants parfums de son corps! Accord strident, sauvage! Ils se complètent, se renforcent, s'exaltent, s'entrelacent, chantent en pleine extase leur incantation brutale et parfaite... Je suis hors de moi et je suis apaisé, je plane au plus haut de l'exaltation sensuelle, tout est bien, chaque chose est à sa place, Gabrielle est là, tendrement, puissamment, obsessionnellement là, autour de moi, partout, je baigne en elle, je flotte en elle, je fonds en elle...

*

Je suis d'ordinaire – j'étais, jusqu'ici – peu sensible aux parfums dont usent les femmes. Au mieux je trouve que ça sent bon, oui, bien sûr, mais qu'est-ce que ça vient foutre là? Au mieux au mieux. Toujours, ils me dérangent. J'ai lu des tas de choses, comme tout le monde, sur l'irrésistible parfum de telle ou telle dame en noir. J'ai toujours été déçu. Il en est de délicieux, oui, en tant que parfums. Mais leur place n'est pas sur une femme. Ça sent quoi, un parfum? Essentiellement la fleur. Une fleur ou l'autre, ou tout le bouquet. Et aussi l'encens, les épices, les choses musquées. Pas la femme. Une femme, on s'attend à ce qu'elle sente la femme. Enfin, moi. Pas seulement le sexe, ne me faites pas plus obsédé que je ne suis... Quoique, dans la femme, tout n'est-il pas sexe, de près ou de loin? La joue de femme, ça sent très bon. Faire la bise à une joue qui sent la joue, quel bonheur! Et les cheveux, le cou, la nuque, le repli derrière l'oreille, le dos, le corsage qui fait cheminée, les diaboliques aisselles... Ça te remet le caractère à l'endroit, te réconcilie avec l'humain. Mais où trouver une nuque qui sente la nuque? Tout est écrasé sous l'obscène senteur de boutique de coiffeur. De coiffeur chic, bien sûr, ne parlons même pas des paumées qui se bombent dans les plis du désodorisant à cabinets.

Donc les parfums, jusqu'ici, avaient sur moi un effet plutôt anti-aphrodisiaque. Agréable, mais calmant pour la bête. Ça faisait des dames des êtres gracieux, fleuris, éthérés, des êtres aussi purs que leurs dents éclatantes, des êtres qui, certes, n'ont pas entre leurs blanches cuisses une bête rouge et noire qui tire la langue... Et voilà qu'un parfum fouette mon émoi au lieu de le piétiner... Aujourd'hui, je dis : l'accord parfait d'une femme et de son parfum, ça existe, je l'ai rencontré. Une fois.

Mais peut-être l'accord préexistait-il en moi.

*

Une femme court après l'autobus. Elle est quelconque, un tas, rien. N'empêche, une femme. Machinalement, obstinément, un coin de ma tête essaie de lui trouver QUELQUE CHOSE. N'importe quoi. Un truc où accrocher du sexe. Rien que le mot « femme », imprimé, me picote la glande comme ne le fait pas « homme », ou « automobile », ou « dinosaure », ou « millions de dollars ». Il n'est PAS POSSIBLE qu'une femme n'ait RIEN. Moche, sale, malade, vieille, morte même, je tourne autour, je la pousse de la truffe, je trouve toujours quelque chose à quoi accrocher le fantasme. Toujours. Ne serait-ce que le fait qu'elle est femme.

*

Il vous arrive de rencontrer, ici ou là, une femme à qui vous ne pouvez pas dire un mot, enfin pas ceux que vous voudriez lui dire, et de comprendre sur-le-champ, lumineusement, que c'est ELLE. Celle de votre vie. Juste celle-là. Fine, intelligente, compréhensive, sensible, maternelle, un peu meurtrie, les commissures un peu désabusées... Prête. Souveraine. Et des jambes! Et un cul! Et savoir qu'elle sait que tout le message est arrivé à bon port, et qu'elle a reçu le choc en retour, ses yeux le disent, le crient, ils vous supplient de trouver quelque chose, et vous ne trouvez rien, et le temps passe, et le moment de se quitter est là, et l'on se quitte, cher monsieur-chère madame, sous l'œil vigilant de celle qui surtout ne doit pas savoir, et qui déjà sait tout, elle a entendu battre l'aile invisible, elle en a senti le froid sur son cœur... Et l'on ne reverra plus l'inconnue, et l'on y pensera souvent, longtemps, toujours peut-être, à elle et à d'autres, et cela aurait été si beau, plus beau que tout, et on a mal comme si l'on avait vécu pour rien... Ça vous arrive, de temps en temps? Moi, souvent. Chaque jour. Enfin, presque. Il y a des jours où je ne sors pas.

DE LA MUSIQUE
AVANT TOUTE CHOSE

COURTE, la vie? La mienne est déjà plus longue que la tapisserie de Bayeux, plus pleine que la Bible, plus mouvementée que *Les Trois Mousquetaires*, plus fourmillante que Balzac, Zola et Dostoïevski mis bout à bout. Et ce n'est qu'une toute petite vie... Et je suis un gros passif qui se laisse ballotter... J'ai traversé tout ça comme un brouillard épais, et tous ces souvenirs, si vivants que je les touche du doigt, il faut que je fasse effort pour me rappeler qu'en réalité je les ai vécus comme en pensant à autre chose, jamais tout à fait là où ma carcasse était.

J'ai peu parlé de Tita. Tita n'aime pas que l'on parle d'elle. Ces lignes même, personne peut-être ne les lira. Il suffirait qu'elle dise « Non ».

Il y avait eu les premiers temps. Nous étions pauvres à crever, grouillants d'enfants comme une tribu de Bédouins, moi fasciné par Tita, ne sachant pas encore que je n'aimais pas les enfants, commençant à m'en douter mais ce n'est pas ça qui allait m'arrêter, j'avais tellement envie de leur mère! J'aurais couru à elle même si elle avait été la maman dévouée de deux cent cinquante mongoliens baveurs, or ceux-là, ceux qu'elle avait, ceux que je lui fis, étaient de bien beaux enfants.

Nous nous étions trouvés, nous étions deux cœurs

bien malades. Tita s'était soudain arrachée à dix années de mariage fourvoyé, avait couru à la gare, ses trois filles sous le bras, et moi je sortais du Père-Lachaise [1], ma petite urne dans la poche. Tous deux sanguinolents, frileux, affamés d'amour.

Je n'arrivais pas à croire qu'un visage aussi parfaitement beau pût exister ailleurs qu'au cinéma. Je courais la rejoindre, il fallait que je m'assure qu'elle était aussi belle que mon souvenir la voyait. Elle l'était infiniment plus, à tous les coups.

Elle avait un visage étroit jusqu'à l'invraisemblable, clair comme un émail, des yeux terriblement confiants, des cheveux en cascade de bronze sur les épaules, un nez busqué de chef sioux, une frange jusqu'aux yeux.

Elle avait vingt-sept ans. Moi aussi.

*

Et les années ont filé, comme elles filent.

Je m'étais vite replié sur mes habitudes de fils unique, incapable de m'intégrer à la vie de famille, vivant à mon rythme, mangeant à mes heures, bougon, grognon, d'ailleurs bientôt plongé corps et âme dans la grande aventure du journal et, en même temps, dans l'aventure non moins exaltante de la maison à construire.

Et puisque je vivais tout seul mon aventure terrestre, Tita s'était mise à vivre la sienne. Son aventure, à elle, c'étaient ses enfants.

*

Tita courant au métro, un petit garçon au bout de chaque bras, un étui à violon au bout de chaque garçon, elle est rentrée de son travail à toute allure,

1. Cf. *Bête et méchant*, Belfond 1981.

trois quarts d'heure de métro, cohue compacte – hargneuse de six heures du soir, elle a cueilli ses garçons au vol, et la voilà qui replonge en sens inverse, elle a trouvé pour eux des leçons de violon à la Schola Cantorum, tout en haut de la rue Saint-Jacques, il ne sera pas dit que ses enfants n'auront pas été initiés à la musique, une vie sans musique est une vie ratée, naturellement la musique ne saurait être que classique, c'est à six ans qu'on commence, plus tôt si l'on peut, Tita se tord les chevilles dans les couloirs du Châtelet, ses garçons ses violons au bout des bras, dans les virages celui de l'extérieur décolle en vol plané juste comme il allait réussir à mordre dans le petit pain au chocolat que tient la main que tient Tita, samedi elle les emmènera au concert, eux et les filles, avec peut-être une amie ou deux, elle a l'âme prosélyte, elle brûle de convertir tout ce qui l'approche, tout ce qu'elle aime, à Bach et à Mozart, elle voulait tellement être musicienne, drame de sa vie, ses parents ont divorcé, d'où la musique trahie, blessure à jamais béante, le premier achat non strictement de survie sera un piano droit dégoté aux Puces, plus que centenaire, très gracieux à voir, il me plaisait bien, mais irrémédiablement casserole, paraît-il, meurtrier à toute oreille un peu sensible, la mienne ne comprenait pas où était le scandale, je le disais, naïvement, je voulais qu'on m'explique, on m'expliquait. Ça, c'est juste, tu entends? Bon. Et ça, maintenant, c'est faux, faux à hurler, aïe, quelle horreur! Tu ne vas pas me dire que tu ne sens pas la différence? Euh... Non. Honnêtement, non, je ne sentais pas. J'aurais voulu dire oh! mais bien sûr, je la guettais de toutes mes forces, la différence, la dissonance, l'horreur horrible, de toutes mes forces je voulais être normal, merde, et non, j'avais beau me plisser le cerveau m'écarquiller le pavillon, j'avais beau j'avais beau, je ne voyais pas. Pourtant, je chantais, j'aimais chanter, j'ai toujours aimé, et juste. « Il a de l'oreille », a-t-on dit de moi plus d'une fois. Il m'arrive de tordre les airs, mais c'est parce que je me les rappelle mal, alors j'invente, je trahis. Suffit que j'entende l'original, je me dis mais oui, bien sûr, et je rectifie. Le mystère reste entier.

Pendant longtemps, Tita n'a pu se résigner à cette infirmité. Elle ne pensait même pas qu'on pût survivre sans la musique dans cette vallée pavée de tessons de bouteille et fleurie de crocodiles affamés. Elle disait c'est faute d'initiation à l'âge propice, ces taudis ouvriers, Tino Rossi à toute volée, pauvre petit, la tâche sera rude mais allons-y, il a une telle sensibilité, un tel besoin du beau, il va découvrir ce monde-là cette terre inconnue, ce ciel, il ne restera pas passif, il voudra jouer de quelque chose, il est bien tard mais en amateur, nous monterons un petit orchestre de chambre, nous serons heureux, heureux à ne pas croire, et bon, elle m'avait traîné au concert, J.M.F., quatuor Löwenguth, tout ça, je m'étais laissé faire, j'étais confiant, j'attendais l'éblouissement, j'attendais de toute ma soif, béant, ému comme au matin de ma première communion, et les heures passaient, et les flots, comme on se plaît à dire, d'harmonie montaient, descendaient, m'enveloppaient, et puis se retiraient, grondaient, susurraient, picotaient, architectures, majestés, tendresses, trouvailles, audaces... C'était beau, c'était très beau, je me rendais bien compte. Hélas! ce n'était pas la pâmoison. J'étais là, appréciant les traits, les passages, cherchant la mélodie à travers ces tonnerres enchevêtrés, un peu touché, par moments, pas assez. J'avais beau m'autosuggestionner, me répéter que c'était sublime, eh, Ducon, et que j'étais un sale cochon, arriva un moment où je fus bien obligé de m'avouer que je m'emmerdais. Douloureusement. C'était joli, oui. Pas au point de rester trois heures à se taler le cul sans oser renifler. Je me disais « C'est parce que tu ne te concentres pas. Tu penses à autre chose, tu rêvasses, tu t'évades. Tu es un grossier, forcément, il y a un seuil à franchir, tu dois te faire une certaine violence, te forcer à écouter, à t'intéresser, perdre cette habitude d'éliminer la musique en tant que bruit de fond qui ne te concerne pas. Ecoute, nom de dieu! Sois là! » Je serrais les mâchoires, je plissais le front, je poussais mes oreilles de toutes mes forces hors de ma tête, j'épanouissais leurs cornets dans la bonne direction, gracieux, glaïeuls friands d'harmonie, et dix secondes plus tard je me surprenais essayant de reconstituer l'engin de levage rustique que les maçons du douzième siècle avaient bien pu bricoler pour hisser là-haut la monumentale clef de voûte, si ça se passait dans une église ce jour-là. Des trucs de ce genre. Et je prenais conscience que cet agacement que je ressentais c'était à cause de la musique, son boucan impitoyable démolissait ma rêverie à coups de tatane, j'essayais de recoller les morceaux elle refoutait tout en l'air, arrêtez ce vacarme, sales mômes, on n'a pas idée, vous êtes cinglés, ou quoi?

Du haut du pal de mon supplice, je jetais des regards furtifs alentour, voir si je ne découvrirais pas un frère en infortune, quelque mari arraché à son bridge, quelque benêt boutonneux arraché à ses bandes dessinées pour la corvée de culture, quelque grand-mère sans défense arrachée à son tricot, mais non, nuls yeux martyrs levés au ciel, nul petit somme discret le nez dans le foulard de soie, nul doigt dans nulle narine. Tous figés dans la même extase, pâles d'émotion heureuse, hypnotisés, comblés. Certains cachaient leur visage dans leurs mains jointes, comme à la messe. Quelques larmes coulaient. J'étais bien seul dans ce désert.

Mystère d'autant plus que l'éblouissement, je l'avais eu, en pleine gueule, là-bas, dans la plaine prussienne, quand les huit cents filles russes lançaient au vent leur bouleversant hurlement [1]. Là, oui, il y allait de la tripe, je pleurais de joie trop forte, je tremblais le grand tremblement, pas à m'obliger à être attentif, pas à me poser la question, je flambais dans le grand brasier... Les circonstances? Sans doute. Autre chose aussi. Toujours les voix humaines réunies en grand nombre me font cet effet, plus il y en a plus je suis content, hommes ou femmes, hommes et femmes, à pleins gosiers. L'opéra m'emmerde et me stupéfie, jamais compris qu'on puisse s'infliger des trucs aussi chiants, mais les chœurs, ah! les chœurs, j'explose, je fonds... Pourquoi les voix, dis-moi, et attention : seulement en chœur, et pourquoi pas les instruments? Moi, la moins grégaire des bêtes à deux pattes, moi, le ruminateur solitaire, moi que rend enragé tout ce qui est collectif? La psychanalyse aurait, je n'en doute pas, un tas de trucs amusants à dire là-dessus.

« Il te manque quelque chose », disait Tita, navrée.

*

On ne vit pas dans une famille musicienne sans devenir musicien. Ou sourd. Ou fou furieux. Etant sourd au départ, le choix douloureux m'était épargné. Sourd à la musique j'étais, sourd je restais. De cette cohabitation avec l'harmonie sous sa forme la plus méritoire – les gémissements d'instruments martyrisés heure après heure, jour après jour, par les doigts d'artistes en herbe qui, la langue entre les

1. Cf. *Les Russkoffs*, Belfond 1979.

dents, s'acharnent sur le même morceau et accrochent à la même mesure –, il m'est resté dans un repli de cervelle quelques effilochures de Bach et de Vivaldi son compère, quelques bribes de *Flûte enchantée*, tout ça sans queue ni tête, à peine de quoi varier un peu le programme sous la douche. C'est là toute ma culture musicale.

Par bouffées, la honte me prenait de ma crasse, je décidais de me secouer. Tita avait dit : « Il n'y a pas de sot instrument, il n'y a que la musique. » Alors, en cachette, je m'étais remis à l'harmonica. Quand j'étais môme, j'en avais échangé un contre des illustrés, je m'étais installé dans un creux d'herbe, au Fort, je m'étais dit « Quand je me barre d'ici, je sais en jouer. » Je m'étais branché sur *La Java bleue*, vachement à la mode, j'ai cherché la première note, « Pouêt... Pouêt... Non, merde, plus haut... Pouêt... Plus bas... Pouêt... C'est elle! Pouêt! » et puis j'ai tâtonné pour trouver la deuxième, comme ça jusqu'au bout, le soir je jouais *La Java bleue* d'un bout à l'autre, couplet compris, heureusement que dans ce chef-d'œuvre émouvant il n'y a pas de bémols, coup de pot, mon harmonica n'était que diatonique, d'ailleurs j'ignorais ces subtilités, enfin, bref, le soir je jouais *La Java bleue*, le lendemain je savais faire l'accompagnement à la tierce avec la langue qui bat bien molle bien épaisse, pom-pom-pom, pom-pom-pom... Je ne suis pas allé beaucoup plus loin que *Ce n'est qu'un au revoir* et *J'avais un camarade*, comme tout un chacun.

Alors je me suis acheté un chromatique, avec la fascinante poussette sur le côté, après tout, il y a des types, ils te sortent des trucs terribles, à l'harmonica, des machins déchirants, très jazz... J'ai acheté une méthode. J'ai commencé les exercices. Et puis quand même je me suis senti un peu con, avec mon zinzin de boy-scout, à côté de ces graves enfants, les miens, qui poussaient leur archet sur la même page de Bach pendant quinze ans et n'étaient pas encore contents d'eux.

Et bon, la musique n'était pas mon domaine, et l'adoration unanime de la famille, groupée autour de Tita, pour cette forme d'épanouissement artistique m'a un peu plus repoussé dans mon île déserte.

*

La musique ne me dérangerait pas si elle faisait moins de bruit. Si la peinture t'indiffère, tu n'as qu'à ne pas regarder le tableau. La musique, il est difficile de ne pas l'entendre, à moins de quitter la place. J'aime aller au cinéma, surtout depuis qu'il est en couleurs et que l'écran s'étend d'un mur à l'autre. C'est resté pour moi la féerie suprême, la fête. Je me pelotonne dans mon fauteuil, je faufile mes guibolles dans les ferrailles de celui de devant, ou carrément sur le dossier s'il est vide, je me fourrerais bien le pouce dans la bouche. Je vais m'en payer une sacrée tranche, mon salaud! Et alors, voilà, j'avais oublié, chaque fois je suis baisé : à peine la première image, la musique se met à gueuler. Pourquoi, hein, pourquoi faut-il qu'un film soit obligatoirement souligné par un accompagnement musical, bon ou mauvais, c'est pas la question – il est dégueulasse la plupart du temps –, qui t'indique là où il faut pleurer, là où il faut avoir peur, là où ils vont s'apercevoir – l'eusses-tu cru? – qu'ils s'aiment, des fois que tu serais trop con pour avoir compris tout seul? On t'impose ton émotion, et même ce que tu dois penser (ce type est un salaud, cette pauvre fille a bien raison d'être triste, ce paysage est grandiose, etc.), on te dit d'avance ce qui va se passer, et même si le film sera comique, sentimental ou d'épouvante... Bref, on fait un boucan de tous les diables et qui fout tout par terre. Tu ne peux plus y croire. T'as déjà vu une diligence galoper dans la campagne au son d'un orchestre symphonique d'au moins cinquante gros pères, toi? Pourquoi cette exactitude dans les décors, cette précision dans les costumes, ce réalisme dans le jeu des acteurs, tout ça tellement bien foutu tellement vrai qu'on s'y croirait, d'ailleurs c'est fait pour ça, et patatras, ces trompettes d'apocalypse, ces violons des concerts Pasdeloup qui nous tirent sauvagement par l'oreille et nous hurlent « C'est pas vrai! C'est du cinoche, rien que du cinoche, hou, hou! »? On est au ciné, bon dieu, pas à l'Opéra! Je hais la musique de film, toutes les musiques de tous les films, même les bonnes, surtout les bonnes, un film n'a pas besoin de musique. Y a-t-il de la musique au théâtre? Ah! Tu vois bien... Oui, mais, et les films musicaux? Là, je hais le film lui-même. Il m'est arrivé, par distraction, de me faire piéger, de m'apercevoir trop tard que le film pour lequel j'avais payé le ticket était une de ces saloperies de comédies musicales, américaines ou imitation, smoks impecs, canotiers sur l'œil, canne sous le bras, leveurs de guibolles bien en cadence bien parallèles, quelle souplesse quels acrobates, ah! oh! la précision de l'horlogerie américaine, le rythme, la fantaisie, les paillettes, les Fred Astaire-Ginger Truc-Chouette et tous les autres (j'ai oublié leurs noms, je vais encore avoir l'air croûton), ah! oh! quelle merveille, ah! ce qu'ils ont pu me faire chier, maman! Mais je veux l'histoire, moi, je veux pas qu'on arrête l'action pour qu'un couple de connards vienne bêler des couplets sirupeux ou lever la jambe en cadence sur mon écran à moi, eh, là, enchaînez, je m'en fous, de vos grimaces, jouez, bon dieu, jouez!... En ce qui concerne mon opinion sur l'opérette, vous aurez déjà compris : c'est la même chose, en plus con, avec du rose, du bleu et du vert pomme... Ce monde est une nursery, une nursery très triste, savez-vous?

J'étais parti pour vous raconter Tita, en route, j'ai rencontré la musique, et puis je me suis perdu, j'ai raconté la musique et moi, moi et la musique, moi, moi, moi.

Revenons à Tita. Elle en vaut la peine.

Tita accourant parce qu'après deux jours et deux nuits passés sous la lampe, sans lever le nez, sans lever le cul, je suis incapable de bouger de sur cette chaise, le journal est bouclé et moi je suis asphyxié, manque de sommeil, les yeux me brûlent, le cœur me cogne mou, comme étouffé dans la purée, aller au métro, changer Châtelet, autobus, et puis une demi-heure de marche, non, pas possible ce soir, j'en ai marre, me laisser glisser à terre et crever là, et voilà, Tita est là, dans la porte, Choron a juste eu à décrocher le téléphone, elle a sauté dans sa petite bagnole, elle vient d'avoir son permis, ses cheveux comme au premier jour ruissellent sur son dos sur ses épaules, reflets dans la pénombre, il n'y a plus là que Choron et moi, tout est éteint, juste la tache ronde de la lampe sur la table, on a bouclé, on a frôlé la catastrophe, comme toujours, on lape un fond de bouteille, les vaillants petits colporteurs fêtaient ce soir le départ en tournée d'une équipe, on n'est plus que nous deux, Choron increvable, moi tellement vanné que je ne peux plus parler, et Tita me dit « Viens! », elle me prend sous le bras, elle me ramène dans nos banlieues, au fond de la nuit.

Tita décidant à quarante-cinq ans de reprendre sa vie au début, mais cette fois telle que les choses auraient dû, et pour commencer de passer son bac. Tita cavalant à Censier comme une fille de famille qui prépare sa licence, la décrochant du premier coup, attaquant aussitôt le truc qui vient ensuite et dont j'oublie le nom, pas tout à fait l'agreg mais sur le chemin, vous voyez certainement ce que je veux dire, Tita prof, Tita débutant dans l'enseignement à quarante-huit berges, découvrant là vacherie des mômes perdus des cités-dortoirs, Tita chialant, répétant « Je suis folle! Ces petits salauds n'en ont rien à foutre! », s'endormant sur ses paquets de dissertes à corriger, sautant à bas du lit à l'appel du réveille-matin pour un salaire de suppléante débutante, Tita enseignant parce que la petite fille qu'elle fut avait décidé qu'elle enseignerait et que toujours, tôt ou tard, Tita fait ce qu'elle a décidé de faire.

Tita au cœur innombrable, aimant tout ce qui appelle l'amour, enfants, chiens, chats, bêtes à bon dieu et araignées, Tita recevant en pleine poitrine, comme on reçoit un camion, la révélation tardive de mon inassouvissement sentimental et de mes consécutives trahisons, Tita blessée à tout jamais, repliée sur cette terrible dignité, elle a besoin d'être fière d'elle, s'il ne lui reste rien il lui restera ça, son profil de chef sioux, Tita se donnant à corps perdu à son travail, à ses enfants, à sa maison, à la musique, et moi bras ballants, ne sachant trop ce que je fais là-dedans, pénétré de mon indignité, et l'aimant, elle, oui, l'aimant.

Tita croyant du moins à mon sens du fair-play, Tita s'essayant timidement, en dépit d'elle, à la réciprocité, prenant pour argent comptant cette liberté du cœur et des sens par moi si haut prônée, Tita osant aimer ailleurs, en toute ingénuité... Et moi, quand j'avais compris qu'elle « avait quelqu'un »!... Superbe d'inconséquence. Con jusqu'au sublime. Le jaloux sicilien comme on n'oserait plus le jouer, j'en rougis quand j'y repense. C'est que je prenais en pleine gueule la terrible révélation de la faillibilité de Tita. Au fond de mon inconscient il y avait, inexpugnable, la certitude tranquille de la pureté de Tita face à ma crapulerie, de sa force face à ma faiblesse, de sa limpidité face à mes mensonges... Bien sûr, tout ça, je me le suis dit par la suite. Sur le moment, je n'étais qu'un paquet d'émotivité désordonnée. Ma réaction fut immédiate, brouillonne, ravageuse. Brûlé par une fièvre trépidante qui fouettait nerfs, muscles et imagination, je m'étais lancé sur la piste, j'avais fait mon enquête, vrai petit Humphrey Bogart en noir et blanc, avions, taxis, planques, ruses, mensonges, graissé des pattes, forcé des portes, irrupté... Comme la foudre! Le roi des cons. Je croyais ne vouloir que me renseigner sur la gravité de la chose, savoir si elle était en train de me quitter, et dans ce cas, bon, m'effacer, noblement... De ces foutaises que tous les jaloux se racontent... J'étais sincère, c'était bien ça que je voulais. Mais je m'y suis tellement bien pris que j'ai tout foutu en l'air. Et ça, non, vraiment, je ne le voulais pas. J'en étais malade, mais je ne le voulais pas. Il n'a pas compris, il a pris peur, ou je ne sais quoi, elle est restée toute seule.

Bon dieu, que ne me suis-je tenu tranquille! C'était bien son tour, non? Je dégustais? Eh bien, je devais déguster en homme. M'en aller sur la pointe des pieds, et d'abord ne même pas y fourrer mon nez. Mais cette saleté d'angoisse de mort m'avait pris aux reins, et m'avait lancé à toute volée dans le jeu de quilles, et voilà, j'avais tout gâché... J'aurais fait n'importe quoi pour avoir fermé ma grande gueule. J'ai même cherché à le retrouver, je voulais lui expliquer, recoller les morceaux. Mais il avait disparu. Et il n'est resté à Tita que son orgueil, et un peu plus de mépris pour moi.

＊

Tita ne ratant pas un anniversaire, s'infligeant quatre heures de route pour en passer une avec celle de ses petites-filles qui souffle sur les bougies ce jour-là, Tita à la vie pleine comme un œuf, sans une seconde pour s'attendrir sur soi, Tita qui a arraché et jeté loin d'elle une fois pour toutes les rêves aux amers réveils.

＊

Tita secrète et obstinée. Tita ma louve, Tita ma fière. Tita qui comprend tout et se tait. Tita, mon étroit visage tendu.

LE BON DIEU EST PAS JUSTE

« LE Bon Dieu est pas juste. Comme si c'était pas assez de nous avoir mis au monde rien que pour nous faire mourir! Il devrait bien au moins nous faire partir tous les deux ensemble! »

Depuis que le cancer avait dévoré papa, maman répétait ça tous les jours. Elle mâchouillait son rabiot de vie comme quelque chose de sans goût, de pas tout à fait vrai. Elle partait au petit matin faire des ménages aux quatre coins de Nogent pour regrimper ses trois étages à la nuit tombée, fourbue, et s'enfermer à grand fracas de verrous dans le petit logement de la rue Sainte-Anne. Rien de changé. Simplement, personne n'allumait plus la cuisinière en attendant son retour. Un rabiot qui devait durer vingt-deux ans.

Je ne la voyais pas vieillir. Elle avait blanchi très tôt, elle était un peu plus blanche, voilà tout. Autour de sa solitude, la rue Sainte-Anne croulait lentement, dans une décrépitude poignante, il était interdit de réparer pour cause d'opérations immobilières envisagées, les grouillants taudis avaient été classés insalubres, mot chéri des promoteurs et des édiles à magouilles, quelques vieux, quelques vieilles y pâlissaient çà et là dans un désespoir morne, perdus entre leurs quatre murs comme le petit pois dans le grelot, chaque recoin était la bauge d'une bagnole de semi-pauvre, vu de là-haut le pavé disparaissait sous les tôles laquées aux couleurs bêtes.

La tristesse me tombait dessus dès que j'avais tourné le coin de la Grande-Rue, rebaptisée Charles-de-Gaulle, cela va de soi. Même la vieille odeur de pisse de l'escalier était devenue fossile : elle ne piquait plus sauvagement les yeux, elle vous passait sur le visage une main de fantôme. Le deux-pièces minuscule où j'avais grandi, où ne bourdonnait plus mon gros Vidgeon, suintait le cafard comme une morgue. Comme c'était pauvre, comme c'était nu! Deux vies remplies à ras bord par le sacro-saint travail, deux vies de paysans arrachés à leurs taniè-res enfumées et jamais vraiment adaptés. Tout était propre, briqué, en ordre. Maman avait le culte de l'ordre. Tout était disparate et glacé. Une chambre d'hôpital qui aurait été bricolée avec des rossignols de marché aux Puces. L'énorme baquet de tôle où maman faisait sa lessive tenait davantage de place, sur son trépied, que la table ronde aux pattes tortillonnées sur laquelle s'empilaient quatre toiles cirées, cadeaux de patronnes, à peine usées, encore toutes bonnes, juste les fleurs un peu effacées, tu crois tout de même pas que je vais les jeter, au prix où sont les choses... Le sinistre radiateur à gaz qui avait fini par supplanter la vieille cuisinière noire à barre de laiton – sur mon initiative, d'ailleurs : j'avais forcé la main à maman, bêtement, je n'avais pas voulu comprendre que lui épargner la remon-tée quotidienne du seau de charbon depuis la cave, trois étages en rouscaillant à chaque marche contre ses pauvres vieilles jambes et l'injustice du Bon Dieu, que c'était lui supprimer un moment de vie... La petite armoire bonne femme de chêne foncé (cadeau) que maman avait barbouillée de ripolin blanc pour faire cuisine à la mode... La lessiveuse, dans son coin, recouverte d'un bout de moquette rouge pour faire plus convenable... Les calendriers du facteur à leur clou, je ne sais combien d'années de petits chats et de Monts-Blancs superposés... Tout cela qui n'avait pas changé, pas d'un poil, tout cela qui m'avait nourri de tant de chaleur, de tant d'odeurs, tout cela était froid, méchant, étranger, tout cela puait la mort. Ou bien était-ce dans ma tête?

Je passais la voir au moins une fois chaque semaine, souvent je restais la nuit, dans mon lit-cage d'autrefois. Je m'en voulais de toute cette grosse tristesse qui me prenait à la gorge. J'essayais d'être enjoué, gaillard, ça ne tenait pas le coup plus de dix minutes. Mon allégresse de commande se cognait le nez contre le besoin obstiné de maman que tout dans cette vallée de larmes ne soit qu'amertume et trahison, et je la quittais complètement démoli. Au bras-de-fer de qui sera le plus saumâtre elle me battait à tous les coups, et puis m'entraînait au plus profond de sa noire mélasse. Mon penchant pour la culpabilité me rendait profondément malheureux à cause de cette tristesse à laquelle j'aurais dû, moi, son fils unique et bien-aimé, apporter remède. Je l'aimais très fort, mon impuissance n'en était que plus douloureuse. Je ne pouvais pas la supporter plus d'une heure sans avoir envie de me tuer ou de la tuer, ça n'arrangeait pas mon confort intime.

J'avais eu une idée, l'idée qu'ont tous les fils coupables : je lui avais acheté une télé. Quand j'en avais parlé, elle avait été catégorique jusqu'à la violence :

« Oh! ben, non, alors! Surtout pas! Qu'est-ce que tu veux que je fasse de ça, une pauv'andouille comme voilà moi, que je sais à peine lire et écrire, et encore, depuis le temps je crois bien que j'ai oublié, c'est bien trop chic pour moi, c'est bon pour les ceusses qu'ont les moyens, ou qui font semblant

71

de les avoir, enfin, moi, ça me regarde pas, chacun voit midi à sa porte, à bon entendeur salut, mais je te le dis, François, m'apporte jamais une saloperie pareille, je la fous par la fenêtre, t'entends? J'aime bien mieux ma petite téhèssef, qu'elle me cause gentiment et qu'elle m'empêche pas de travailler! »

Elle m'avait tenu sensiblement le même discours quand je lui avais apporté la petite radio, justement. C'est pourquoi je me suis amené, un jour, avec sur le dos un poste de télé dans son emballage, un gros. Tant qu'à faire.

Tout en râlant qu'elle allait le foutre par la fenêtre et moi avec, elle avait voulu que je l'installe dans le petit corridor qui servait d'entrée, juste face à la porte de la cuisine-salle à manger, c'est là qu'elle le voulait. Je lui ai montré comment il fallait faire.

« Tu vois, ce bouton-là, c'est pour allumer, tu vois, tchac, ça s'allume. Là, c'est les chaînes. Tu choisis ta chaîne, tu vois, ça veut dire le programme que tu as envie de regarder. Tchac, première chaîne, tchac, deuxième... Bon. Là, c'est le son, comme sur ta radio, pareil, par là tu augmentes, par là tu diminues. Là, c'est la lumière, quand c'est trop noir tu tournes par là. Ce bouton-là... »

Elle n'avait pas pu se contenir plus longtemps.

« Veux-tu bien arrêter de tripoter ça, que tu vas me la casser!

— Mais, maman, pas de danger, c'est fait pour ça! Il faut bien la régler, changer de chaîne, enfin...

— Laisse-moi ça, je te dis! C'est fragile comme tout, ces denrées. Faut avoir fait des études. Je te défends bien d'y toucher!

— Enfin, bon dieu, maintenant qu'elle est allumée, faut bien au moins qu'on l'éteigne!

— Touche-z'y-pas! Tiens, j'enlève le truc de dans le machin, ça fait la rue Michel. »

Elle se baisse, arrache la broche mâle de la prise murale. L'écran s'éteint.

« Tu vois que je suis pas si bête que j'en ai l'air!

– Ah! oui? Et tu comptes faire ça chaque fois que tu voudras la faire marcher?

– Tiens donc! Comme ça, j'y touche pas. Oh! mais, moi, je suis pas une casse-tout, moi. Mes affaires me font de l'usage.

– Mais, maman, tu risques beaucoup plus d'esquinter quelque chose en branchant et en débranchant sans cesse la prise, voyons! C'est pas fait pour ça, alors que le bouton, lui, il est là exprès pour qu'on le tourne.

– Tu diras tout ce que tu voudras, moi j'y toucherai pas, et je te défends bien d'y toucher!

– Mais laisse-moi au moins la régler une bonne fois, tu vois bien que c'est tout brouillé! Ça se règle, une télé, ça se règle tout le temps, c'est pour ça qu'on y a mis des boutons, figure-toi. »

J'ai réglé l'image, elle me regardait faire, sourcils froncés, prête à me sauter dessus.

« Ça y est, t'as fini?

– C'est à toi de me dire. Ça te convient, comme ça?

– Ça me va très bien. Ote-toi de là!

– Et le son? C'est pas un peu fort?

– C'est très bien, je te dis! N'y touche plus! »

Elle s'est mise devant sa télé, lui a fait un rempart de son corps. J'ai dit « Bon, bon... », j'ai levé les yeux au ciel, c'est ce qui se fait, et puis, hein, qu'elle fasse donc comme elle veut. Après tout, regarder la télé ou dorloter la télé, c'est toujours passer le temps, et la télé, c'est fait pour ça, non?

Quand je suis revenu, c'était un soir, la télé gueulait à tout va, on l'entendait depuis la rue, plein l'escalier, tu poussais la porte ça t'avalait la tête, sauvagement. Maman était assise dans sa cuisine, juste au milieu, elle se tenait bien droite sur sa chaise, les mains croisées sur les genoux, elle regardait sa télé par la porte ouverte, en plein dans l'axe, si elle regardait le film sur l'écran ou bien le poste lui-même avec sa belle ébénisterie vernie, ses boutons-miroirs et ses baguettes comme en or, va savoir... Elle regardait, gravement, consciencieusement, une télé ça vaut cher, c'est fait pour être regardé, elle regardait. J'ai dit :

« Comment tu peux supporter ce boucan? Il faut baisser le son, maman. »

Elle a bondi.

« Touche pas à ça, que tu vas encore tout me casser! »

A la maison, c'est moi qui ai toujours tout réparé, depuis tout petit. Ce « encore », ça donne le ton des gentillesses de maman.

J'ai quand même voulu régler le son, et puis l'image aussi, qui ondulait à vous donner mal au cœur. Et alors, j'ai vu. Elle avait mis du sparadrap aux boutons. Bâillonnés. Ligotés. Des épaisseurs de sparadrap rose, impossible de bouger un bouton, ou alors il aurait fallu arracher tout le paquet, et d'abord assommer maman.

« C'est malin, j'ai dit. Et maintenant, comment je le règle, hein? Tu vois bien que l'image est mauvaise.

— Elle est très bien, l'image. Moi, elle me convient tout à fait comme ça.

— Et pour changer de chaîne?

— J'ai pas besoin de changer de chaîne! Je suis très contente avec cette chaîne-là. Je suis pas comme ceux qui sont jamais contents de ce qu'ils ont, faut toujours qu'ils essaient autre chose. Je suis très contente, touche pas à ma télé, que tu vas me la casser, et si t'es venu pour me faire des histoires t'as qu'à la remporter d'où qu'elle vient. Non, mais!

– On pourrait quand même baisser un peu le son. Les voisins...

– Les voisins, j'ai jamais attendu après eux pour payer mon loyer, les voisins. Je vais pas chercher les gendarmes chaque fois qu'ils laissent les cabinets pleins de ce que je pense, une vraie dégoûtation. Je peux passer partout la tête haute, moi, et les voisins, s'ils sont pas contents, ils ont qu'à venir me le dire, ils seront reçus! »

Le dimanche après-midi, maman s'installait sur sa chaise et regardait la télé. Elle ne branchait la prise qu'une fois son ménage fait et sa petite vaisselle rangée. Elle se donnait un coup de fer à friser dans les cheveux, passait sa jupe grise des dimanches (cadeau), sa jaquette de laine et, un mouchoir frais repassé à la main, elle s'installait, émue et grave, devant l'écran, à trois mètres, comme une riche. J'allais chercher une chaise et je prenais place à côté d'elle, je pensais à des tas de trucs.

Elle m'avait demandé :

« Dis-moi, François, les gens, là, dans le poste, je les vois, moi, mais eux, est-ce qu'ils me voient aussi?

– Mais non, voyons, maman. C'est rien qu'une boîte avec dedans des fils et des lampes, c'est des images, comme des photos qui bougent, quoi. Ils ne peuvent pas te voir.

– T'es bien sûr?

– Tout à fait sûr, m'man. »

Elle ne me croyait qu'à moitié, je le voyais bien. Peut-être que pour elle c'était pas assez merveilleux, ce cinéma en petit, peut-être qu'elle avait besoin de se faire peur, un petit peu, de croire que ces gens traversaient l'espace et les murailles pour venir la regarder, elle, la petite Margrite, perdue au fin fond de son désert de gravats. Elle réfléchit et me dit :

« N'empêche, jamais je l'allumerai sans être bien pomponnée et tout bien en ordre chez moi. Je veux

pas qu'ils pensent entre eux que je suis une feignante et une sale. Après tout, ils sont bien honnêtes de venir me tenir compagnie, même si je comprends pas grand-chose à toutes leurs singeries. »

*

Il en avait été de Tita comme de Liliane : maman
ne l'avait pas acceptée. Il faut dire que le morceau
était gros. Tita était divorcée, il y avait les trois
petites, elle n'avait pas un rond et, au début, même
pas de boulot, mais surtout je l'avais choisie, donc je
m'étais laissé « mettre le grappin dessus », elle me
« menait par le bout du nez », je courais au grand
galop vers des abîmes de misère et d'infamie. Pour
maman, toutes les femmes étaient des femmes
fatales et la vie un très noir mélo.

Et donc, de même que je me taisais sur mon
métier de va-nu-pieds – « Ah! si seulement t'étais
resté dans les Postes! Bien la peine que je m'impose
tant de sacrifices! » –, je parlais le moins possible
de Tita et des enfants, j'attendais que ça se tasse. Ça
s'est tassé. Une grand-mère est une grand-mère,
même avec un caractère de chien. Elle avait vu ses
petits-enfants, les avait trouvés bien mal élevés,
mais c'était prévu, nous étions blindés. Elle faisait
des gâteaux, houspillait les garçons à voix bourrue,
je savais y reconnaître un amour naissant, très vite
monté en graine, et aussi un orgueil non moins
dégingandé, les deux se déchirant à belles dents,
j'avais la clef du code. Les enfants, d'abord décon-
certés par cette grand-mère-adjudant, avaient vite
appris à s'en servir, chose qui, à moi, m'avait
toujours échappé. Peut-être parce que je suis trop
comme elle, justement? Les trois filles avaient
réussi à la convaincre qu'elles n'étaient pas exactement de petites gueuses et même, là j'avais été
soufflé, à faire sa conquête. L'idée m'était venue

76

que, chez ses patronnes, loin de mes oreilles, elle chantait leurs louanges, tout en se lamentant sur l'inconséquence des parents d'aujourd'hui. Elle en était bien capable.

Tout contents d'avoir soudain une grand-mère, et une grand-mère aussi marrante, Jérôme et Laurent se racontaient ses bizarreries : « Grand-mère nous a donné tout son dessert! » Elle leur avait chargé les bras de pains d'épice, de confitures et de gâteaux secs, avait ajouté les trois poires de trois de ses repas à venir puis, sur sa lancée, une demi-livre de beurre légèrement rance – on lui avait fait cadeau d'un frigo, mais il ne marchait pas et elle n'aurait toléré pour rien au monde que je le remplace, c'était une relique sacrée –, un kilo de sucre, un pot de moutarde, des paquets de nouilles. Le colis du prisonnier. Subite frénésie de don, amour maladroit et touchant, et aussi la petite pointe perverse : ces enfants sont si mal nourris...

*

Elle avait survécu à presque toute sa génération. Seul lui restait son frère Louis, toujours au pays, qu'elle ne rencontrait qu'aux enterrements de la famille. Les enterrements sont les noces des vieux.

Elle n'avait gardé de contact un peu suivi qu'avec sa sœur cadette, Anna. La dernière lettre qu'elle avait reçue de ma tante Anna l'avait bouleversée. Je lui avais demandé ce qui se passait.

« Ça te regarde pas. C'est des affaires de femmes. »

Quelques mois après, elle avait reçu le faire-part. Elle s'était assise, toute pâle, et elle avait murmuré :

« Quand j'ai su que ma sœur était redevenue jeune fille, je me suis dit en moi-même : « Ma

« pauvre petite sœur, tu files un bien vilain « coton.. » Enfin, puisqu'elle avait pas compris, c'est pas moi qui allais lui dire! »

« Redevenue jeune fille »... La vieillarde qui voit saigner son cancer du col et, toute contente, croit revenus les beaux jours... Dans quelle croisière de l'épouvante sommes-nous embarqués?

NICOLAS

Le premier Nicolas, Thérèse, de la ferme des Bordes, l'avait apporté dans un cabas. Il venait d'être sevré, vacillait sur ses grosses papattes, effaré, la truffe frémissante, cherchant l'odeur de sa mère, offrant des trésors d'amour à qui en voudrait. C'était un bâtard, issu d'une mère briarde et d'un galvaudeux inconnu. Il avait tout du briard, si on ne cherchait pas la petite bête. Longs poils de chèvre gris fer qui commençaient à submerger le duvet de la petite enfance, queue basse relevée en boucle, grosses moustaches à la Clemenceau mettant le museau entre parenthèses. Il avait aussi les yeux vairons, l'un bleu, l'autre noisette, ce qui donne un regard déconcertant et est très mal vu dans les concours. Mais qui se soucie des concours ?

Je n'avais jamais eu de chien. J'avais toujours intensément désiré en avoir un, j'attendais le moment où il entrerait dans ma vie. Et ce serait un briard. Je savais cela depuis le jour où, feuilletant le petit dictionnaire *Tout en Un* que la ville de Nogent-sur-Marne m'avait offert comme elle l'offrait à tous ses lauréats du certificat d'études, j'étais tombé, au chapitre « Vie pratique », sous-chapitre « Les chiens », sur une gravure, toute petite et pas très nette, représentant, vu de profil, un « chien de berger français de la Brie ». J'en étais aussitôt devenu amoureux, comme ces fils de rois des contes de fées qui vouent leur vie à la princesse lointaine à peine ont-ils jeté l'œil sur la miniature d'ivoire sertie dans l'or et les émeraudes que leur présente un page harassé d'avoir tant galopé. Ce serait là mon chien, il me convenait tout à fait, et la description élogieuse qui accompagnait l'image scellait mon coup de foudre. « Vieille race du terroir, très robuste, doux, intelligent, fidèle, rustique... » N'en jetez plus. Et cette tête hirsute de vieux clochard sagace et bon enfant... Oh! que je l'aimais déjà, ce Nicolas, vingt ans avant de le rencontrer!

Et voilà. Il était là. La maison n'était pas terminée mais on pouvait y vivre, elle émergeait d'un chaos de glaise jaune, de gravats, de flaques miroitantes et de planches hérissées de clous rouillés, un chaos qui allait devenir une forêt enchantée, c'est comme ça que je voyais les choses, une noire forêt de Belle au Bois Dormant enserrant la maison, la cachant à tous les regards, et Nicolas le briard gambadant partout, vaquant à ses affaires de chien... Je bricolai en vitesse une clôture, à cause de la route écraseuse de chiots. Nicolas prit possession de son royaume.

Tout l'enchantement que j'en attendais, il me l'apporta, et bien au-delà. J'avais toujours su que ma vie serait incomplète tant qu'un chien ne la partagerait pas. Papa, qui vivait entouré de l'amour de tous les chiens de la banlieue est, errants ou enfermés, sans en avoir jamais possédé un lui-même, m'avait communiqué son émerveillement sans cesse renouvelé pour les chiens. Un chien, c'est le résumé de toutes les bêtes. Toute la vie sauvage dans le creux de la main. Un chat aussi. Mais un chat ne sent rien. Tout au moins pour nos nez peu accoutumés à flairer des pistes. Un chien, un gros chien, ça sent le chien. Très fort. Fourre ton nez dans le pelage rêche, hume. N'est-ce pas? Une odeur rassurante. Cette odeur de fauverie qui devait être celle de la caverne ancestrale... L'homme aime l'odeur du chien, le chien aime l'odeur de l'homme. Ça tombe bien. On se sent moins seul, dans ce putain de vide intergalactique.

Je n'arrête pas de me réjouir de ce que, dans toute l'immensité et la diversité des formes vivantes, il y ait ces deux miracles, le chien et le chat, qui veulent bien vivre leur vie auprès de nous, dans nos jambes, sans avoir rien perdu de leur animalité. Caresser un chien, c'est rendre réels l'éléphant, la girafe, l'ours, la baleine, le gorille, l'auroch, le dinosaure... Toute l'évolution sort des livres et des zoos, à la queue leu leu, et fait le gros dos sous ta main. Ils s'ébrouent, reniflent, se grattent... Existent, quoi. Nous font exister en tant que bêtes. Nous admettent. Nous accueillent en frères, avec nos poils rares mais obstinés et nos sueurs mal étouffées par le complet-veston. Etre une bête parmi les bêtes, et le savoir. Les bêtes ne savent pas qu'elles le sont. C'est là tout notre privilège.

J'enviais les cinq mômes. Ils avaient ce que j'aurais tant voulu avoir, ce que je ne pouvais m'empêcher de considérer comme le mininum indispensable dans une vie de môme : un gros chien, des chats en veux-tu en voilà, un jardin fou, l'espace illimité tout autour, des copains pour aller patauger dans les mares boueuses... Anne, l'aînée, qui atteignait ses seize ans, n'en aurait guère profité, mais plus intensément, peut-être, ayant eu le temps d'y rêver, de le désirer, et ayant l'âge où l'on apprécie son plaisir. Les garçons, eux, ne sauraient même pas ce que c'est qu'une enfance sans chien.

Posséder de la terre, ça aussi c'est incroyable. Ces seize cents mètres carrés de terrain vague encastrés dans les jardinets bien sages m'étaient île déserte, planète solitaire, royaume où j'étais roi absolu. Je n'allais certes pas y cultiver la laitue et le persil, mais y faire jaillir des frondaisons. Une jungle. Mon

vieux rêve infantile, secret mais tenace, de luxuriance sauvage. Tous mes rêves sont infantiles, si
bien que, m'est-il donné de les rendre réels, j'ai l'air
d'un débile bavard qui se paie le cheval à bascule
qu'il n'a pas eu à quatre ans. Mes rêves sont
infantiles mais je tiens à mes rêves.

Quand tu as le terrain, la forêt est vite plantée.
Une pioche sur l'épaule – la vieille pioche de papa,
celle-là même – j'allais, dès la chute des feuilles, par
les taillis et les jachères déraciner le bouleau nou-
veau-né, le frêle acacia, le pin, le chêne, le houx, le
genêt, tout m'était bon, tout ce qui ne demandait
qu'à vivre, j'y mettais des précautions de mère pour
ne pas blesser les racines, je revenais couronné de
fagots, le chien trottinait devant en tirant la langue
comme s'il s'était tapé tout le boulot, et puis je
plantais tout ça avec jubilation, je creusais des trous
démesurés, je mettais du fumier au fond, j'émiettais
finement la grasse terre de Brie entre mes doigts, à
genoux, n'osant croire que ces êtres vivants daigne-
raient vivre près de moi, et grandir, et être mes
compagnons de vie. J'ai commencé à guetter les
printemps, les espérances de bourgeons sur le bois
noir...

Et les saules! Rien de plus complaisant qu'un
saule, rien de plus empressé à vivre. Tu passes sur
un trottoir, un saule pleureur pleure ses larmes
chantantes par-dessus un mur, tu coupes une ba-
dine, même pas épaisse comme une aiguille à
tricoter, tu en coupes un mètre de long, à peu près,
tu l'enfonces dans la terre, comme ça, sans plus de
soin, pas à creuser, pas à gratter la terre, rien, tu
l'enfonces aussi loin que tu peux, au printemps tu
as un saule. Trois ans après, ton saule a six mètres
de haut, ses doigts languides traînent dans la brise
et te caressent la figure, c'est pas bouleversant,
ça?

J'écumais de préférence les lieux condamnés,

j'arrivais juste avant le béton, je cueillais les tendres plants sous la mâchoire du bulldozer. Il existait dans les environs un vénérable vieux parc moussu, on allait y construire des « résidences », on cassait tout. Le cœur m'en saignait. J'aurais voulu tout sauver. Je parlais aux arbres. Je leur disais attends, Toto, je vais t'emporter loin de tout ça. Je dégageais largement autour des racines et par-dessous pour ne pas briser la motte, ça faisait une masse de terre qui pesait le diable, on n'a pas idée ce qu'un arbre, même tout petit, peut s'accrocher. J'entassais mon butin dans le landau, le vieux landau de tante Muguette, qui avait promené les quatre chiards de ma belle-sœur, puis, après rafistolage au fil de fer et coup de peinture, les deux nôtres, c'était un de ces landaus d'avant-guerre, avec une vaste panse traînant presque à terre et quatre toutes petites roues, une fois bourrée d'arbustes avec leur motte la panse écrasait les ressorts et raclait la chaussée, j'attelais Nicolas à la poignée par une ficelle, il aimait ça, me mordait au cul si je faisais mine de me passer de son aide, et nous tirions, côte à côte, cou tendu, bien parallèles bien obliques, et nous arrachions la carriole à la glaise suceuse, comme ça jusqu'à la maison, des fois plusieurs kilomètres langue pendante. J'avais beau en mettre un sacré coup, le chien tirait plus fort que moi. Dommage qu'il n'ait pas su manier la pioche comme il savait tirer sur la bricole! Les paysans nous regardaient passer, le journaliste de Paris et son chien, assez étonnés, je crois, et nettement réprobateurs, mais muets. Le paysan français n'est pas liant. Moi, rouge de honte : je suis timide, et si je me mets souvent dans des situations hurluberlues, c'est bien malgré moi.

Lorsqu'un géant au crâne rasé, au torse de colosse, une échelle sur l'épaule, posa sur notre équipage boueux ses candides yeux bleus, fendit jusqu'aux

oreilles sa grosse bouille aux larges hautes pommettes et prit le temps de s'arrêter pour me héler, je
subodorai du pas-d'ici. Et en effet :

« Vous prrrendrrre touss arrrbrrres pourr
mettrrre jarrrdin? Vous courrrage! Vous aprrrès
avoirrr forrrêt trrrop beaucoup serrrée. Arrrbrrres
pas la place assez. Mourrrirrr. Crrrever. Da. »

« Da »...? Ce colosse écorchait le français comme
une vache espagnole, mais le chantait comme seul
un Russe... Un Russe! L'incontrôlable et doux émoi
me serrait à la gorge, je demandai à cet homme, en
russe, les larmes aux yeux, s'il était russe, il se
récria, en russe, évidemment, et quoi d'autre, s'il
vous plaît, non mais quelle question, russe je suis de
l'oreille à l'orteil depuis quatre-vingts ans, mais et
vous, dites donc, au fait, vous êtes russe aussi? Non,
français. Mais vous parlez russe? Eh oui. Il n'en
revenait pas. Ils n'en reviennent jamais. Mais où
avez-vous donc appris, et caetera, et caetera...

Il s'appelait Ivan, dans le pays on l'appelait Jean,
le père Jean, il avait fui la Russie rouge et s'était fixé
dans ce coin de la Brie, il faisait le maréchal-ferrant
et le forgeron volant, courait les fermes pour réparer au pied levé le matériel aratoire en perdition
dans les sillons, s'était mis à la mécanique quand les
tracteurs eurent renvoyé les bourrins faire les
beaux sur les peintures rupestres de la grotte de
Lascaux, et puis, son quatre-vingtième printemps
ayant fleuri, se sentant un peu fatigué, il avait
décidé que sa dignité de cosaque Zaporogue exigeait qu'il vécût sa verte vieillesse ailleurs que sur
la paille dans un coin de grange. Il avait des
économies, il s'était acheté un petit terrain, et
présentement il y terminait de ses mains la maison
de ses rêves.

« Tout xsiol! Je fairrre mison tout xsiol! Bisoigne
perrrsonne! Je pas maxon, pas minouisier, pas
plombier, pas rrrien, je! Je fairrre comme maxon,

comme minouisier, comme tout, je fairrre, je! Trrrès bien fairrre! Millior comme eux fairrre. Je regarrrde bien bien, alorrrs je pense dans tête à moi, bien comprrrendrrre, alorrrs je fairrre. Si trrrompé pas bon, alorrrs rrrecommencer. Vous venirrr, vous voirrr. »

Je ne sais à quoi je m'attendais, à une isba en troncs d'arbres peut-être, au mieux à une bicoque de jardin améliorée, alors quand je vis la maison, je n'eus pas à forcer mes exclamations. Ce n'était pas le palais de délire du facteur Cheval, c'était le classique pavillon de banlieue, le triste classique cucul pavillon de Seine-et-Oise, mais, justement, il est beaucoup plus difficile de faire, « tout xsiol », brique par brique, aussi impeccable dans le banal que de vrais professionnels. N'importe qui peut entasser les cailloux en d'énormes pâtisseries noyées de mortier, ériger des architectures tarabiscotées, des sculptures grandiloquentes et naïves : il suffit d'être hanté par un rêve fou et de se colleter à coups de poing à coups de pied avec le matériau. Et d'avoir le génie, diront certains. Génie peut-être, amateurisme de génie, alors. La banale maison du père Ivan était, dans tous ses détails, une œuvre d'homme du métier. Il y avait même un étage. Ivan en était à finir les enduits intérieurs, campait dans la cave, se douchait dans le jardin, au jet. Il travaillait quinze heures par jour, la nuit s'éclairait d'un phare d'auto. Il me permit de prélever de jeunes bouleaux dans son enclos. Nous devînmes amis.

Le nom du chien choquait Ivan.

« Nikolaï... Tfou! Pas bon donner nom chrrétien à chien. Chien pas crrréature de Dieu. Vous crrroirrre le Dieu? »

Je ne me sentais pas le cœur à faire de la peine au bon cosaque. Je dis « Bien sûr », lâchement. Mais, quand on ne croit pas, quelle importance? J'envoyais le jet d'eau glacée sur son torse en tonneau, il riait et faisait mousser le savon à pleines paumes, et puis me donnait des cerises, ou des œufs, ou des pommes, il avait toujours quelque cadeau précieux « pourrr pétites zenfants ».

Quand la maison fut enfin terminée et que fut venu le moment de hisser le lit, la table et l'icône du sous-sol au rez-de-chaussée, Ivan hocha sa grosse tête rase et me dit :

« Quoi je fairrre, maintenant ? »

Ses petites lunettes rondes cerclées de fer m'interpellaient. Je ne savais pas, moi. Profiter de la vie ? Cultiver le jardin ?

« Jarrrdin je fairrre xsoirr, quand fatigué. Jarrdin pas trravail, je pas xvieille baba ! »

Il tortilla encore un peu, puis finit par dire :

« Je vendrre maison, je vendrre cherr, et avec arrgent je fairre autrre maison, plus grrand maison, plus beau, pourr moi. Voilà quoi je fairre. »

Il riait. Je lui dis mais enfin, quel âge avez-vous ? « Quatrre-vingt-trrois ! » Oh ! et après tout, pourquoi pas ? Il était tout excité devant cette nouvelle longue page blanche à remplir, ces années de combat solitaire contre la matière.

« Je prrendrre Porrtiougais pourr poser gouttièrres. Tête à moi tourrner parrfois, là-haut surr échelle. »

Il termina cette maison-là, et puis il en commença une troisième, et peut-être une quatrième, mais je n'étais plus là. Nicolas non plus.

*

C'est Ivan qui m'apprit que le vieux mur de grosses pierres assemblées à la terre à lapins qui bordait notre terrain sur son plus long côté, plus de quatre-vingts mètres, et qui n'était qu'une portion d'un mur très long qui courait au loin, avait été construit par des prisonniers russes. Comment cela?

« A Austerrlitz, grrande bataille, trrès grrande, votrre Napoléon prrendre beaucoup beaucoup Rrusses prrisonniers-la-guerre, lui donner eux à marréchal Morrtier, donner aussi à marréchal Morrtier titrre « duc de Trrévise », et donner pays d'ici, qui s'appelait Plessis-Saint-Antoine avant, devenu Plessis-Trrévise pourr marréchal, marréchal vouloirr grros murr trrès xsiolide tout autourr, prrisonniers rrusses fairre murr, avec mains, porrter pierres surr dos, trrès durr, trrès lourrd, pas manger, eux mourrir beaucoup, da. »

Ainsi donc, ici même, au Plessis-Trévise (Val de Marne), dans mon jardin, je retrouvais la guerre, et la déportation, et le travail forcé... Même les Russes! Mes Russes... Je les voyais, ficelés de haillons, se coltinant la meulière, se chauffant les mains à un feu de bois mort en faisant durer une soupe liquide... Et chantant, chantant, comme des dieux, tous ensemble, yeux brillants, oubliant tout, comme à Berlin, comme en Poméranie... Ça vous ferait croire aux symboles et aux prédestinations, non?

*

Nicolas – je veux dire le premier, car il y en eut deux, d'ailleurs tellement semblables que dans mon souvenir ils se confondent –, Nicolas était un chien pensif, et même taciturne, accourant à l'appel mais d'un certain air désinvolte qui excluait toute apparence d'empressement servile. Il avait une dévotion pour Tita. Le samedi, quand il la savait en courses dans le village, il profitait de ce qu'un des gosses sortait pour lui filer entre les jambes, et il faisait le tour des boutiques. Les jours de semaine, il allait se planter à l'arrêt du bus, au diable, et restait là jusqu'au soir, posé sur son cul, frémissant d'espoir à chaque bus arrivant de Paris, toujours déçu, jamais lassé, et il avait bien raison : il arrivait toujours un moment où la porte-accordéon s'ouvrait sur celle qu'il attendait. Alors Nicolas l'escortait, sans démonstration excessive. C'était un miracle, certes, mais dans sa conception du monde les miracles étaient choses allant de soi. Nicolas croyait au dieu des chiens.

Du reste n'en faisant qu'à sa tête. Lorsque dans ses jeunes glandes eurent sonné les trompettes éclatantes de la puberté, les effluves affolants de chiennes en chaleur périodiquement cueillis par le vent au-dessus de la toute voisine ferme des Bordes et poussés par lui jusqu'aux sensibles narines de Nicolas incitaient ce dernier à ces actes excessifs que seule la chaîne aurait pu contrecarrer. Or, de chaîne, pas question chez nous. Et donc le bouillant bâtard prenait son élan, je l'ai vu de mes yeux vu, et, mi-sautant à la manière des chevaux de concours, mi se cramponnant des griffes à la manière des chats de gouttière, d'un seul coup ridiculisait les deux mètres de barrière en pieux de châtaignier refendu que, très fier de moi, j'avais tendus entre lui et la route meurtrière. Et puis il filait vers la ferme, et essayez donc de l'en empêcher!

Et il rejoignait, dans l'immensité des champs, l'élue du jour, le plus souvent sa favorite, une chienne née de la même portée, sa sœur donc, et ensemble ils faisaient ce qu'ils avaient à faire, et ensemble ils goûtaient à la vie de jeune ménage, dormant à la belle étoile, vivant de lapins de garenne qu'ils traquaient, en une entente admirable, dans les alignements de betteraves d'un vert épais, cela durait huit jours, un peu plus un peu moins, l'amour ça va ça vient, la chienne, peut-être, une fois pleine, chassait à coups de crocs le mâle désormais superflu, et donc Nicolas venait se poser sur son cul devant la barrière close, il n'avait plus les ailes de l'amour pour la franchir d'un bond, crotteux, fourbu, mordu, attendant qu'on veuille bien lui en ouvrir la porte. Ce qu'on s'empressait de faire, avec des récris de joie.

C'était mal vu, dans le pays. Non seulement les chiens froissaient les feuilles des betteraves et couchaient les épis mûrs mais, et c'était là l'impardonnable, ils chassaient pour leur compte. Or la chasse est sacrée, le gibier tabou. Le lapin ne doit périr que sous le plomb du sportif. Nicolas, chien, n'avait pas droit au permis. Personne ne vint nous le dire, ça ne se fait pas. On est plutôt sournois que brutal, dans nos campagnes. Sournoisement brutal. On ne vient pas vous récriminer sous le nez. On envoie une charge de chevrotines dans la tête du chien, ni vu ni connu. Nicolas, un après-midi d'août, se traîna jusqu'à la maison, gravit sur le ventre l'escalier du perron, et creva là, au seuil de chez lui, la tête éclatée, lâchant par un bout une énorme crotte, par l'autre le dernier soupir. Quand je le trouvai, les mouches étaient déjà dessus.

Oui, bien sûr, j'ai chialé. J'ai dit « Si seulement je savais qui c'est, le fumier! »... J'ai dit toutes les conneries qu'on dit. J'ai dit « Plus jamais de chien! De toute façon, ils crèvent avant nous, et c'est trop vache. » Et puis j'ai enfermé ce deuil-là au fond de moi, un de plus.

*

Une nuit d'entre les nuits, je rentrais après avoir bouclé *Hara-Kiri*, j'étais bien fatigué, j'avais avalé mes trois bornes de route nocturne depuis le terminus du bus, une-deux, une-deux, ça m'avait calmé le tempérament et transformé le sale exécrable surmenage nerveux en bonne grosse lourde fatigue des muscles qui t'ensable les paupières et t'abat sur le lit, jambes fauchées, ronflant avant même d'avoir touché le matelas, or que vois-je?

Je vois, je crois voir, une truffe noire auréolée de poils hirsutes disparaître par la porte entrebâillée de ce qu'il est convenu d'appeler le « séjour », une truffe furtive, juste à hauteur de truffe, je crie « Nicolas! », et aussitôt je me souviens. « Ça va pas? » Et puis ça rit dans la salle à manger, et ça fait comme un bruit de dérapage de griffes sur le carrelage, je m'avance, cœur battant, et je vois, coup de cymbales, Nicolas, ou bien son jumeau, Nicolas rajeuni, Nicolas tel qu'à six mois, grand pataud effaré, pissant de terreur, allant se cacher sous les jupes de Tita, qui riait, et riait avec elle toute la marmaille assemblée. C'était une surprise qu'on me faisait.

« Celui-là, c'est un briard cent pour cent. Il vient d'un élevage. Pardon si je t'ai un peu forcé la main. Je crois que tu l'aimeras. »

Va résister à un chiot de six mois, toi. Un peu rassuré, il s'élançait sur ses pattes en bois, qui dérapaient et filaient chacune pour soi, l'une à droite, l'autre à gauche, et au milieu du grand écart la grosse tête à poils donnait de la mâchoire sur le carreau, et nous de rire, bien sûr. Il ne faut pas rire d'un chien qui tombe. Ils ont le sens du ridicule très développé.

Ainsi fis-je la connaissance de Nicolas, deuxième du nom, mon très cher ami pendant dix-sept ans.

Nous ne nous quittions plus. Sauf les jours où j'allais à Paris, soit trois ou quatre fois la semaine, pour le travail qu'il fallait bien faire sur place. Le reste du temps, j'étais perché comme un ouistiti sur le haut tabouret tale-cul, devant la table à dessin – j'ai gardé, du temps où je dessinais, le goût de la planche inclinée, qu'on hausse d'un coup de pouce à bonne hauteur quand, les fesses moulues, vous vient l'envie d'écrire debout –, Nicolas était vautré, le nez dans les pattes, de temps en temps poussait un gros soupir, levait un œil pour vérifier que j'étais bien là, et puis grognait d'aise, se cherchait une autre position.

Ecrire toute la journée, c'est pas humain. D'ailleurs, j'écrivais surtout la nuit, j'avais découvert ça. Le silence énorme, le rond de lumière de la lampe sur le papier, le noir absolu tout autour, juste cette tache ronde sur mes mains et sur le papier, tu plonges corps et biens dans le dedans de ta tête, tu oublies tout, tu t'hallucines, les idées t'arrivent à la queue leu leu, se pressent, se bousculent, le temps d'écrire une phrase il t'en est venu vingt autres, que tu essaies de retenir, mais rien, elles te filent entre les doigts, t'éblouissent une seconde et puis disparaissent, étoiles filantes, et toi, au désespoir mais tant pis, tu pédales tant que tu peux sur ton feutre.

J'écrivais la nuit, j'écrivais le jour, mais sauf urgence, jamais plus de quatre à cinq heures à la file. C'est un maximum. Ecrire, on ne se figure pas, c'est exténuant. Peut-être est-ce moi qui y mets trop de passion, de concentration, de hargne... Peut-être. Je ne peux écrire qu'en état de passion. Sinon, ça ne marche pas. Broutilles. Platitudes. Ça ne s'envole pas. C'est parce que je ne me suis pas envolé moi-même. Quand tu es comme ça, quand tu sens que tu accroches une phrase derrière une phrase en redémarrant à chaque fois à zéro, il vaut mieux arrêter. Emmener ton chien faire un tour dans la campagne. Ou bien couler trois brouettées de béton. Il y a toujours trois brouettées de béton à couler.

J'écrivais, dessinais, collais, calibrais, corrigeais d'une main, de l'autre je gâchais, sciais, clouais, pilonnais... Fallait bien la finir, la maison, j'aurai passé ma vie à finir la maison, c'est chouette, une maison, c'est jamais fini. J'aimais ça. Les heures d'écriture, heures exaltantes, me laissaient la poitrine rétrécie, le dos douloureux, congestionné de la tête, les bras et les jambes bourrés de ressorts comprimés. Nicolas aussi, il aimait ça. Plus que tout, arpenter la campagne.

C'était une campagne bien menacée, et déjà bien bâtarde. A peine étions-nous arrivés dans ce coin virginal que les pavillons sortaient de partout. Les pavillons sont les éclaireurs. Pour mieux dire, les sacrifiés. Quand surgissent les pavillons, les promoteurs ne sont pas loin. Tout de suite derrière. Très vite, la première « résidence » casse le paysage, étire ses funèbres verticales, ses horizontales au rasoir, ses lividités de ciment pour pauvres ou ses bariolages cucul pour·petits riches, pelouse interdite, toboggan obligatoire, cafard, laideur, cafard, laideur... Le processus est engagé, la campagne est devenue chantier, le provisoire s'est installé, à tout jamais. On se dit : « Un sale moment à passer. Quand ils auront fini de construire leurs horreurs, le calme reviendra, il suffira de regarder de l'autre côté. » Non. Le calme ne revient plus jamais. Quand les grues, les bulldozers, les camions, les marteaux-piqueurs se sont une fois jetés sur un coin de verdure, c'est pour toujours. Il y aura toujours des rangées de pavillons à démolir pour faire place aux « résidences », des résidences à jeter bas pour faire place aux tours, des tours à casser pour laisser passer les routes qui desserviront les tours, des centres scolaires à faufiler dans les interstices, des hypermarchés avec leurs parkings, des ponts, des tunnels, des hôpitaux, des P.T.T., des stations-service, et dans les terrains vagues en attente le moto-cross... Tout ça bon à démolir à peine terminé parce qu'il faut que le bâtiment tourne, sécurité de l'emploi, tout ça... Les montagnes de glaise jaune ne s'en iront plus jamais, elles ne feront que changer de place, un peu, aujourd'hui ici, demain là, et le vacarme, et la connerie, et les motos pétaradantes. De quoi, de quoi? T'aimes pas les jeunes?

Nicolas et moi tournions le dos au front serré du béton conquérant, et nous allions, entre les flaques, là où l'on pouvait encore marcher et courir sans presque voir de gueules humaines, à travers les terres encore agricoles de la ferme des Bordes, parmi les carcasses de moutons crevés finissant de pourrir dans leur laine entre les carcasses de bagnoles et les carcasses de fourneaux à gaz. A la ferme des Bordes, quand un mouton crevait, il restait là, on avait autre chose à foutre. Nicolas courait se rouler, pattes en l'air, dans la barbaque verdâtre où grouillaient les blochés. J'avais beaucoup de mal à lui faire comprendre que nous, la famille, ça ne nous amusait pas tellement.

J'aurais aimé avoir mon chien à mon côté, marchant à mon pas. Je lui aurais parlé, comme un gentleman anglais parle à son bulldog, paraît-il. Je lui aurais expliqué la nature. Mais lui, sa distance, c'était vingt mètres en avant. Vingt mètres exactement. Si je hâtais le pas afin de sournoisement combler l'écart, il accélérait, juste ce qu'il fallait pour maintenir les vingt mètres. Si je ralentissais, si je m'arrêtais, il ralentissait, il s'arrêtait. Et bon, c'était lui le plus têtu, il a bien fallu que je m'y fasse.

Un jour d'hiver, un chien errant vint s'affaler dans une flaque devant la barrière et puis refusa de bouger de là, transi, crevant de faim, motte de boue figée, sursautant de peur quand l'un de nous entrait ou sortait, et en même temps il dardait ses yeux éperdus d'espoir... Que fallait-il faire? Lui donner à manger, pardi, et puis s'enquérir. Personne ne savait rien. Apparemment, il était abandonné. Nicolas, de l'autre côté de la barrière, grondait à voix contenue. Bon, on l'a ramassé. Tita l'a débarrassé, au sécateur, d'une épaisse et très dure croûte de feutre faite de poils amalgamés, de suint, de boue, de sable, de brindilles et de paille, tout ça comprimé, collé en un tuyau cylindrique étanche d'où s'échappa une odeur épouvantable et un terrifiant grouillement de bêtes mordeuses, piqueuses, suceuses, rampantes, tortillantes... Au centre de ce tuyau il y avait un fantôme de chien, un squelette de chien, sans peau, la chair à vif, sanguinolente, les poils noirs jaillissant directement de cet ulcère. J'ai pleuré comme un veau.

On l'a appelé Mathieu. Pourquoi Mathieu? Parce que Nicolas. Ça complétait. Mathieu était un caniche, et même un très beau caniche, mais ça on ne l'a vu que plus tard. Savez-vous que c'est une fière bête, un caniche, quand on ne le taille pas comme un if? Aussi barbu qu'un griffon, mais frisé. Ce salaud-là fut tout de suite chez lui, sans humilité superflue. Insolent et lèche-cul, il se faufilait aux meilleures places, vidait la gamelle de Nicolas en plus de la sienne, poussait vite sa tête sous la main qui se tendait pour caresser Nicolas. Le vrai mendigot sans-gêne qui met les pieds sur la table, te rote au nez et pioche dans les cigares. Nicolas voyait avec stupeur et désespoir notre trahison. Comment pouvions-nous tolérer cet usurpateur, ce voleur d'amour? Comment avais-je pu prêter la main au viol de son territoire sacré? Un monde s'écroulait. Nicolas m'aimait toujours, de ça il n'était pas maître, mais il ne croyait plus en l'homme. C'était un chien silencieux et fier. Il n'en fit pas un plat, mais il ne fut plus tout à fait le même, plus jamais.

D'HOMME À HOMME

Son mari m'a écrit. Il pense qu'il faut qu'on parle. Je lui ai téléphoné. La voix est impérieuse. Il m'assigne rendez-vous pour déjeuner dans une petite cantine, près d'une fac. Une fac où il a à faire, sans doute. Manière de marquer qu'il me fait venir, que c'est moi qui obéis. Au pied! Je dis d'accord. S'il savait ce que je m'en fous, de la symbolique! Je vois ce qu'ils veulent, je les précède. Ils sont arrogants? Je suis humble. Ça leur fait tellement plaisir!

Ce qu'on s'est dit, je serais bien incapable de le répéter. En fait, j'ai pas bien compris ce qu'il veut. Moi, les choses, faut me les dire simplement. Style :

« Laisse ma bonne femme tranquille, vieux con, ou je te casse la gueule. »

Mais non. Pas son monde, ça. Argot étudiant de bonne famille, pas voyou. Il est grand, plus que moi, fluet, terriblement jeune, terriblement décidé. Sait où il va dans la vie, la route est tracée devant lui, n'en déviera pas d'un cheveu. Si c'est un cinéma qu'il se joue, eh bien, il est excellent acteur. Moi, en tout cas, je marche à fond.

Je sais, à travers l'admiration de Gabrielle, qu'il milite, sans mégoter, prend des risques, est ramené de temps à autre démoli à coups de barre de fer par des teigneux d'extrême-droite... Enfin, bon, ce qu'il a dit, je me souviens seulement que c'était très d'homme-à-homme, on est des civilisés évolués pas des sauvages, ne pas tomber dans le classique ridicule mortifère schéma de papa, et au bout de tout ça j'attends toujours.

Moi, je la ferme, je hoche, vague sourire, je fais l'impénétrable, je joue les grands fauves tranquilles, les quinquas ravageurs à lunettes noires, ma parole je me prends pour Lino Ventura. Tellement occupé à m'aligner les rides dans le bon sens que l'essentiel me passe au-dessus de la tête. Pourtant j'avais pris soin de m'asseoir de façon à ce que tout m'arrive dans la bonne oreille. Aucune nécessité d'aller lui expliquer que je suis sourdingue d'un côté, même si c'est à cause d'une bombe qui m'est tombée trop près, au temps où ces choses arrivaient. Le vieux beau au sonotone, la rigolade garantie.

Ce gars trop détaché, qui n'avait pas l'air d'y tenir plus que ça, à sa bonne femme, enfin c'est ce que j'ai cru démêler, alors je savais plus où j'en étais, il aurait eu l'air un peu ému, un peu en colère, je sais pas, moi, j'aurais fondu, j'aurais mesuré la saloperie, je me serais écrasé tout péteux, faire de la peine je supporte pas, mais il se la donnait tellement ménage moderne et dans le vent, moi bon con je me suis mis au diapason, Mai 68 et la suite, hé là, pas largué, le pépé... J'ai pas compris, pas un soupçon, que c'était la bonne vieille scène quatre du trois, voilà, voilà...

Je crois bien qu'à la fin j'ai dit, d'un air tout à fait jugement de Salomon :

« C'est à Gabrielle de décider, non? »

T'as déjà entendu plus con? Il m'a balancé aussi sec :

« Gabrielle doit être laissée en dehors de tout ça. Elle ne doit même pas savoir que nous nous sommes rencontrés. »

Ce qui, maintenant que j'y repense, était assez

surprenant. Sur le moment, toujours occupé à ne pas avoir l'air trop plouc, j'ai opiné du menton, comme appréciant la profondeur et la noblesse. Finalement, il devait lui aussi être en train de rouler les mécaniques, et ça, je l'ai pas vu, pas un instant ne m'effleure l'idée que les autres puissent avoir les mêmes faiblesses que moi.

J'ai su plus tard qu'en fait il l'aimait, sa Gabrielle, et très fort. Je lui ai fait du mal. Seulement, il sait vouloir, lui. Il se tient en main solidement, et il agit. Il a besoin d'être fier de soi. L'orgueil, ça aide bien. Je n'ai même pas ça.

Il n'a pas voulu que je paie les saucisses-frites. Chacun sa part. Tiens, comme elle! Symboles, symboles...

LA MER TOUT AUTOUR

J'AIME pas les vacances. Ni les dimanches. Air connu,
bon. Et même bien rococo. Aussi ringard que la
mère Gréco qui bramait ça aux temps enfuis où la
bohème intellectuelle épatait encore les banlieues.
Les vacances, c'est la démonstration poignante que
le reste du temps c'est pas les vacances. Que,
pendant les onze douzièmes de l'année, on attend
de commencer à vivre. J'aime les jours pareils aux
jours, les jours ordinaires, bien lisses, sans tambour
ni trompette. A moi de les rendre beaux. J'ai passé
ma vie à m'y efforcer. Dès mon premier contact
avec le travail, j'avais quinze ans, j'ai reçu en pleine
gueule l'horreur de l'usine-prison et de l'heure de la
sortie attendue dès le matin. Finalement, je n'ai pas
tellement réussi, j'ai bossé trois ou quatre fois plus
que si j'étais resté dans le bâtiment ou dans les
Postes et Télégraphes, du moins ai-je eu tout du
long l'illusion que j'étais le maître de mon temps et
de mes projets, et c'est bien là l'essentiel. J'ai
travaillé le dimanche comme les autres jours, bien
forcé, j'étais toujours en retard sur le programme,
et l'imprimeur qui me mordait au cul... Je n'avais
pas d'heure, tout ce qu'on exigeait de moi était de
livrer à temps, la nuit, comme je vous disais, était à
moi. Il y en a qui prônent l'aurore pleine de doigts,
ils ne connaissent pas les merveilleuses heures du

boulot de nuit, le silence et le cri de la chouette. Bien sûr qu'il y a encore des chouettes dans les banlieues! Attablez-vous à quelque travail minutieux, fenêtre ouverte, et vous l'entendrez, la chouette, de l'autre côté du parking! Et le rossignol, donc.

Il y eut un temps, j'aimais partir à l'aventure, sur mon vélo, chargé comme une bourrique, tout seul, bien en baver dans les Auvergnes, les Piémonts ou les Espagnes, j'étais le conquistador et le chevalier errant. Ça m'a passé, je ne sais comment. Comment vous passent les choses? Et bon, Tita partait avec les gosses et les valises pour quelque bord de mer, une location longtemps cherchée, toujours trop chère, où la tribu se gorgeait d'air iodé et se bourrait de nouilles, car nager donne faim mais c'était le bifteck ou la location. Il m'arrivait de venir les rejoindre pour quelques jours, sur une impulsion.

Tita découvrit un été l'île de Noirmoutier, alors encore très plouque, les autochtones s'y repliaient pendant trois mois dans leurs caves pour louer les surfaces décentes aux vacanciers. Ça ne s'appelait pas encore des touristes. Noirmoutier fut pendant des années la terre promise de la famille, et puis la chienlit l'a submergée, comme le reste, et même ils l'ont reliée au continent, et désormais Noirmoutier ou la Grande Motte c'est du kif. Où vont donc aujourd'hui les familles nombreuses avides d'eau verte et d'horizons? A la Grande Motte, pardi. Ou à Noirmoutier. L'horizon, on s'en fout. On veut du ski nautique et du concours de pétanque. S'adapter ou crever. Darwin a toujours raison.

L'envie m'avait pris d'aller les rejoindre pour quarante-huit heures, ou pour une petite semaine, peut-être bien, j'aime savourer le balancement de l'incertitude. J'ai bourré quelques nippes dans mon vieux sac-boudin de l'armée américaine, Nicolas a compris qu'on allait prendre le train, il s'est mis à sauter sur place et à tout balayer à grands coups de queue, ce père tranquille aime les voyages. Nous sommes arrivés au soir finissant, il avait fait très chaud dans le train, la mer flambait comme un punch à la groseille dans un coucher de soleil de carte postale. Tita avait loué une maison sur la côte ouest, les pieds dans l'eau. Laissant tomber du même geste mon sac et mes vêtements poisseux de sueur confite, je cours à l'eau. La marée baissait à toute vitesse, il fallait se dépêcher d'en profiter. J'ai piqué droit devant moi, droit au large, à grandes avalées goulues de brasse coulée, c'est la seule nage que j'aie jamais été foutu de m'injecter dans les réflexes, mais alors, pardon, impeccable. Je fonçais comme un cachalot, tellement heureux par toutes les fibres que je ne m'étonnais même pas de ma vitesse, pourtant prodigieuse. Juste dans le prolongement de mon nez, le soleil tout rouge sorti de la forge plongea dans l'eau, qui aurait dû se mettre à cracher et bouillonner, mais non. D'un coup seul, ce fut le crépuscule, ses frissons, ses inquiétudes poignantes et vagues. L'heure où chacun n'est qu'un oisillon tremblant. Je sors le nez de l'eau pour jeter un coup d'œil sur le monde. Je me disais que j'avais dû faire un bout de chemin, pétant le feu comme j'étais. Je me sentais un peu fatigué, mes nerfs tombés. J'allais rentrer à allure pépère, j'espérais que les nouilles seraient cuites, l'appétit m'était venu, et même la fringale. Voyons voir où est la côte. Il n'y avait plus de côte.

D'abord, ça m'a fait rigoler. « C'est pas vrai! », ce genre de ricanement-là. J'ai regardé tout autour. La mer était gris ardoise, le ciel était gris ardoise, de plus en plus ardoise, ils se mélangeaient quelque part, va savoir où, j'ai plissé les yeux, je cherchais la couture, la ligne plus sombre, mais rien, nulle part. J'ai tout de suite compris, mais je n'y croyais pas.

Enfin, quoi, il y a dix secondes j'étais un brave père de famille en train de prendre un bain de mer, j'avais le corps en joie et l'âme aussi, et je serais maintenant, là, plof, en plein vrai gros drame, et même qu'il serait question de la peau, et même, allez, vas-y, et même qu'elle est foutue, ta peau, mon gros, eh, oui, parfaitement, on en est là.

Mais non, mais non, voyons, ne nous affolons pas. Suffit de faire demi-tour, la terre est là d'où je viens, pardi, tout droit. Ah! oui? Et qu'est-ce que ça veut dire, faire demi-tour, quand tu n'as aucun repère? Partout bien plat, bien lisse, avec le même clapotis gentil, même pas de vagues pour se guider dessus, en admettant que j'en sois capable. Merde. Au hasard? Une seule direction de bonne : plein est, si encore je n'ai pas dévié. Tous les autres secteurs de la girouette m'envoient au large, avec même une chance de piquer droit sur l'Amérique.

Entrée en scène de la panique. Premiers symptômes, la boule dans le profond du ventre. Eh là, pas de ça! Interdit. Penser à autre chose. A du pratique. Agir. Tout en nageotant sur place je prends conscience de quelque chose. Je me demande quoi. Je me fais attentif. Voilà : la chose, c'est que toutes les directions ne sont pas pareilles, pas tout à fait. Quand je suis tourné comme ceci, je sens comme une résistance, quand je suis tourné comme cela, ça me pousserait plutôt au cul. Me semble-t-il. Ah! ah! Je n'y connais pas grand-chose aux affaires de la mer, mais j'ai lu « Arthur Gordon Pym » quand j'étais petit. « Un courant! » me dis-je. Je suis en plein dans un courant. Des mots me viennent en tête, sortis d'où? « Courant de jusant ». Quand la mer descend, un courant se forme entre le machin et l'autre machin, on m'a expliqué une fois, ça me revient, entre la pointe de l'île et le continent, peut-être bien, ou peut-être qu'ils ouvrent je ne sais quelles écluses, je ne sais quelles vannes, enfin, bon, il se crée un chenal, je me rappelle le mot « chenal », ça crache la flotte droit au large comme une chasse d'eau. Eh bien, voilà. Voilà pourquoi je taillais de la route comme un marsouin en rut, tout à l'heure. Je ne m'en rendais pas compte, je devais avancer de dix mètres à chaque brasse. Eh bien, c'est pas dur : faut remonter le courant à rebrousse-poil. Au moins, maintenant, t'as la direction. Déjà la moitié du boulot de fait. Plus à se poser de questions. En avant.

Je commençais à sentir le froid. J'ai ramé comme un dingue, je savais même pas si j'avançais ou si je faisais du sur-place, mais je savais une chose : dès que je ralentissais, je reculais. Et la nuit tombait, comme elle tombe : sans pitié. Ça a duré longtemps, longtemps, longtemps. Je ne voulais rien savoir, que nager, nager, sans ralentir, sans faiblir, une, deux, les jambes, trois, les bras, quatre... une, deux, trois, quatre... Je guettais la ligne plus noire à mi-distance entre le haut et le bas. Je m'interdisais de la guetter trop souvent. Je comptais cent brasses et je jetais un coup d'œil, en sortant le nez de l'eau pour respirer. C'est pour ça que je ne l'ai pas reconnue. Je la cherchais noire, elle était blanche. Il y avait un bout de temps que cette vague clarté laiteuse grandissait devant moi quand je m'avisai que c'était peut-être bien ce que je cherchais. Et c'était elle, la frange de sable, blanche dans la nuit. J'ai nagé jusqu'à ce qu'elle me racle le ventre, et je serais bien resté là, affalé la gueule dans le varech, s'il n'y avait pas eu Tita, barbouillée de larmes, qui avait cassé la vitre de la boîte où ils enferment une bouée, qui avait avancé dans la mer, jupe troussée, aussi loin que le permettait la corde fixée à la bouée, et qui m'appelait dans la nuit, et les enfants qui criaient « Papa! », alignés face au large, alors je suis sorti de l'eau en tapant des pieds comme un qui a pris un bon bain et qui s'amuse à éclabousser, et je leur ai demandé s'ils étaient dingues ou quoi, vous auriez mieux fait de vous tremper le cul, qu'est-ce qu'elle est bonne, un vrai sirop!

Nicolas farfouillait passionnément de la truffe dans les tas de goémon, c'était plein de crabes pourris qui lui affolaient la narine. Tu crois qu'il se serait jeté à l'eau et m'aurait ramené avec la merveilleuse prescience et le dévouement admirable que j'eusse été en droit d'attendre de ce fidèle ami de l'homme? Il ne s'était même pas aperçu qu'il y avait de l'anormal dans l'air. Les chiens, c'est bien comme le reste, littérature et compagnie. Enfin, bon, moi, je les aime pour eux-mêmes.

VENT DE SEINE

CET amour aura été un va-et-vient entre Notre-Dame et le Pont-Neuf. Cet amour a un goût de vent de Seine et la couleur des toits d'ardoise sur ciel d'étain : rose sur apocalypse. A Paris, l'ardoise est rose, les soirs d'orage. Cet amour a de hauts peupliers qui parlent sans cesse, comme tous les peupliers, qu'on n'entend pas, à cause du grondement du quai, mais on lit sur les feuilles. Cet amour a des pigeons et des moineaux, et même des mouettes qui tournent et plongent du haut du ciel, car cet amour a du ciel à ne savoir qu'en faire, bleu-vert les matins de printemps, lilas les soirs d'été. Cet amour n'a pas besoin de Venise.

C'est ici que Paris est plus Paris qu'ailleurs. Ils ont tué Belleville, Charonne et Ménilmuche, clapiers à pauvres, ils les ont tués malgré Prévert, Carné et René Clair, il y avait du fric à se faire, pleurez, poètes, les poètes sont faits pour ça.

Ils n'ont pas osé tuer la Cité ni le Louvre, ni le quai en face, car alors où iraient les autocars à bestiaux bourrés de Teutons à gros cul, de Japonais en papier découpé, d'Amerlos à dents trop blanches et de Troisième-Age sans dollars qu'on trimbale pour que les cahots abrègent leur retraite? Où iraient-ils, les autocars?

Et bon, les margoulins de l'immobilier ont laissé

un petit morceau de gâteau pour les margoulins de l'autocar, ça donne un quartier « miraculeusement » préservé, quartier bidon, quartier musée, quartier sous cloche, mais on peut s'amuser à oublier que la vieille pierre n'est permise qu'à condition qu'elle rapporte en tant que vieille pierre, en tant que décor à ambiance. On peut jouer à vivre dedans comme si c'était du vrai.

Saint-Julien-le-Pauvre, tout petit, tout vieux, bien plus vieux et surtout bien plus authentique que Notre-Dame, qui n'est qu'un gros pastiche aussi faux qu'un buffet Henri II – mais qui s'en soucie? –, Saint-Julien-le-Pauvre caché tout entier derrière une touffe de buis et dont les vaillants escaladeurs de notredames ne connaissent que le minuscule jardin fleuri parce qu'il y a des bancs pour y manger le sandwich-frites et des corbeilles à papier pour oublier d'y jeter la boîte de coke...

Suis la Seine, t'occupe pas des bouquinistes, ici ils n'ont que du « Poulbot » pour marchands de bœufs du Wisconsin, l'Oscar de l'horreur, si Poulbot voyait ça il chialerait sur sa chemise rouge, heureusement il est mort depuis lurette. Sur la droite, devant « Shakespeare and C° », s'étire le bizarre square tout en longueur, le square le plus triste du monde, naguère on y jouait aux boules, il a l'air fait tout exprès pour, maintenant les cloches chassés de la Maube pour cause de promiscuité présidentielle l'envahissent tout doucement. Tu passes la rue Saint-Jacques, tu résistes à la fascination morbide de la rue Saint-Séverin, tu longes les boutiques de gravures sous verre (très chères), le plus souvent des pages arrachées à de précieux Buffon – salauds!–, et même à des incunables, ils ont pas la trouille (devoir de calcul : vaut-il mieux vendre un beau vieux livre de trois cents pages pour cinq mille francs ou bien le vendre page par page à raison de trois cents francs l'une?), tu dépasses le marchand de musique et l'étalage des soldes de Gibert Jeune, te voilà place Saint-Michel.

Saint-Michel-Saint-Séverin, îlot de haute putasserie, piège à touristes le jour, marmite à paumés la nuit, Far-West de poche où la banlieue en blousons vient rouler les mécaniques le vendredi soir... Saint-Michel, devenu le Pigalle du pauvre, car aujourd'hui le pauvre veut rigoler, a bouffé Saint-Séverin, s'est cogné dans sa progression vers l'est à la rue Saint-Jacques et ne l'a pas traversée, va savoir pourquoi, et maintenant s'étale de l'autre côté, coule par la rue Saint-André-des-Arts, irrésistiblement, a déjà un pied au carrefour de l'Odéon et, si les petits cochons ne le mangent pas en route, va bientôt faire sa jonction avec Saint-Germain-des-Prés, où broutent les gens intelligents. T'en as rien à foutre? Moi non plus.

Au confluent du quai, le Saint-Michel (ne me demande pas de dire « Boul'Mich' », ça m'arrache la gueule) a au moins dix kilomètres de large, va traverser ça, une vraie retraite de Russie, et tous ces cons féroces qui te guettent, le pied sur l'embrayage, une seconde de trop ils t'aplatissent avec un rictus... Tu t'en es tiré? Ça va être du velours, maintenant. Passé le Saint-Michel, le quai, d'un seul coup, devient provincial. Tu te croirais dans Balzac, les bagnoles en plus. Eh bien, oublie-les, les bagnoles. Tiens, pousse un peu sur la gauche, non, pas celle-là, pas la rue Gît-le-Cœur, c'est plein de merdes molles de clochards, impossibles à éviter, elles se rejoignent, ils ont tous la chiasse et ils roupillent dans leur merde pour se tenir chaud, prends la suivante, la rue Séguier, voilà, c'est pavé de merdes aussi, mais de chiens, les chiens chient dur et bien groupé, et tout rouge, c'est le Canigou, ils y mettent du rouge pour faire les carottes, les carottes c'est la santé, le maîmaître est content. Dur et bien groupé, tu peux te faufiler. Alors? Eh oui, hein. Rue de

Savoie, rue Christine, rue du Pont-de-Lodi... On a changé d'espace-temps. On a rattrapé le rayon lumineux. C'est Paris 1830. A cent mètres sur ta droite, le quai et sa ruée mécanique, à cent mètres sur ta gauche, la rue Saint-André, ses foules, ses frites, ses guitares... Toi, t'entends rien. Des femmes en peignoir vont chercher des croissants. La bulle magique. D'autres s'en sont aperçus. Ces rues sont des rues à fric, il s'y tapit de la bohème cousue d'or. Je te promène là parce que nous y menons promener le chien, les jours où Gabrielle a le chien en pension. Nous nous y faisons beaucoup la gueule, aussi. Enfin, la gueule, c'est surtout moi qui la fais, à cause de mes gros problèmes, de mon terrible dilemme, mais tu sais tout ça.

*

Rue du Chat-qui-Pêche. Un mètre de large, guère plus, entre le quai et Saint-Séverin. Trois heures du matin. Une famille italienne, nez en l'air, s'extasie devant la plaque bleue où on lit en blanc le nom de la rue. Le père s'adosse au mur, en position de courte-échelle, le fils lui grimpe sur les épaules, la mère passe un tournevis au fils, il se met à dévisser la plaque. C'est dur, les vis sont rouillées. Je les regarde, le père me regarde, il a un grand sourire :

« Souvenir! « Via del Gatto-chi-Pesca »! Magnifico! »

Les bateaux-mouches se courent au cul, à se toucher. Ils sont énormes, et laids à dégueuler. Quel est le salaud qui a osé, pour faire voir Paris, lancer sur la Seine d'aussi épouvantables saletés? « Modernes » dans le sens le plus hideux, le plus péquenot du terme, dégoulinants de clinquant de Foire du Trône, ils traînent sur l'eau sale qu'ils battent en neige, en neige merdeuse, leurs cargaisons de bons cons que ça ne gêne pas du tout d'être les fausses notes de cette harmonie qu'on les invite à admirer à coups de gueuloir sonorisé. La nuit, obscènes chenilles lumineuses, ils t'arrachent les yeux par la violence de leurs projecteurs serrés à la queue leu leu de la proue à la poupe et qui balaient sans pitié les façades riveraines, fouillant jusqu'au moindre recoin les appartements aux lambris vénérables. Je passe sur le Pont-Neuf, m'émerveillant une fois de plus de la fantastique capacité du con moyen à supporter la contradiction, sans laquelle rien ne serait possible. Sans elle, on ne pourrait pas lui chanter à tout moment, au con moyen et même légèrement supérieur, l'amour des belles choses, le culte du passé, la douce harmonie du vieux Paris, tout ça tout ça, et en même temps lui imposer des ordures qui sont autant de coups de poing dans la gueule. On ne pourrait pas lui chanter la verdure, les petits oiseaux, la vie simple et rustique, déplorer le béton, les autoroutes et les H.L.M. et en même temps lui construire des H.L.M. de béton au bord des autoroutes. On ne pourrait pas, en somme, se foutre de sa gueule. Heureusement, ça ne le gêne pas, il est content comme ça, et bon, tant mieux pour lui. Ceux que ça gêne, qu'ils crèvent.

Pourquoi, mais pourquoi, bon dieu, nous bourrer le mou dès l'enfance et pour toute la vie de poésie champêtre, alors qu'en vrai on nous donne le béton? Nous vivons et vivrons de plus en plus béton, c'est ça le vrai, c'est ça le réel, avec la télé, son rock et ses paillettes pour nous changer les idées. Alors, merde, assez d'hypocrisie! Faites fermer leur gueule aux poètes. Ces faux-culs nous persuadent que le vrai c'est la fleurette. Ça ne rencontre que trop d'échos dans nos pauvres vieux instincts passéistes – Quoi de plus passéiste que l'instinct? –, et alors nous nions le réel, nous le subissons comme une anomalie, un viol, nous sommes coupés en deux – Dois-je ici placer « dichoto-mie » et « schizophrénie »? Ça a beaucoup servi... – Etre coupé en deux est très malsain. Très, très. Qui osera chanter le béton, et l'autoroute, et le préfabri-qué? Qui osera chanter Beaubourg, les C.R.S. et le poulet aux hormones? Qui nous dira que notre vie est belle, et le sera de plus en plus, telle qu'elle est, en vrai? On n'y croirait que d'une oreille, mais ça nous ferait du bien. Il y en a bien pour chanter le travail, et la pauvreté, et la vieillesse, et même pour chanter la joie de mourir à la guerre... On chante en chœur avec eux, non? Et on finit par y croire, un peu, assez pour que ça fonctionne... Poètes, chantez-nous la merde et dites-nous qu'elle est délicieuse, puisque de toute façon c'est la merde que nous aurons.

*

Sur le Pont-Neuf. Une bande de jeunots. C'est vendredi, la banlieue est descendue de ses H.L.M. Ils s'aventurent rarement aussi loin de la fontaine Saint-Michel. Ils sont un peu perdus, alors ils font beaucoup de bruit. Ils se penchent au-dessus de la balustrade de pierre. Un bateau passe, un masto-donte à projecteurs, plein à craquer, les bons cons sont sur le pont, c'est une nuit d'été, ils admirent ce qu'on leur dit d'admirer, nez en l'air, tout en masti-quant leur moitié de langouste, c'est un bateau-mouche à gastronomie française. Les jeunots se marrent, se mettent à leur balancer sur la gueule des saletés diverses qu'ils ont apportées dans un grand sac, j'avais pas vu le sac tout de suite. Bouteilles, boîtes de bière vides, restes de frites, crottes de chien. Certainement des merdes humai-nes, aussi, les leurs, encore toutes chaudes, la merde c'est pas seulement de la salissure, c'est surtout du symbolique qui se comprend partout.

Hurlements de joie sur le Pont-Neuf, de rage dessous. Imperturbable, la grosse ferraille flottante poursuit sa route, réapparaît de l'autre côté. Les petits voyous – c'est comme ça que je dirais si j'avais reçu un étron sur l'œil – traversent la chaussée en courant pour évaluer le résultat de leur tir et, bien sûr, pour remettre ça, le sac n'est pas vide. Il y en a un, plus petit, qui court moins vite. C'est lui que la bagnole fauche. Tellement excité qu'il n'a rien vu. Projeté en l'air, mannequin de son, et puis, à l'atterrissage, passé dessus. Le type a freiné, juste trop tard, le voilà arrêté, les roues avant enfoncées dans le gamin. Il y a sûrement une moralité dans cette histoire, mais je ne vois pas bien laquelle.

VOYAGES DE NOCES

ELLE a réussi à me traîner à Venise. Pieds et poings liés. Elle était si heureuse! Tellement heureuse qu'elle ne voyait pas, ne voulait pas voir ma gueule renfrognée. Elle avait tout arrangé, en cinq sec, avec fougue et minutie. Ne m'avait annoncé la chose qu'au tout dernier moment, dans un tel élan de petite fille ravie qu'il aurait fallu avoir le cœur bien dur pour dire non. Je n'ai pas le cœur dur. Ni tendre. Je l'ai mou. J'ai dit « Beuh... ». Elle attendait un peu d'enthousiasme. J'ai essayé de dire « Beuh » avec enthousiasme.

Et me voilà tissant à contrecœur une toile d'araignée de mensonges à sorties de secours, de semi-vérités rattrapables, d'à-peu-près vaseux et de dates élastiques... Très, très compliqué. Reposant essentiellement sur le flou tactique et sur la complaisance de l'interlocuteur, Tita en l'occurrence, à ne pas me pousser trop avant dans ces marécages où elle me voit patauger.

On a beau se croire débarrassé de toute dignité, cette variété honorable de la vanité, on se laisse surprendre par des réflexes regrettables. Je la faisais au gars libre comme l'air, pas le moins du monde contraint de mentir pour avoir ses coudées franches, ce qui me conduisait à mentir d'autant plus, et des deux côtés, puisqu'il ne fallait pas qu'on sache à gauche que j'en étais réduit à mentir à droite comme n'importe quel grisâtre petit monsieur père de famille en goguette illicite avec sa secrétaire. Ce n'est pas l'état d'esprit idéal pour se mettre dans l'ambiance voyage de noces.

Gabrielle entassait les choses dans les valises et les valises sur les valises, l'œil brillant, les joues fleuries, une chanson aux lèvres. Elle chantait rarement à voix incertaine, un peu rauque, surprenante. Il fallait vraiment une grande joie espérée. Je me suis alors promis d'être à la hauteur, puisque tu le fais fais-le à fond, donne-lui cet innocent plaisir, pauvre mec, huit jours c'est vite passé, sois le petit oiseau insouciant, allez, hop.

La vie est farceuse. Les farces, elle les préfère de mauvais goût. La veille du départ, une hémorroïde qui, depuis quelques jours, me mordillait le fondement de façon assez lancinante, prit soudain le mors aux dents et se mit à déchirer avec une rage féroce la tendre chair si douillette de ma muqueuse anale. Mon trou du cul aura joué un rôle important dans ma vie sentimentale, rôle pas toujours néfaste, on l'a vu, mais toujours douloureux. Ceci nuit certainement au tragique de cette histoire et n'aidera guère son auteur à être admis dans les cénacles. Mais la vérité avant tout, n'est-ce pas ?

Il faut aimer beaucoup une femme pour lui avouer qu'on a mal là. Je donnai à Gabrielle, entre deux coups de tête dans le mur, cette preuve d'amour. Elle compatit, courut acheter des pommades, m'assura que cela irait mieux le lendemain. J'étais bien certain du contraire, n'ayant eu dans ma vie que deux crises violentes qui s'étaient toutes deux terminées sur une table d'opération.

Nuit passée à danser la danse du cul martyr sur les braises rouges. Au matin, Gabrielle donne trois ou quatre coups de téléphone, me jette dans un taxi, me débarque dans un hôpital perdu au fond d'une banlieue. Un jeune médecin plein de compétence me plante avec respect un scalpel dans l'horrible chose, qui aussitôt se dégonfle, s'affaisse, se vide. Un immense bonheur m'inonde. Tous mes nerfs tremblent au souvenir de l'abominable douleur et goûtent éperdument la paix retrouvée.

« Merci, docteur. »

Il était tout content, le petit docteur. N'en revenait pas lui-même.

« Ce n'était rien. Une toute petite, bien placée. Ç'aurait été plus sérieux, je n'aurais pas pu vous soulager aussi vite. »

Gabrielle :

« Nous pouvons partir pour Venise? »

Il rit.

« Bien sûr. Quelques petites précautions. Je vous fais une ordonnance. Profitez-en. Reposez-vous. »

Deux heures plus tard, nous sommes dans l'avion. Ses trois énormes valises molles enfin casées, forcées à coups de poing à coups de crâne dans les petits alvéoles de Damoclès au-dessus des têtes inquiètes, ma vieille petite valdingue à moi où ballottent un slip pas très frais, une chemise de nuit bordée de rouge, un rasoir et douze polars glissée sous mon siège, Gabrielle pose sa main sur la mienne, sa bonne bouille épanouie jusqu'aux oreilles, et, tandis que rugissent les moteurs, elle savoure l'instant. Moi aussi. Etre enfin assis dans un moyen de transport qui vous emporte au diable, avoir triomphé des cavalcades et des angoisses du départ, n'être plus, en somme, qu'une pêche tassée bien au carré dans son cageot de pêches et se faire trimbaler en laissant à d'autres les soucis de la navigation procure toujours un soulagement qui constitue peut-être le meilleur du voyage. Soulagement doublé, dans mon cas présent, par celui, paradisiaque, de ne plus avoir mal, ou presque plus. Mon cul baigne dans l'allégresse. Il est une chose mille fois meilleure que la santé : c'est la guérison. C'est pourquoi il faut être malade de temps en temps. Je souris à Gabrielle, je prends ses mains, je me frotte le visage dans ses paumes ouvertes. Après tout, c'est très facile d'avoir l'air heureux. Il suffit de l'être. Même si ça n'est pas pour durer. Le poignant de l'instant qui fuit, c'est bon aussi.

Gabrielle fronce un sourcil maman-poule :

« Ça va?

– J'ai connu pire.

– Content?

– Un peu étonné d'être là. Qu'est-ce qui s'est passé? On est vraiment en avion, ou quoi?

– Je peux te pincer, si tu veux. »

Venise est vert-de-gris et moutarde séchée, avec des dégoulinures noirâtres. Très Europe centrale, très Méditerranée et très mare croupie. L'aéroport est chauve, comme tous les aéroports, mais celui-là encore plus. Un car (ici, on dit un « pullmann ») nous dépose à l'embarcadère du vaporetto. Il vaporetto! Comme dans *Mort à Venise*. Je suis ému. Je n'ai pas vu *Mort à Venise*, mais je pense qu'il doit y avoir le vaporetto, filmé juste bien comme il faut. Gabrielle vit un beau rêve, ne dit rien, seuls ses yeux.

Le soleil se couche sur la lagune, le vaporetto danse au bout de son câble, Gabrielle a les yeux verts, quand ils rencontrent les miens elle pouffe de trop de bonheur, nous sommes à Venise, bon dieu, Venise! L'air pue la vase de Venise. Emplis-toi les poumons. Un farfadet danse la gigue et je suis sa salle de bal.

Le vaporetto, enfin plein à couler d'Italiens caquetants et de Nordiques rauques, fait mousser l'eau avec son cul, s'arrache au quai, prend de la vitesse. Et tout est foutu.

A Venise, il fait chaud. Là où il fait chaud, les gens s'arrangent pour qu'il y ait des courants d'air, ils s'installent au beau milieu d'un courant d'air, ça les rafraîchit, ils sont béats. Oui. Et moi, fallait s'y attendre, les courants d'air sont ma perte et mon obsession. Une espèce d'allergie, ou d'hypersensibilité, appelle ça comme tu voudras, qui fait que la moindre caresse d'air en mouvement sur mes tempes déclenche immédiatement un mal de tête que rien ne peut plus apaiser, même la cessation du courant d'air, et qui, dans les heures suivantes, s'épanouit en névralgies faciales de toute première grandeur, et puis en rhume, sinusite, angine, bronchite, tout le bazar. Pneumonie avec un peu de chance. Nota : uniquement les courants d'air à l'intérieur d'un bâtiment ou d'un véhicule. Le vent, aussi violent soit-il, par exemple sur une moto, ou en pleine mer, ne me cause aucun bobo, tout au contraire. Va comprendre. Autre chose, puisque le sujet vous intéresse : peu importe que le courant d'air soit glacé ou tiède, le résultat est garanti à tous les coups. Là, le psychiatre sourit d'un air entendu : « Hystérie! » Peut-être. Et alors? Guéris-moi, quoi que ce soit, je n'en demande pas plus. Mais rien. Le sourire malin, et puis du vent. Aucun traitement donc n'a pu me préserver de cette calamité, et comme après tout il n'y a pas péril de mort, je me contente de me garer des courants d'air – et aussi de l'air conditionné –, ce qui n'est pas toujours compatible avec la vie sociale, comme par exemple en ce moment même dans ce vaporetto de merde. Cette cochonnerie de ferraille à hélice fonce sur la flotte, entre les petites fenêtres circule un courant d'air à vous arracher le chapeau, ces messieurs-dames, heureux de l'aubaine, s'aèrent le poitrail avec des airs extasiés, et moi je me répète « Non, c'est Venise, il fait chaud, c'est de l'air chaud, te monte pas le bourrichon, t'as pas mal, t'as pas mal! Tu seras pas malade, tu seras pas malade! » En même temps la couronne de fer se resserre autour de mon crâne, la douleur monte, monte, et hurle, et se fout bien de mes gymnastiques psycho-soma-ma.

A partir de là, le sale con intégral. Il n'y a pas de Venise qui tienne quand un marteau-piqueur vous déchiquette la tête. Les palais, les canaux, les gon-doles... Tout le folklore se mélangeait, ondulait, ricanait, entrevu par bribes derrière le grouillement grimaçant d'une multitude lécheuse de glaces rosâ-tres et stupéfiante de vitalité. J'ai haï Saint-Marc de toute ma haine, je n'ai vu dans les canaux que pisse et purin, dans les palais que plâtras suintants, décor mité et pièges à cons. Chaque trogne de cette foule, chaque paire d'yeux, m'était provocation par son insolent appétit de vivre et de s'en empiffrer jusque-là de la mosaïque byzantine dorée sur tranche et des platées de nouilles à la tomate. Ces cons-là fonctionnaient comme des pendules, ils n'avaient pas à avoir peur des courants d'air, s'ils avaient connu mon infirmité, ils auraient bien rigolé, ils n'étaient jamais constipés, jamais chiasseux, n'avaient jamais mal au cul, ils bouffaient, pétaient, baisaient et ça leur profitait, crevez, connards, la gueule ouverte et des fourmis rouges dedans!

Et Gabrielle avec! Elle était de leur race, rayon-nante de santé, normale. NORMALE, la salope, comme eux tous! Les autres. Les sans-problème. Les normaux, quoi. Cette connasse ne pouvait pas comprendre, toute sa sollicitude n'y faisait rien, personne ne peut comprendre... T'es tout seul. Si au moins j'avais un beau cancer, nom de dieu, ou, je sais pas, moi, une tubardise à cracher le sang, ou aveugle... Ça attendrit, ça, aveugle, ça attire le res-pect. Un peu le dégoût, aussi, et la peur, mais bon, on ne rigole pas d'un aveugle. Ni d'un tubard. Bonne mine j'ai, avec mes bobos piteux. Mal à la tête, mal au cul. Un pet de travers un filet d'air, pof a pus. Chierie!

Je prenais des calmants, qui m'abrutissaient dix minutes, et puis ça repartait, et ma méchanceté avec. J'étais fou de rage d'être aussi con, aussi prévisiblement con. Je l'ai tellement fait chier, la pauvre gosse... Je lui disais :

« Va te promener! Tu es à Venise, merde. Laisse tomber ton vieux birbe. Moi, je reste au lit, pas envie de traîner ma crève dans cette cohue. Tu me raconteras. »

La vraie sale bête, à abattre sans sommations. Elle se cramponnait à sa fête gâchée, recollait les morceaux, sacrée petite chèvre.

« Je reste avec toi. On va lire, on sera bien. Tout à l'heure, tu iras mieux, on ira faire un tour, voir les gondoles illuminées. »

Elle savait déjà qu'ils illuminaient les gondoles! Elles savent tout, toujours.

« Mieux! Tu parles. C'est parti pour quinze jours, oui. Rien à foutre de Venise, de Tahiti ou de Pétaouchnock! Quand je vais à peu près, pas besoin de décor pour tirer un coup. Et quand ça va pas, ça va pas n'importe où. Tu m'as embarqué de force, tant pis pour ta gueule. Et merde! »

Effectivement, ça ne s'arrangeait pas, et j'ai fini par dire j'en peux plus, enfermé dans cette piaule étouffante comme un four à pizzas à me donner des coups de poing sur les tempes je deviens enragé, écoute, moi je rentre, toi reste, t'es jeune t'es belle, on se retrouve à Paris. Sauf si t'en as soupé de ma pomme.

Le mufle anachronique que même le plus ringard des metteurs en scène n'oserait pas introduire.

Elle a dit :

« Si tu rentres, je rentre. »

Même pas méprisante. De la peine, oui. Le beau rêve était en miettes. Elle avait emporté des robes extraordinaires, des friperies qu'elle savait dénicher, qui faisaient sur elle un effet fantastique, trois chapeaux immenses comme des tartes aux cerises dont une chose délirante, toute en plumes multicolores, des chaussures avec du doré pour je ne sais quelles Mille et Une Nuits... J'ai su plus tard qu'elle avait acheté tout ça exprès pour le voyage à Venise, alors qu'elle n'avait pas le rond. Elle a remballé ses merveilles dans ses valises molles, j'ai claqué rageusement ma valise de quatre sous sur mon rasoir Gillette et ma brosse à dents, et on est rentrés.

Dans l'avion, on ne s'est pas parlé. C'est moi qui faisais la gueule. D'abord j'avais mal, et puis j'avais commis du pas rattrapable, de la vraie saleté merdeuse sans excuse, je lui avais fait du mal, une fois de plus, mais terrible, et j'en avais fait en même temps à Tita, car je la savais pas dupe. Un gâchis lamentable.

Avec leur rage de voyages, aussi, elles cherchent bien leur malheur, non?

*

Elle m'a traîné à Venise, elle m'a traîné dans une île grecque, elle m'a même traîné aux Antilles, jamais rebutée, l'enthousiasme toujours prêt à renaître. A chaque fois. Ce départ-là serait le bon départ, quelque chose allait se déclencher. Ça, c'était sa justification sensée, au fond elle savait bien qu'elle était prête à affronter tous les coups de pied dans les dents et même le terrible moment de la séparation du retour pour avoir l'ivresse du départ, cette ivresse-là n'était jamais trop cher payée. Et moi, embarqué comme un colis, la tripe déjà clapotante de toute cette sale boue de culpabilités puantes, qui bientôt fermenterait et me boursouflerait et empoisonnerait tout, moi aussi j'étais joyeux, joyeux de sa joie, je me surprenais m'excitant à l'unisson, c'est si beau, si vous saviez, Gabrielle heureuse!

Le Boeing te dépose à Pointe-à-Pitre, et démerde-toi. La France est partout la France. Pour les Saintes? A cette heure-ci, voyez donc l'Aéro-Club. L'Aéro-Club, c'est un petit terrain au bout du grand, tout petit, tout au bout. Gabrielle et ses valises molles. C'est là que j'ai su ce qu'étaient les tropiques, sur ce bout de chemin poussiéreux. Le vieux petit avion joujou perdait ses rivets en route. Il y avait place pour deux, dont le pilote, le troisième plié en quatre, les genoux aux dents. Un boucan de machine à laver la vaisselle. Le pilote hurle quelque chose en articulant bien pour qu'on puisse lire sur ses lèvres.

« A droite, la Soufrière! »

La Soufrière est une montagne noire, mauve à cause du lointain. Elle fume. Une grosse sale fumée mauve, c'est-à-dire noire. Le pilote crie « Boum! » et fait avec les mains le geste de l'explosion. Je fais « Ah! ah! », l'air intéressé. C'est vrai, je me souviens, c'est un volcan, il a même fait parler de lui à la télé il n'y a pas longtemps. Voilà les Saintes, dessinées bien net sur la mer étincelante. Des mots de livres me viennent à la tête : îles parfumées, mers du Sud, bleu outremer... Je suis tout remué, comme chaque fois que l'écrit se fait réalité. Bon public, voilà. Virage sur l'aile.

« S'agit de pas le louper, dit le pilote.

— De pas louper quoi? demande Gabrielle.

— Le terrain. »

Il serre un bout de langue entre ses dents, signe de concentration. Gabrielle me presse la main, ce danger pour rire fait briller ses yeux. Le petit zinc plonge du cul, comme une mouche qui se pose, et là nous voyons : juste dans l'axe de la piste, un toit de tôle ondulée dépasse. L'avion donne un coquin coup de hanches, papillote des ailes, celle de droite effleure la tôle, mais passe.

« Ah! » crie Gabrielle.

Le pilote, modeste. Il devrait porter une casquette avec la visière sur la nuque. On se pose. Un demi-tour de piste désinvolte pour venir se présenter de flanc devant la baraque de l'administration. Trop désinvolte : le bout de l'aile, délicatement, fauche au passage un arbrisseau au vert feuillage et s'y, crac, plie en deux comme du papier à chocolat. Nous nous regardons. Ne pas rire. D'abord, j'ai pas envie : je me mets tout à fait à la place du Guyne-mer des tropiques.

C'était un hôtel charmant, tout au bout de l'île, fréquenté par des gens bien élevés, les pieds dans la mer, plage déserte, cocotiers, fleurs, parfums, une carte postale en couleurs avec trop de couleurs. Qui sera le premier à l'eau? Coup de soleil immédiat, de la tête aux pieds, m'en fous, je ne crains que les courants d'air. A propos, attention, plus il fait chaud, plus les bonnes pommes font des courants d'air, ça va être la jungle, j'avais pas pensé à çà.

J'ai été parfait pendant huit jours. J'estime, sans me vanter, qu'en découpant soigneusement tout autour avec des ciseaux et en jetant le pas bon, il doit rester ces huit jours-là. Sois sincère, Gabrielle. Toutes les vies ne contiennent pas huit jours de paradis, tu sais. Rappelle-toi le premier bernard-l'ermite au crépuscule, ce crabe squatter que nous ne connaissions que par des gravures de dictionnai-res jaunis, quelle splendeur soudain surgie sur le chemin, quelle triomphale bête, tous les pourpres, tous les violets, tous les lie-de-vin, et cette unique pince, énorme, et comme fièrement il portait sa coquille volée, hérissée de dards et de rostres, nacrée comme une porcelaine, comme il en était faraud, l'arsouille! Rappelle-toi le petit bois de man-cenilliers avec son écriteau rongé : « Attention! Mancenilliers! Danger de mort! », comme nous en riions, comme nous étions tentés...

Nous nagions languissamment dans l'eau tiède où

tremblaient des transparences inconnues, moi vêtu d'une chemise à manches longues à cause de ce terrible soleil qui allait te chercher jusque sous l'eau et te brûlait à l'os, et puis nous nous traînions en des siestes feignassonnes et ardentes... Des aiguilles d'oursins nous criblaient, que les servantes métisses faisaient sauter à gestes prestes, sans un sourire. Tu ne voulais boire que des jus de goyaves, de papayes et d'autres fruits fascinants, puisqu'ils étaient ceux du pays, en Normandie tu aurais bu du cidre... Jusqu'au jour où tu lus sur la boîte « Importé de Hong-Kong »...

Et puis, peu à peu, la bête sournoise a commencé à me ronger le ventre. Quelle fut la première fausse note? Je ne me rappelle plus. Je nous revois, une nuit, marchant comme des ennemis sous ce ciel incroyable, d'où venions-nous, je ne sais pas, une rage dévastatrice me poussait au cul, toi aussi, sans doute, nous martelions le chemin de nos talons hargneux, je scandais « Qu'est-ce que je fous là? Qu'est-ce que je fous là? » dans ma tête... Ça avait basculé.

Du coup, je prenais conscience de mon âge et du tien, je haïssais ma gueule, mes rides et mes ridicules bacchantes gauloises. Bacchantes depuis lurette même plus poivre et sel, mais sel, sel, sel, pur sel éblouissant de blancheur, éblouissant de vieillerie. A la table voisine de la nôtre prenaient leurs repas un homme amplement quinquagénaire et un jeune garçon. A propos de ne je sais plus quoi, je lui ai dit « Votre petit-fils... » Il m'a repris : « Mon fils. » Assez pincé. Eh, oui. En toute innocence, j'avais parlé comme un bon con. Un homme de cinquante berges est un grand-père, ça va de soi. Et moi, alors, j'étais quoi? Si je plantais un gosse à Gabrielle, je serais quasi septua quand il aurait l'âge de ce moutard. Et alors? Qu'est-ce t'en as à secouer, Ducon? Picasso a fait des mômes à... je ne sais plus, mais très tard. Chaplin encore plus tard. Me suis-je laissé dire. Eh bien, ils étaient Picasso et Chaplin, eux. Des mecs à la redresse, arrivés, souverains, sûrs d'eux, un peu mégalos, un peu provos, ayant le tonus pour dire merde aux cons et supporter le choc en retour. Ayant surtout la réussite énorme qui cloue tous les becs. Toi, tu es François le faux dur, te laisse pas prendre à ta gueule de Vercingétorix, t'as pas l'arrogance, t'as pas l'acharnement, ramer à rebrousse-poil et à perpète contre la connerie conforme les bras d'avance t'en tombent, tout ça tout ça...

Et tandis que nos talons martèlent nos rages sur ce chemin sous la lune, et qu'elle me dépasse, bouche serrée, car jamais elle ne reste à la remorque, je vois ses mollets la propulser en avant, ses durs mollets musclés, je vois son cul houler droite-gauche, je vois la tête fiérote au bout du long cou rond, chère tête de pintade, alors je me dis c'est une de ces filles de la Bible, Rachel à la fontaine, Carthacalla reine des Gitans, une de ces filles aux hanches larges, au cul carré, porteuses de tribus dans leurs flancs, faites pour marcher nu-pieds sur leurs larges pieds, moutard au sein, fardeau sur la tête, dans la poussière des exodes et des migrations, une femme partageuse de pain noir et de calamités, une femme avec qui replanter le monde après les apocalypses. Et je l'aime, je l'aime... Je sais qu'elle serait ma force et ma fierté... Mais Tita EST ma force et ma fierté... Aime, bon dieu, aime! Aie le cœur assez grand et les bras aussi. Si l'on veut bien de toi. Vis avec tes inconforts intimes. Ce ne sera jamais le bonheur, mais qu'as-tu à foutre du bonheur? Supporte-toi, attends que ça se passe. Tu n'es pas habile, sois patient. Ou elles t'aiment, ou elles ne t'aiment pas. Si l'une ne t'aime pas, pas assez, tu te connais : au premier symptôme, tu quittes la place, quel que soit le déchirement. Vis, mon gars, au jour le jour, à la minute la minute, que l'amour t'emporte, et merde! On ne vit qu'une fois.

De ruptures définitives en rabibochages pathétiques, on en est venus à bout. Il reste un jour à perdre à la Guadeloupe avant le Boeing, nous décidons d'aller voir la forêt vierge. Il y a une forêt vierge à la Guadeloupe, parfaitement, et même, au milieu, une cascade géante, deux cents mètres de chute, il faut avoir vu, absolument.

Nous aurions dû nous y attendre. Un kilomètre avant la forêt vierge, je veux dire avant l'entrée du sentier qui se faufile dedans, des bagnoles en épi de chaque côté de la chaussée, de bagnoles, des bagnoles, des autocars, des autocars. Une petite voiture d'infirme. Pardon, de handicapé. H aspiré. Marchands de Coca-Cola, marchands de glaces, marchands de saucisses, marchands de souvenirs. Queue à l'orée du sentier.

Le sentier. Eh bien, il serpente. Se faufile. Racines monstrueuses. C'est une vraie forêt vierge, à flanc de montagne. Ça plonge dans un ravin sans fond. Des troncs comme des tours. Des lianes comme des cuisses. Tout ça se hisse vers la lumière, tout là-haut, et se perd avant d'y arriver. Dans les creux des branches, d'autres arbres poussent, tronc sur tronc. Et se hissent. Ou cascadent vers le bas, si ce sont des lianes feignasses. Pénombre de cathédrale. Cris d'oiseaux, très loin, très haut, grinçants, claquants, hennissants, ricanants. Des oiseaux qu'on imagine avec des têtes en forme de godasse, ou de sécateur, ou de pot de chambre. Je demande le nom des arbres. On ne sait pas. Quelqu'un dit vaguement « Fromager » en désignant un tronc d'entre les troncs. On piétine. On a le nez dans le cul du type de devant. Le métro aux bonnes heures. Grand-mères en robes à fleurs, familles en pleine digestion, jeunes à chewing-gum et chapeau de brousse, kodaks, kodaks, kodaks, caméras super-huit. Le

sentier est bordé à droite à gauche par deux jon-
chées ininterrompues de boîtes de Coca-Cola et de
sacs à pop-corn. J'ai envie de pleurer. Qu'est-ce que
je fous là? Le cafard monte, monte. Et la haine. Je
les hais tous, sauvagement. C'est très vilain, je sais.
Non, mais, pour qui je me prends? Ils m'ont gâché
ma forêt vierge, voilà. Coca-Cola! Comme à la fête
de *L'Huma*. Quand on est un sale con d'individualiste petit-bourgeois, on reste chez soi, mon pote.
D'accord, mais là, je savais pas. J'ai été eu.

Gabrielle prend ça à la bonne. La forêt vierge
réduite en promenade du dimanche, plus dégueu-
lassée que le bois de Vincennes, ça la fait rire. Elle
est moins con que moi, je me dis, et ça me calme. Le
cocasse de la chose daigne enfin me toucher. Quand
même, ça dure. Ces braves gens traînent leurs
panards à t'en donner des crampes, j'en ai jusque-là
de la nuque en sueur du pépère devant moi, je dis à
Gabrielle :

« Ou on voit la cascade et c'est la journée qui y
passe, ou bien on se taille maintenant et on va
nager.

– J'aime mieux nager. »

Nous n'avons pas vu la cascade. Nous n'avons pas
vu d'iguane, non plus. Sauf un, à l'hôtel. Il était
apprivoisé.

*

La toute première fois, c'est à Santorin que je
m'étais retrouvé. Pris au piège du personnage libre
comme l'air que je jouais, que je me jouais. J'arrivais
à y croire. Et c'est comme ça, de fil en aiguille,
qu'on propulse son groin dans des coins auxquels
on n'aurait jamais pensé, en tout cas pas pour aller
y passer Noël. J'aime pas les voyages, je crois l'avoir
déjà dit. A moins d'avoir quelque chose à faire
là-bas. Pour le tourisme, très peu. Trop feignant. Pas

assez curieux. Ou plutôt, ma curiosité, je l'assouvis dans les bouquins. Aller sur place m'en apprend mille fois moins, en dépit de ce qu'il est de bon ton de proclamer. Qui proclame ça? Les cancres. Il est de bon ton d'être cancre, ou de faire comme si. Je ne suis pas du tout friand de ce fameux contact humain si tant vanté. Les pays lointains ne m'apportent rien que je ne trouve à Paris, puisque tout ça je le transporte avec moi, c'est mon prisme à facettes du dedans de ma tête, il m'accompagne partout, fonctionne sans arrêt, se nourrit aussi bien d'un vieux chien pelé qui arrête les voitures pour traverser le carrefour Buci que d'un nuage aux contours bizarres, me donne toujours la quantité maximale de plaisir, c'est-à-dire d'intérêt, et les indigènes des îles Fidji dansant sur des brasiers ardents n'en susciteraient pas davantage, et d'abord j'ai lu trois cents fois le même article délirant là-dessus dans *Paris-Match* ou dans *Actuel*, et ensuite je suis sûr que ça se passe dans une baraque miteuse à toit de tôle ondulée, avec une estrade devant, un rabatteur qui gueule dans un micro et des inscriptions dans toutes les langues, surtout celles à dollars, à marks ou à yens, en famille, la grand-mère, le pépère, la femme, les mômes, tout ça sautillant sur des cendres à peine fumantes, vieilles peaux flasques même pas en cadence, les horribles tétasses nues de la mémé lui giflent alternativement la figure et les genoux, les mômes chiquent du chewing-gum et se balancent des coups de coude en douce, dans un coin le cousin Abibi-Lolo souffle dans un flûtiau, folklorique à se pâmer, ce qu'il est convenu d'appeler une envoûtante mélopée, et voici le clou : la danse du ventre par la mère de famille. Tous les folklores exotiques ont intégré la danse du ventre, ça marche à tous les coups, ça permet de faire une quête supplémentaire à la sortie et ça prépare les clients célibataires pour Ebubu-Lélé, la cousine du côté de la branche cadette, celle qu'a tourné pute et qui laisse quatre-vingts pour cent de sa recette au chef de famille une fois que la mafia locale s'est servie. Ils ont essayé d'y intégrer le french-cancan, dans les folklores, depuis le succès de *Moulin-Rouge* ça paie aussi, mais lever la cuisse et le grand écart pour finir c'est vraiment fatigant, alors on a laissé tomber, sauf dans les Clubs Méditerranée, mais eux, leurs exotiques, ils les font venir de Paris. Vous voyez, je sais tout d'avance, blasé jusqu'à l'os, quand je vois le folklore rappliquer à la télé je plonge sur le bouton en hurlant, que voulez-vous que j'aille chercher chez les Grecs, chez les Mexicains, chez les Patagons, chez les pingouins? C'est pas du mépris, braves gens, pas du tout. La bourrée auvergnate m'emmerde tout autant, et une seule chose m'emmerde davantage : le rock.

Donc, j'abomine le tourisme, et me voilà touriste. Tu ne sais pas ce que tu es capable de supporter tant qu'une femme ne te l'a pas révélé.

Santorin. Petite île. Grecque, mais loin de la Grèce. Perdue dans la grande bleue, qui d'ailleurs est grise l'hiver, Méditerranée ou pas. Ça, d'accord, je ne l'aurais pas su si je n'étais pas allé y voir. Un gros vieux volcan endormi au milieu et pas beaucoup de place pour marcher autour. Un autre volcan sur un îlot au large, à portée de main, petit, celui-là, mais hargneux et trépignant de l'envie de mal faire. Tout est gris-noir, tout est construit en lave : il n'y a qu'à se baisser. Sauf les maisons neuves, qui sont en parpaings, on n'est pas des sauvages. Le parpaing, il faut le faire venir par bateau, c'est pauvre et laid à se flinguer, mais ça fait moderne, et puis je pense que ça rapporte quelque chose à quelqu'un, alors, bon. Vous voyez beaucoup de pavillons en meulière se monter, autour de Paris, ces derniers temps? Eh, oui.

Le petit volcan hargneux avait fait des siennes

peu avant. (Tiens, encore un!) Nous étions censés le savoir, mais, têtes de linottes que nous sommes... la moitié de l'île était sens dessus dessous, un tas de gravats qui avait dévalé la pente jusqu'à la mer. Il y avait peut-être bien encore des morts, là-dessous. C'était grande pitié de voir toutes ces coupoles se bousculant comme des moutons affolés, effondrées sur elles-mêmes ou bien fendues en deux d'un maître coup de couteau, toutes les vieilles maisons sont à coupole, et l'herbe jaune dévorant toute cette blancheur fracassée. La lave, tu la peins en blanc, elle est blanche.

L'hiver grec est un rude hiver. Au hasard des petites rues tortillantes, un vent sibérien nous coupait la gueule au rasoir. Nous arpentions l'île à pas de géants, et que faire d'autre? La mer était à droite, à gauche, devant, derrière. La mer d'Ulysse, me pensais-je, très famille Fenouillard. Nous foncions d'un bord à l'autre, contents comme tout, Gabrielle marchait comme si au bout du chemin nous attendait la terre promise, moi je suivais, l'enfant sur les épaules. Car l'enfant était avec nous. Son enfant.

Tu prends le grand départ pour des amours inouïes à plumes d'autruche, va savoir comment ça s'est fait tu te retrouves avec un sale môme sur les épaules qui te balance des coups de pied et te tire les cheveux parce qu'il veut la voiture de pompiers qu'il a vue en passant dans la vitrine du bazar. On ne cède pas aux caprices des enfants, même pour qu'ils s'arrêtent de hurler, c'est vieux con et anti-éducatif. On ne frappe pas les enfants, c'est sale con et traumatisant. Ces nouveaux jeunes parents ont des nerfs d'acier. Gabrielle tenait bon, héroïquement, une fois même pendant plus de vingt-quatre heures, et puis achetait la voiture de pompiers.

Le petit Bruno savait vouloir, ce qui ne l'empê-chait pas d'être un garçon plein d'humour. Il appelait sa maman « Gabrielle », comme un vaillant petit pionnier des temps nouveaux qui a pour mère une copine et pour sœur la pilule. Par là-dessus, sensible à l'extrême. Il n'avait jamais pu écouter jusqu'au bout l'histoire du vilain petit canard : quand le petit canard est si malheureux, abandonné de tous, méprisé, honni, Bruno éclatait en sanglots et refusait d'entendre la suite, persuadé qu'elle serait encore pire.

Nous mangions dans des gargotes nues et chaleureuses des nourritures épaisses qu'on nous invitait à aller choisir dans la cuisine. Quatre marmites y mitonnaient, du matin au soir : une de mouton, une de poulet, une de gros haricots blancs, une de riz. Ces quatre-là, toujours, partout. Ça nous convenait tout à fait, le vent nous avait creusés, et puis c'était vraiment très bon, j'ai toujours aimé la cuisine sommaire. L'enfant chipotait, chialotait, bavotait, la graisse, tristement, figeait, son assiette prenait ce poignant aspect de la plaine de Waterloo au soir de la bataille qui fait monter les sanglots à la gorge des pères de famille et leur remet en mémoire mille souvenirs étincelants de leur vie de garçon. Gabrielle, tendrement attentive, ressassait à intervalles réguliers ce « Bruno, tu n'es pas chic! Mange, Bruno! » riche en gifles refoulées qui est le cri caractéristique de la femelle d'homme nourrissant sa progéniture.

Nous avons monté et descendu les trente-six mille marches de l'escalier qui mène du village au port, dont une fois à âne pour dix fois le prix de l'âne, l'ânier en rit encore.

Nous avons grimpé jusqu'à la petite église en sucre blanc, tout là-haut. Le volcan ne l'avait pas jetée par terre, il y a un Bon Dieu pour les bons dieux. Son bulbe doré de frais étincelait dans le soleil, bien découpé sur le ciel bleu. Un vilain petit moine barbu, crasseux, trapu, charpenté comme un

Quasimodo, nous a montré les icônes, très empressé, très volubile, s'adressant surtout à Gabrielle, en grec, malheureusement. Gabrielle me prit à part, me fit promettre de ne pas me fâcher et m'apprit que le moine lui passait fort habilement les mains sur les seins et lui avait même gaillardement empoigné les fesses à deux reprises, glissant où il fallait un doigt connaisseur. Je suppose que ce qu'il lui débitait en grec dans le même temps devait être à l'unisson, dommage que personne n'ait pu en profiter. Elle était rouge jusqu'au blanc des yeux en me disant ça, mais elle avait l'air plutôt amusé. Après tout, c'était son cul. Je lui ai proposé d'aller faire un petit tour au soleil pendant qu'elle se ferait détailler par le vigoureux moine les merveilles du tabernacle, elle haussa les épaules, je n'allais pas me mettre à être bêtement jaloux, enfin, quoi. Le moine nous regardait, un bon sourire étirait sa barbe piquetée de jaune d'œuf et de grains de riz. Je me demandais s'il fallait lui donner un pourboire ou bien s'il s'estimait assez payé comme ça lorsque apparut un curé grec, sans doute le pope de cette église, beau comme Zeus, œil de velours, barbe assyrienne bouclée au petit fer, rehaussé de cette coiffure qu'ils ont, cette espèce de toque de pâtissier, mais noire. Il portait avec une majesté affable un petit plateau d'argent couvert d'une petite nappe brodée au point de croix, sur la nappe une petite assiette avec deux petits gâteaux et deux petits verres de quelque chose qui avait la couleur du vermouth. C'était pour nous. Nous mangeâmes et bûmes – très très bon, très fin – pendant que le pope nous bénissait et que le moine hochait approbativement la tête, heureux que nous ayons compris comment s'utilisaient le vin et les gâteaux. Je me disais que si le beau pope était doté de seulement la moitié de la lubricité de son bedeau ou de son diacre, appelle ça comme tu voudras, les femmes de Santorin devaient grimper chaque nuit à la queue leu leu jusqu'au sanctuaire, cohorte de fourmis qui ont trouvé un os inépuisable.

Un autocar déglingué nous a bringuebalés au bout de l'île, aussi loin qu'il pouvait, après il y avait une longue interminable pointe, au moins quatre kilomètres, qui s'avançait dans la mer. Gabrielle a voulu aller jusqu'au bout de la pointe, j'ai dit « Bonne idée », le gosse n'était pas d'accord, il chouignait et se laissait traîner, je l'ai hissé sur mes épaules, comme ça ça allait, nous sommes arrivés au bout du monde, la mer tout autour, mer grise, vagues grises, plage grise. La Méditerranée, c'est en hiver qu'il faut la voir. Nous étions seuls face à cette poignante splendeur, Neptune poussait vers nous vague après vague, l'enfant, soûlé de vent et de fatigue, dormait, affalé sur mon épaule, des oiseaux tournaillaient en criant, la grande lumière grise déjà basculait doucement vers un crépuscule serein. J'ai posé Bruno sur le sable noir, j'ai ôté mes chaussures, j'ai troussé mon pantalon et je me suis mis à courir dans l'eau, j'en avais tellement envie. Naturellement, j'aurais mieux fait de me mettre à poil et de plonger, puisque au dixième pas j'ai trébuché et je me suis étalé sur le ventre, dans cinquante centimètres d'eau. Pas froide, d'ailleurs, tout juste fraîche. Mais l'hiver, c'est l'hiver, n'est-ce pas, et l'hiver on ne se baigne pas. Me voilà trempé comme une éponge, et l'autocar, là-bas, qui allait repartir sans nous. Nous avons fait les quatre kilomètres au pas de course, Bruno sur mon dos, et le vent qui me gelait tout vivant.

Et puis il y a eu la journée à Athènes, le Parthénon colossal, ces ruines magnifiques, magnifiques en tant que ruines, tellement plus imposantes que ne devait l'être la pâtisserie intacte, et toujours ce vent glacial. La Grèce restera pour moi le pays du froid et du grand vent sauvage, et c'est très bien ainsi.

*

Je l'ai quittée à Athènes (« abandonnée », dira-t-elle). Les avions ne partaient pas, sauf un seul où il restait une place, une seule. J'arriverais juste pour boucler l'*Hebdo*, j'écrirais dans l'avion, à bientôt, mon amour. J'évitais les terribles minutes de la séparation, l'angoisse du retour qui la rendait agressive, malade, à chaque fois, longtemps avant... Je me disais qu'il me restait à mettre au point un mensonge, et le cœur me serrait.

JE N'IRAI PLUS RUE SAINTE-ANNE

CE 15 août-là, j'étais parti avec Nicolas rejoindre Tita et la famille pour trois-quatre jours dans un bled tout sec au fin fond du Lot. Le télégramme est venu me cueillir là.

La voisine avait entendu des bruits dans la nuit, comme des gémissements, elle était entrée, elle avait découvert maman par terre, gigotant comme une mouche prise par l'araignée, mais d'un seul côté, l'autre bras l'autre jambe figés, la main crispée en patte de poulet. Sa bouche tordue remontait à gauche vers l'oreille. Le docteur — va trouver un docteur un 15 août! — avait dit « Hémiplégie », mais comme en plus elle criait à cris aigus, qu'elle hurlait soudain, les yeux pleins de larmes, si on voulait la soulever, et mâchouillait une bouillie de mots d'où il ressortait qu'elle avait violemment mal dans le dos, le docteur ne comprenait plus. « Il faut l'emmener d'urgence à l'hôpital » il avait dit.

« Quel hôpital?

— C'est tout ce qu'il a dit. »

Démerde-toi. J'ai couru à Saint-Antoine, dans le XIIᵉ, c'était l'hôpital dont dépendait Nogent. Pas de place. Je suis allé à Saint-Camille, au C.H.U. de Créteil, à l'Intercommunal, j'ai fait le tour de la banlieue. Tout ça bourré bourré. Et puis, j'ai compris. On commençait par me demander son âge.

Quatre-vingt-un ans. Et voilà! Ces cons-là se figu-raient que je cherchais un placard à balais pour caser ma vieille le temps des vacances, j'ai su depuis que ça se pratique tout à fait couramment, on la reprend au retour du Club ou bien on la laisse pourrir dans son coin d'hosto, il n'y a que le premier pas qui coûte. Très, très méfiants, les hôpitaux. J'exhibais l'ordonnance du médecin, ils haussaient les épaules. Qui n'a pas un copain méde-cin?

Règle : ne jamais tomber malade en août, surtout passé la soixantaine.

Pendant ce temps, elle se mourait. Je l'avais confiée à la voisine – Va trouver une garde! – qui elle-même partait dès le matin pour son travail, heureusement l'immeuble n'était pas complètement vide, deux ou trois petites grand-mères s'y dessé-chaient dans les coins, celles qui pouvaient encore se hisser dans les étages se relayaient au chevet de maman. Je n'étais pas tranquille, à tout instant une autre attaque pouvait l'étendre pour de bon. Et puis elle hurlait de douleur sans arrêt, des hurlements de petit chien qui vient d'avoir l'arrière-train écrasé par un camion.

Je faisais tout ça en bus, métro, taxis, je perdais un temps fou.

J'avais mon permis de conduire depuis quatre ans, je ne m'en étais jamais servi. Je l'avais passé histoire d'être comme tout le monde, à quarante-trois ans cette infirmité me pesait, il avait fallu que Tita s'y mette la première, et le décroche haut la main pour que je me décide. J'avais été lamentable, avais échoué trois fois, émotif, nez en l'air, tout ce qu'il faut. Et puis, l'ayant enfin, je l'avais enfoui au fond de mon portefeuille, et je m'étais assis des-sus.

Une bagnole? Fi! Je ne marcherais plus, plus du tout, plus de joyeuses grimpettes dans les escaliers du métro, plus de longues marches dans la nuit depuis l'autobus, plus de rossignol, plus de hibou... On ne marche que si l'on est forcé de marcher. J'étais très sincèrement convaincu de la nocivité des moteurs, je haïssais leur puanteur et leurs pétarades, je méprisais les esclaves de la boîte en tôle, leur geste avachi pour lancer le moteur et, du même doigt, ouvrir le robinet à sirop de la radio de bord. Je n'avais donc pas de voiture, je n'en sentais pas le besoin et, oui, bon, j'avais surtout une trouille intense de me lancer pour la première fois sur la route. Trouille d'orgueil, bien sûr, la même qui m'avait paralysé, adolescent, lorsqu'il s'était agi de danser, et que je n'avais jamais surmontée. La peur d'avoir l'air con. Elle m'en aura fait louper, des occases!

Une trouille chasse l'autre. Quand j'eus pleine conscience du temps que je perdais à faire le poireau dans des banlieues grisâtres, livré au caprice de transports mercenaires, et qu'à cause de ma gnangnantise maman allait peut-être me claquer dans les doigts alors que, j'en étais sûr, on pouvait la sauver mais il fallait faire vite, je suis entré bravement dans un garage qui faisait l'occasion, j'ai demandé au patron flegmatique ce qu'il avait à vendre, il avait une seule tire, une R4, mais comme neuve, huit mille au compteur, tout le cinéma, j'ai acheté la R4, couleur ventre de grenouille elle était, très pâle très doux, j'ai payé cash, ç'aurait pu être la dernière des cochonneries, elle ne l'était pas tout à fait, j'ai eu du pot. Tout mon être était tendu vers cet objectif terrifiant : ne pas avoir l'air d'un con. Introduire la clef dans le bon trou, mettre en route du premier coup, sortir du garage avec aisance – La marche arrière! – ... Si j'allais emplâtrer le mur? J'en rougissais d'avance.

J'ai calé et recalé, j'ai massacré les pignons, zigzagué entre les autobus, confondu le frein et l'accélérateur, bref, vous connaissez. En nage. En rage. Et vogue la galère. J'ai fini par trouver ça marrant. Si seulement il n'y avait pas les autres, avec leurs yeux sales! Je m'y suis fait.

*

Et c'est enfin dans une petite clinique privée des bords de Marne, à Joinville-le-Pont, que je réussis à faire admettre maman. Tout méfiant j'étais quant aux capacités des toubibs au rabais qui, je supputais, devaient usiner dans cette cantine.

Or ils furent très bien. Effacèrent les symptômes comme avec une gomme. Maman, dès le surlendemain, pouvait parler, sa bouche était redescendue à sa place habituelle, sous son nez, à peu près au milieu, sa langue s'arrachait pathétiquement à une espèce de glu qui la collait au plancher, mais enfin, bon, bougeait. C'était, paraît-il, excellent signe. Le reste suivrait. Ses paupières n'arrivaient pas encore tout à fait à recouvrir son œil gauche, mais il n'avait plus l'air d'être en train de sauter par la fenêtre. Et elle remuait la main, un peu. Elle ne hurlait plus, ses terribles douleurs de dos avaient cessé, c'était finalement une crise de rhumatismes ou un truc de ce genre, survenue juste en même temps que la petite hémorragie cérébrale, coïncidence. Les médecins avaient ce qu'il faut pour ça. A chaque symptôme sa pilule ou son coup de seringue, c'est pratique, j'étais baba devant ma petite maman retrouvée. La blouse blanche avait demandé :

« 'Elle est souvent malade?

— Jamais. Toujours patraque, oui, jamais malade.

— Et cette boule qu'elle a, là? »

Il montrait l'énorme chose sur le côté de son ventre.

« Ça? Oh! je me rappelle, j'avais pas dix ans, elle

avait attrapé une saleté, un kyste au pancréas, c'est ça, on l'a opérée, elle devait rester un mois allongée, elle s'est sauvée au bout de huit jours et s'est remise aux ménages et aux lessives, vous comprenez, la Sécu n'existait pas, et ils n'avaient pas le rond. Total, une éventration.

– Monstrueuse! Grosse comme une tête... Une grosse tête... Et elle traîne ça depuis ce temps-là?

– Oui. Elle n'en parle jamais. Elle la comprime dès le matin dans un corset, un corset ordinaire, rose, à baleines, qu'elle achète sur le marché. Elle serre comme une sauvage, voilà quarante ans que ça dure. »

Il était soufflé, le médecin.

« Eh bien... Un de ces jours, elle va vous faire une belle occlusion, vous verrez le travail... Se balader comme ça dans la vie avec la moitié de ses tripes à l'extérieur... Y'en a, je vous jure!... »

Il levait les yeux au ciel.

« Elle va régulièrement à la selle? Elle est constipée?

– Comme un diable! Je l'ai toujours connue se bourrant de grains de Vals et d'un tas de purges variées.

– Et elle avait une activité normale?

– Normale? Un ouragan, vous voulez dire! Toujours en haut de l'échelle, ou bien à quatre pattes en train de pousser une serpillière... Et vous la verriez descendre une lessiveuse bouillante de cinquante kilos de sur la cuisinière, à bout de bras...

– A quatre-vingts ans?

– Quatre-vingt-un. »

Il consulta le dossier.

« Elle pèse, voyons... quarante-six kilos, pour un mètre cinquante de haut?

– Tout juste. C'est quelqu'un, hein, ma maman? »

J'étais tout fier d'elle. Ou c'était peut-être le

soulagement de savoir qu'elle n'allait pas mourir, pas encore ce coup-ci, elle était increvable, en faisant bien attention, avec les médicaments qu'il faut, je l'aurai toujours près de moi, enfin, dans ma vie, pas bien loin. C'est formidable, les médicaments!

Je l'ai embrassée à pleins bras, à pleine bouche, j'ai frotté mes joues pas rasées aux siennes, elle a bougonné « Tu piques! » en remuant sa grosse langue en pneu de camion, ses cheveux sentaient le pas lavé, très fort, une bonne odeur de vivant pas lavé, oh! maman, ce que c'est bon!

Maman se remettait à toute vitesse, perdait cette suspecte couleur rougeaude-violacée pour revenir peu à peu à la pâleur de petit-suisse qui était son teint d'à peu près bonne santé.

Et puis on l'a ramenée à la maison, toute neuve. Il ne lui était resté qu'un peu de langueur dans la jambe gauche et un certain refus d'obéissance dans les doigts de la main du même côté, qu'elle n'acceptait d'ailleurs pas, marchant de long en large à pas martelés en se houspillant « Hagne donc, viéle bête! » et forçant ses vieux doigts tordus, pleins de boules et de nœuds, à s'ouvrir et à se refermer du matin au soir, « Ah! tu veux pas marcher? Tu vas voir si je te fais pas marcher, moi! Allons, plus vite!

— Dame, c'est que je suis pas une feignante, moi! » ajoutait-elle à mon intention.

Plus question en tout cas de grimper aux échelles, ni de se coltiner des lessiveuses bouillantes sur le ventre. D'ailleurs, ses patronnes, l'une après l'autre, condescendaient à acheter la machine à laver, luxe de mauvais aloi jusqu'ici abandonné aux classes besogneuses. Et donc, pour la première fois depuis soixante-quatorze ans, maman n'allait plus au travail.

Je lui avais proposé de venir vivre avec nous au

Plessis. Elle s'était braquée, elle avait sa réponse toute prête :

« Oh! mais non! Qu'est-ce qu'une pauv'vieille comme voilà moi irait donc faire chez vous? Vous avez déjà bien assez de vos chats, de vos chiens et de vos volailles! Non, non, chacun chez soi, v'là ce que je dis, moi. Je veux rester là où que mon pauv'vieux est mort, et je veux mourir là aussi, moi, et le plus tôt sera le mieux! Pour ce qu'elle est belle, la vie... »

Dans les discours de ~maman, la mort n'était jamais bien loin.

Il lui arrivait de se laisser emmener pour de petits séjours au Plessis, jamais plus de deux-trois jours à la file, elle faisait la dame en visite, son chapeau noir bien droit sur son chignon. J'allais la chercher, elle entassait sur moi les cabas de nourriture : confitures, pruneaux, kilos de sucre, boîtes de sardines... Même des sacs de patates. On se serait crus revenus aux temps calamiteux du marché noir. Elle avait dans l'idée que les gosses crevaient de faim, c'était fatal avec des hurluberlus comme nous, tout pour la parade et danser devant le buffet, elle ne se privait d'ailleurs pas de le clamer. Nous acceptions ses dons avec une reconnaissance éperdue, bien en chœur, c'était le jeu. Elle m'engueulait comme si j'avais dix ans, et même me flanquait des gifles. Les deux garçons n'en revenaient pas. Ils ricanaient sous cape. Ils avaient un peu peur, aussi.

Je l'avais confiée à Simone, qui habitait juste au-dessus d'elle, avait mon âge et n'avait jamais quitté la rue Sainte-Anne. Simone l'emmenait promener, faisait ses courses, veillait à ce qu'elle prenne ses médicaments. Il lui venait des bouffées d'indépendance, alors elle se trottait toute seule, sournoisement, et puis la tête lui tournait, elle ne pouvait plus remonter et restait là, dans la rue, à pleurer.

Un soir d'été, elle était avec nous, au Plessis. Il y avait un petit perron avec un escalier, je lui avais bien recommandé de ne pas s'y risquer seule. La nuit tombait, je travaillais dans ma piaule, Tita m'appelle à voix pressante. Maman geignait, à plat ventre sur le ciment, elle avait dévalé l'escalier tête la première. Col du fémur, à tous les coups. On ne l'a pas su tout de suite. La radio n'avait rien décelé, le médecin avait dit : « Massages, et forcez-la à marcher. » On a fait ça pendant presque un mois. Ça lui faisait un mal de chien, elle prenait une tête de mort. Et puis disait :

« C'est rien, c'est rien! Marche donc, viéle bête! Faut pas que je m'écoute, sans ça ça va s'ankyloser. Allons, Margrite, en route! »

Elle se remettait en marche... Maintenant que je sais, chaque fois que j'y pense l'horreur et la pitié me prennent à la gorge et je pleure, et je m'en veux d'avoir été aussi con... Car son fémur était bel et bien massacré, radio mon cul, et tout ce martyre aggravait irrémédiablement les dégâts.

Quand enfin on a su ce qu'il en était, il fallut opérer, bien sûr. Là commença la phase allongée de la vie de maman, la dernière. Elle devait durer deux ans.

L'opération avait magnifiquement réussi. Le chirurgien avait complimenté maman, elle était toute fière. Et puis l'os avait rejeté la broche de métal, la soudure ne s'était pas faite. Le chirurgien m'avait expliqué. Il fallait envisager une prothèse. Nouvelle opération, plus risquée encore. J'étais d'accord? J'avais répondu : « Et elle? » Elle avait sorti sa réponse automatique : « Mais laissez-moi donc crever! Je suis plus bonne qu'à aller retrouver mon pauv' vieux. » Ensuite elle m'avait demandé, en tête-à-tête :

« Tu crois que je pourrai trotter comme avant?

Sans boiter? C'est que je voudrais pas marcher de travers, moi, dame, non! »

On avait donc scié la tête de son fémur, on avait mis à la place une tête en plastique. Pendant que les chairs se cicatrisaient peu à peu, elle avait failli mourir d'un brutal accident rénal, heureusement décelé à temps... Je lui avais trouvé un lit au C.N.R.O., une maison appartenant à la caisse sociale des ouvriers du bâtiment, ça lui paraissait d'un luxe inouï. La fenêtre, immense, ouvrait sur un de ces parcs à sapins bleus et à fleurs rouges.

Je lui apportais régulièrement le *Charlie-Hebdo* de la semaine et, chaque mois, *Hara-Kiri*. Elle avait toujours hautement méprisé mes activités, ces guignolades, ces bêtises, ne comprenant pas qu'on puisse gagner sa vie à faire l'andouille. Mais elle se serait estimée offensée à mort si j'avais oublié une seule fois de lui faire hommage d'un échantillon de mon travail. Elle était comme ça, débrouille-toi là-dedans.

Un jour, un petit docteur femelle s'était étonné :

« Vous lisez ça, grand-mère? Vraiment? »

Elle avait répondu, toute gênée :

« Oh! ces guignols-là? Vous savez, c'est parce que c'est mon fils qui les fait. Sans ça, moi...

– Votre fils? Mais bien sûr, vous êtes Madame Cavanna!... J'aurais dû y penser plus tôt! »

Elle m'avait dit :

« Tu sais, les docteurs et les infirmières, ils me prennent tes journaux, et après ils me les rendent plus. »

Je lui apportai donc les journaux par brassées, que tout le monde en ait. Elle s'est alors aperçue que les toubibs avaient pour moi un empressement amical, des rires complices, que les infirmières venaient en groupe faire un brin de causette avec moi à son chevet. J'étais l'homme de *Hara-Kiri*, on attendait de moi que je sois aussi marrant, aussi méchant dans la vie que sur le papier, on pouffait d'avance, on me montrait des pages, on me tendait des stylos, j'étais mal à mon aise, comme toujours dans ces cas-là. Maman, elle, découvrait que, depuis vingt ans, son fils était une espèce de célébrité. On lui disait qu'elle avait bien de la chance, avec un fils pareil elle ne devait pas s'embêter, hein, grand-mère, vous devez tout le temps rigoler?

Maman, du coup, entrevoyait des choses. Perplexe, sourcils froncés, elle me regardait, pleine de questions muettes. Découvrir à quatre-vingt-six ans que son propre fils unique sait marcher tout seul, ça déroute...

*

Pendant un temps, le deuxième lit de la chambre avait été occupé par une femme un peu moins âgée que maman, aux traits chagrins, l'air pas gâté par la vie, mais sans cette sombre pétulance qui brille dans les yeux de maman. Son fils venait la voir, je l'avais aperçu un jour, il m'avait semblé reconnaître quelqu'un, et puis je m'étais souvenu : c'était un des Faux-Frères, ces deux fantaisistes qui touchaient alors au sommet d'une carrière parcourue à toute allure. Partis du café-théâtre, ils triomphaient partout : télé, ciné, radio... La mère rabrouait son fils, qui baissait le nez, on voyait qu'il avait l'habitude. « Comme moi », j'avais pensé. J'ai mieux regardé, et alors j'ai compris la différence. Maman se jouait la comédie du mépris. Cette femme, elle, méprisait vraiment son fils. Il était reparti accablé. Maman, c'était un de ses jours de bonne humeur, avait demandé, très douairière :

« C'est votre fils, madame? »

L'autre avait répondu, pas aimable :

« Oui.

— On voit que c'est un jeune homme bien poli

141

bien convenable. Qu'est-ce qu'il fait, de son métier? »

Elle avait craché :

« Il est CLOWN. »

Avec tant de haine que je me suis essuyé la joue. Et puis elle s'était tournée vers le mur, définitivement.

*

Les mois s'ajoutaient aux mois, maman s'enfonçait dans la vie d'hôpital. Elle ne quittait son lit que pour des séances de rééducation, qui se pratiquaient dans un gymnase formidablement équipé. Des vieux tout desséchés s'échinaient à faire bouger des poulies chromées, des poids au bout de tentacules d'acier ingénieusement articulés, ils faisaient ça sans y croire, l'œil morne, la viande pendouillante. Il y avait aussi des relativement jeunes, passés à travers le pare-brise ou tombés de l'échafaudage. Ceux-là pédalaient ou ramaient de tout leur désir de se prouver qu'ils étaient vraiment là, bien vivants, et tordaient stoïquement la gueule sur leur souffrance, plus ça fait mal plus ça fait du bien.

Maman avait à parcourir cinq mètres entre deux barres parallèles. Elle empoignait les barres, se mordait les lèvres, ne pensait qu'à une chose : mettre un pied devant l'autre. Plus maladroite qu'un nourrisson, ne tolérant pas que ses pieds refusent de lui obéir, finissant toujours par arriver au bout du parcours. Là, le moniteur la retournait, et elle repartait. Elle aurait continué jusqu'à épuisement total. Il fallait l'arracher.

Ces corridors où erraient tous ces vieux hébétés me foutaient le cafard. Je m'arrêtais un instant avant de pousser la porte de la chambre, le temps de me faire une tête joviale, capable de résister à tout. Parfois, elle était charmante, d'autres fois infernale. Cela durait depuis trop longtemps.

Et voilà qu'un matin on m'appelle. Elle se plaignait depuis deux jours, ne mangeait plus. Un interne futé avait trouvé : occlusion. Son éventration qui, après quarante-six ans de calme sournois, passait brusquement à l'attaque. On l'avait transportée aussitôt à la clinique même où avait été opéré son fémur, c'était fait, je pouvais aller la voir.

Le choc passé, elle était terrorisée.

« François!

– Oui, maman.

– Ecoute.

– Oui?

– Plus près!

– Oui!

– Tu sais ce qu'ils m'ont fait?

– Ils t'ont ôté le bout de boyau abîmé et ils ont recollé, c'est simple. Et ils t'ont rentré tes tripes à leur place, ce qui aurait dû être fait il y a longtemps. Tu vas être toute neuve, maintenant, le ventre plat comme une jeune fille.

– Mais tu sais pas – elle chuchotait, honteuse – je fais mes besoins par le côté. »

Elle se mit à pleurer.

« Mais si, je sais, maman. Le chirurgien me l'a dit. Il faut bien que ton intestin cicatrise. On l'a mis au repos. C'est provisoire. Il m'a juré que dans deux mois tout serait de nouveau en ordre. »

La peur était dans ses yeux.

« Mais c'est ce qu'ils ont fait à mon pauv' vieux! Tu te rappelles? Juste la même chose, et... et...

– Mais non, maman! Rien à voir. Papa avait un cancer, il était perdu, on l'a su tout de suite. Toi, c'est rien du tout, comme une appendicite, pareil. »

Elle voulait me croire, essayait d'être vaillante, mais elle n'en pouvait plus. Ses larmes coulaient toutes seules sur ses joues flétries, c'est épouvantable, une petite vieille qui pleure, c'est le désespoir absolu, absolu... Et c'était ma petite vieille à moi, que j'avais si mal aimée, si distraitement. Que j'avais tellement déçue. Que je venais voir en pestant pour le temps perdu, tout crispé d'avance par son sale caractère. Qu'il aurait été si facile de faire sourire, en se donnant un peu de mal, en étant un peu habile... Quel gâchis, une vie! Elle était posée sur l'oreiller, les larmes coulaient, sans un sanglot, sans une plainte. Son petit chignon perché, pas plus gros qu'une cerise, tirait vers le haut ce qu'il lui restait de cheveux. La peau de ses bras pendait sur l'os. J'ai pleuré aussi, je lui ai pris la tête, je lui ai dit ma petite beauté, ma petite chérie, ne pleure pas, ne pleure pas, c'est fini la misère, tu vas beaucoup mieux, ne pleure pas, ma petite maman, ne pleure pas... Mais c'était trop tard. J'avais eu cinquante ans pour lui dire tout ça. On ne rattrape pas cinquante ans en cinq minutes. Elle a dit seulement : « Je voudrais bien être où qu'est mon pauv' vieux. »

Je la sentais contre moi, fragile et pointue comme un oiseau, et chaude, je pensais « Elle est vivante! On ne meurt pas comme ça. » Comme si je n'étais pas payé pour le savoir que, justement, si, on meurt comme ça.

Elle s'en était tirée, cependant. L'anus artificiel avait été, à la date prévue, supprimé, le transit normal s'était rétabli, et c'est alors qu'est arrivé l'imprévisible. Les reins qui se bloquent sans prévenir, un dimanche, l'interne de garde qui l'expédie en catastrophe dans un hôpital où on n'avait pas son dossier, là-bas on met quarante-huit heures de trop à dépister le germe vicelard qui avait été si bien identifié et démoli lors de la première alerte... Presque aussi rapide qu'un accident de voiture. Je l'ai vue une dernière fois vivante, elle délirait, n'était déjà plus là...

J'ai trouvé l'argent pour l'enterrement enveloppé dans le torchon, sous les draps. J'entendais la phrase mille fois redite à grosse voix bougonne : « Je veux pas que ça coûte un sou à personne. La concession est payée. Fais-moi seulement mettre auprès de mon pauv' vieux. »

Vivi[1] m'a dit :

« Eh, oui, François. Te voilà en première ligne. Plus personne devant toi pour vieillir avant toi, pour tâter l'eau du pied et te dire si elle est bonne. »

1. Cf. *Les Ritals*, Belfond 1978.

CHASSE D'EAU

A TOUJOURS attendre demain pour commencer à vivre on finit par se retrouver à après-demain et l'on s'aperçoit que vivre se conjugue désormais au passé. Et sur le mode négatif : j'ai oublié de vivre. Ou plutôt : je n'en ai pas senti le goût. On se sent volé.

Il faut être très vigilant pour ne pas parler par sentences à portée universelle, surtout passé un certain âge. Si l'on ne se surveille pas, on dit facilement « on », « nous », « l'homme », au lieu de dire « je ». J'ai bien failli, là, tout de suite, écrire « On ressent comme normales les choses telles qu'elles furent lors du premier contact qu'on en eut... » Holà, tout beau, Machin ! Voilà que tu parles du haut de la tête des autres, voilà que tu généralises, hop là, à l'humanité tout entière ce que, il me semble, tu n'as éprouvé jusqu'ici que dans ta solitude introspective... Un peu de prudence. Parle en ton nom, tu verras bien s'il y a de l'écho.

Bon, bon. Je, donc, ressens comme « normal » l'état où était telle ou telle chose quand je lui ai été confronté pour la première fois. Si, par la suite, elle change, je prends note du changement, je m'y adapte, mais au fond de moi il y a cette sensation de « pas vrai ». Même si le premier état de la chose n'a duré qu'un instant et si la chose changée m'a accompagné tout au long de ma vie. Un exemple. Je m'installe dans un logement. Les voisins d'en face, que je vois de ma fenêtre, sont comme ceci comme cela. Quelque temps après, ils s'en vont, d'autres les remplacent. Eh bien, les nouveaux voisins sont des usurpateurs. Des pas tout à fait vrais. Bien sûr, je ne PENSE pas cela, ça ne vient même pas jusqu'à ma conscience. C'est tout au fond que ça se passe, dans la cave. En moi quelque chose considère ces nouveaux voisins comme anormaux par rapport à la norme qui est les « vrais » voisins, ceux qui étaient là quand j'ai fait connaissance avec les lieux. Je ressens cela plutôt désagréablement, comme une frustration ouatée, une petite déloyauté du destin, une distorsion de l'espace-temps... Il en sera ainsi pour toujours. A ces désormais éternellement « nouveaux » voisins sera associé un petit réflexe douloureux. Est-ce cela, être passéiste? Mais être passéiste est un vilain défaut! Je pense que je devrais avoir honte.

Un jour ou l'autre, ces petits inconforts accumulés et ignorés qui font qu'on est ce qu'on est vous deviennent soudain conscients. La cave déborde. Enfin, à moi, ça m'est arrivé. J'ai fait un petit bilan. Et j'ai eu la stupéfaction amère de constater que rien n'est conforme à la « norme », car tout a changé. Et je n'ai accepté aucun de ces changements. Mon moi incontrôlable, la bête silencieuse tapie dans mes marécages, ne dit rien, mais n'en pense pas moins, et ce qu'elle pense, c'est « Non ». Alors, voilà, la terre entière est anormale et on s'y sent de trop. (« On », ici, c'est « je », mais je trouve la phrase mieux balancée avec « on ».)

*

Ne pas être un vieux con est en 1980 plus difficile

que jamais. Carrément impossible si l'on est né avant les années cinquante.

Quand j'étais enfant, dans les années trente donc, il existait un référentiel universel pour le rococo : 1900. On disait : « C'est du 1900 », ou : « Ça date de 1900 », avec un mépris amusé. Ça nous semblait infiniment loin, et surtout infiniment démodé, démodé jusqu'à l'incompréhensible. Ces énormes moustaches en guidon de course, ces chapeaux hauts de forme ou melon, ces faux cols en celluloïd, ces bonnes femmes étranglées dans des corsets à baleines, au triple fessier renforcé d'armatures étagées, aux chapeaux vastes comme des places publiques et garnis comme des étalages de fleuristes, de marchands de légumes et de gibier à la veille de Noël, ces fiacres, ces lampes à pétrole, cette surabondance de moulures et de volutes dans l'ornementation du moindre objet, tout cela nous paraissait du plus haut comique, une espèce de décor cocasse pour chanteur tourlourou. Les photos de famille de nos parents nous faisaient bien rigoler. Va donc prendre ces guignols au sérieux, toi!

Et voilà que je m'avise que ma jeunesse à moi se situe à une époque bien plus éloignée, bien plus invraisemblable pour ceux d'aujourd'hui que l' « époque 1900 » ne l'était pour nous. « 1900 » a pris fin vers 1920, lorsque l'automobile et les sèches géométries de l'Art Déco eurent définitivement triomphé. Mais nos enfances furent longtemps encore encombrées d'objets des époques antérieures. Surtout les enfances pauvres. Les moulins à café en bois, les boîtes à épices de tôle décorée, les papiers peints et même les affiches, ces affiches géantes, en zinc, inusables, qui couvraient un pignon d'immeuble du haut en bas, portaient la marque rococo et ne cédaient la place que peu à peu devant les modes nouvelles. L'époque était bâtarde, comme toutes les époques l'avaient été jusque-là, et les objets vieillots, bâtis pour défier les siècles, nous étaient compagnons familiers, pas du tout attendrissantes pièces de musée.

Tout a basculé en 1960. A peu de chose près. C'est là que le temps a pris le mors aux dents. Les choses n'ont plus évolué, elles ont explosé. Haussmann, dans les années 1850-1870, avait mis vingt ans pour chambouler Paris. Encore n'y avait-il percé que des trouées, énormes, violatrices, d'accord, mais autour desquelles la vieille pâte du Paris pépère évoluait à son rythme à elle, suivait son bonhomme de chemin. Après la guerre de 39-45, on a reconstruit, comme après chaque épisode glorieux. Des villes entières n'étaient plus que décombres, la pénurie de logements paralysait la vie, pourtant on a fait de l'esthétisme, du pastiche, le passé était sacré, on posait amoureusement pierre sur pierre sous l'œil implacable des Beaux-Arts, de la Commission des Sites et de je ne sais quels autres organismes à la vigilance sans défaut. J'ai particulièrement dans l'œil Saint-Malo et Compiègne, exercices de style assez ahurissants s'il n'y avait pas le tourisme et ses bons cons pour tout expliquer. Les militaires cassent, les esthètes maquillent. Bien sûr, on n'est pas obligé de dire au Japonais à caméra que ce n'est que de la copie très approximativement conforme. Et s'il est heureux comme ça, cet homme, hein...

On a fait joujou dans le sable avec nos petites pelles jusqu'en 1960. Et puis, je ne sais quel coup de pied au cul est intervenu. Accélération sauvage. D'un seul coup, les tours ont jailli du sol. Les Sarcelles et les Cergy-Pontoise. La sacro-sainte limitation de la hauteur des immeubles au sixième étage fut emportée par la bourrasque. Les gratte-ciel se bousculèrent. Les autoroutes dévorèrent prairies et forêts. Le béton ceintura le littoral, escalada les sommets... Ça, c'était l'émergence, le spectaculaire, le symbolique. En profondeur aussi, la vie avait fantastiquement changé. Pas seulement par l'irruption de la télé, de la hi-fi, de la bagnole pour tous, de l'automation, de l'informatique... Bien plus encore par ce qu'il est convenu d'appeler « l'élévation du niveau de vie », et qui est, en fait, la survenue du luxe dans les vies les plus modestes, du luxe aussitôt ressenti comme nécessité vitale. On n'a pas seulement des vacances, cette révolution-là était faite depuis lurette, ni même seulement davantage de vacances. Les vacances doivent être une plongée dans la vie excitante, un épisode de cinéma, ce qui signifie : claquer du fric. Les bords de mer en juillet-août, les stations d'hiver à Noël et à Pâques sont d'énormes jardins d'enfants pour adultes, équipés de tous les joujoux compliqués, aux couleurs violentes, qu'il faut pour que l'ennui ne risque pas d'effleurer les chers petits, ni qu'ils aient d'initiative à prendre autre que celle de tirer du portefeuille la carte de crédit. Et si, de naturel farouche, tu cherches la paix et la solitude, il t'en coûtera beaucoup plus cher encore, car c'est là le luxe suprême.

Comment n'être pas ahuri quand, comme moi, on est un fossile du temps des dinosaures, c'est-à-dire d'au-delà de vingt ans d'ici? Survivre était alors toute l'ambition du petit bonhomme de tous les jours. Le loyer payé (il était ridiculement bas), la bouffe payée, il restait bien peu pour s'habiller, et si tu voulais partir en vacances il fallait rogner sur l'essentiel, démerde-toi comme tu pourras. La résidence secondaire est aujourd'hui la règle, qui n'en a pas s'estime brimé, ou alors c'est qu'il préfère claquer son fric en des plaisirs plus éphémères. Or les loyers ont été, entre-temps, toutes proportions gardées, multipliés par dix ou vingt, la bouffe par trois ou quatre, les loques n'en parlons pas. Les traites de la petite grange à retaper à Trucy-l'Orgueilleux équivalent à un deuxième loyer, ajoutez-y l'essence pour y aller et en revenir chaque week-end... Il est vrai que ça donne un sens à la vie : on se fignole le nid de verdure pour la retraite fleurie, on cavale les Puces pour meubler le nid, on lit *Elle* et même *Maisons et Jardins*, on s'est affiné le goût, on a évolué. Les brocanteurs ont évolué encore plus vite : toujours une longueur d'avance. Le tabouret de cuisine en bois blanc garanti 1939 est devenu pièce de collection...

Marasme ou pas, le fric coule à flots. Ou alors c'est rudement bien imité... Eh, oui : difficile d'échapper au discours de vieux con, de vieux con de droite (tous les vieux cons sont de droite, quelles que soient les opinions qu'ils croient avoir)...

« Comme tu dis! T'as changé depuis *Les Ritals*, mon pote. Et comme tous les vieux cons, à la fin de tes chialotteries, tu vas nous prédire la guerre, l'apocalypse, les soviets, le goulag, les loubards, la jungle...

– Merde, si tu fais les demandes et les réponses, y a plus de conversation possible! »

*

Tiens, il y a quand même de l'immuable, dans ce monde en folie. Au moins une chose à quoi se raccrocher la nostalgie : la chasse d'eau. Cette époque si prodigue en miracles techniques n'a pas encore su inventer quelque chose de mieux que le terrifiant avale-merde de grand-père, avec son vacarme de cataclysme, triomphal comme le chant du coq, avertissant l'immeuble entier qu'on vient de poser sa crotte et gargouillant ses borborygmes pendant un quart d'heure avant d'être de nouveau en état de fonctionner. Même les Hilton et les Sheraton à l'américaine arrogance en sont toujours là. Tout au plus a-t-on fait descendre le réservoir d'un cran et a-t-on émaillé la chose de couleur dragée ou saumon fumé, selon les harmonies suaves en usage dans ces lieux. Je parie que lorsque l'art du plombier sera, comme tout en ce bas monde, devenu électronique et informatisé, le rugissement sauvage de la chasse d'eau continuera à éveiller dans les tréfonds de l'homme les ancestrales terreurs de la jungle.

*

Il n'existe pas une époque où j'aurais préféré vivre. Je suis déphasé dans celle-ci, je l'aurais été dans toute autre. Je ne pleure pas après les temps enfuis. Les films « d'avant-guerre », qui pourtant me firent courir au Central-Palace de mes quinze ans, je ne peux plus les supporter. Rien que ces pantalons énormes, taillés comme dans des sacs, qui leur donnent l'air d'avoir chié dedans, ces cheveux gominés mandoline, ces gapettes sur l'œil, ces bonnes femmes platinées en déshabillé bordé de cygne blanc... Et puis, ils jouaient théâtre, ils parlaient du nez... Et puis ce goût du malheur, ce mélo à se flinguer... Tant pis pour *Les Cahiers du Cinéma*, j'aime mieux le ciné de maintenant, les vieilleries me foutent le cafard.

BESTIAIRE

Il y avait toujours des chats à la maison. Plein de chats. Les nôtres et les enfants des nôtres, et puis les portées qu'on nous balançait par-dessus la barrière, on nous savait le cœur tendre, on nous les balançait plutôt que de les noyer dans la lessiveuse, pauvres petits, moi j'ai pas le cœur, alors hop, on se débarrassait sans se démolir la sensibilité. Des voisins comme nous autres, il en faut.

Un chat n'est le chat de personne. Eh bien, j'en ai connu un qui était le chat de Nicolas. Le chat du chien. Il avait décidé ça, tout seul, par pur amour. Esclave par amour.

C'était un chat noir, maigre, un de ces chats aux joues creuses, aux yeux tout ronds. Très farouche. Apercevait-il Nicolas, il se précipitait. Comme se précipitent les chats : avec mille ondulations et tortillements de la queue. Et se frottait aux raides poils de chèvre, et promenait le bout frémissant de sa queue sur la truffe humide, et miaulait de la gorge le grand miaulement rauque de l'extase d'amour.

Nicolas abusait de la situation. Classique : celui qui aime le plus est à la merci de celui qui aime le moins. Il avait inventé un jeu. Jeu cruel. Il mordait à pleins crocs la peau du cou du chat, là où les chats ont tellement de peau juste exprès pour qu'on puisse les empoigner à pleine paluche, il le secouait de droite et de gauche avec une violence extrême, et puis il le lançait haut en l'air, le rattrapait au vol, par une patte, par l'oreille, le relançait, le rattrapait. Le roulait dans la poussière, le fourrait dans des trous impossibles. Le chat ronronnait, pâmé.

Un jour, je marchais sur la petite route défoncée, Nicolas devant à vingt mètres, je crois déceler je ne sais quel frémissement dans les hautes herbes du fossé. Et puis une ombre noire bondit, c'était lui, le chat du chien. Il miaula « Mon chéri, mon bel amour », du fond de la gorge, mais Nicolas, honteux peut-être, montre les crocs et gronde, babines retroussées, comme ils font quand ils sont vraiment en rogne. Le chat sursaute, file dans le fossé, et se contente de progresser par bonds à hauteur du chien, parallèlement, dans le fossé, les yeux sur le chien, ronronnant son ronron d'extase. Quand il n'y eut plus de fossé, il se faufila sous les feuilles de betteraves, entre les chaumes, enfin, bon, toujours à hauteur du chien, et comme ça jusqu'où on allait, et ensuite retour jusqu'à la maison. Il mangeait dans la gamelle du chien, il osait, malgré les grondements et les coups de crocs, il se recroquevillait, yeux fermés, un gosse qui attend la baffe. Heureux. Les chats ont de la chance. Imaginez un homme amoureux d'un cheval. Eh bien, le contexte social gâterait tout.

*

Voyager avec son chien, quel bonheur! Les gros chiens paient demi-place et voyagent en seconde. Nicolas faisait son tour de compartiment, flairait longuement chacune des paires de pieds présentes, prenait note dans sa tête, et puis, son univers provisoire bien repéré, s'aplatissait sous la banquette, derrière mes mollets, n'en bougeait qu'aux arrêts pour descendre sur le quai se dégourdir les pattes, pisser un coup, en boire un. Contents comme tout d'être ensemble, contents l'un de l'autre. Nous descendions à Beauvoir, d'où un car nous menait à Fromentine, embarcadère pour l'île. Il y avait à Beauvoir un petit mastroquet à tonnelles. Nous y étions installés, au frais, un après-midi de juillet, attendant l'heure du car, lorsqu'un buveur solitaire se leva d'une table voisine et vint vers nous. C'était un grand vieux bonhomme sec et coloré, paysan en dimanches, avec sur la tête une casquette d'orphéon et, à la main, un étui à trompette en toile cirée noire. Il porta deux doigts à sa visière, me souhaita le bonjour, que je lui rendis, et me dit :

« Monsieur, je voudrais vous demander une faveur.

– Je vous en prie.

– Voilà. M'accorderiez-vous la permission de jouer un morceau pour votre chien ? »

La demande n'était pas banale. La grâce des manières, le langage un rien affecté non plus. Je répondis :

« Monsieur, c'est à lui-même qu'il faut demander cela. Il s'appelle Nicolas.

– Je vous remercie, monsieur. »

Il ouvrit l'étui, en tira la trompette de cuivre jaune bien astiquée et, s'inclinant, dit à Nicolas :

« Monsieur, me permettez-vous de vous faire entendre un air de ma composition ? »

Nicolas huma la trompette d'une truffe circonspecte, tout du long, délicatement, ensuite dans l'autre sens, et puis il s'installa commodément, bien appuyé sur ses avant-bras, comme une duchesse dans sa loge à l'Opéra. Le musicien se redressa, fit avec la bouche une série de grimaces qui devaient être une sorte de gymnastique préparatoire, plaça ses doigts là où ça se place, annonça :

« Valse à ma façon. »

Et, joues gonflées, poussa la première note. C'était une valse. Je ne saurais en dire plus. Nicolas, d'abord cueilli à froid par les éclatantes harmonies, avait à demi bondi, oreilles dressées, mais, s'étant rendu compte de l'innocuité de la chose en cuivre et de la bienveillance empressée de l'artiste, avait goûté en grand seigneur un peu blasé l'hommage qui lui était fait, dodelinant de la tête au rythme à trois temps et approuvant d'un discret battement de queue les passages particulièrement bien venus.

La dernière mesure, fort émouvante, envoyée, l'artiste salua, très bas, marquant ainsi que c'était le chien qu'il saluait. J'applaudis, Nicolas aussi, de la queue, j'offris un coup de gros-plant, qui fut accepté avec réserve et bu par politesse, et puis l'homme à la trompette porta deux doigts à sa visière, pour le chien, pour moi ensuite, et s'en alla, sa casquette bien droite sur les oreilles.

*

L'abondance des poils sur la physionomie des briards, leur disposition en une exubérance concentrique autour de la truffe, leur direction générale vers le bas, tout cela donne à ces chiens une expression de vieil homme sagace et grave, et même tourmenté : Victor Hugo avec toute sa barbe, tel qu'on le voit sur le fameux buste, celui que tout le monde a en tête, c'est bien ça. Or ce sont de joyeux lurons, des galopins, des farceurs, voyez comme cela trompe! Il faut être bien vigilant pour ne pas se laisser prendre aux arrangements fallacieux des poils, plumes, bajoues, becs, lippes et tours d'œil qui, sur les bêtes, dessinent des expressions et des mimiques qui rappellent les états d'âme humains. Ainsi le saint-bernard est-il réputé bonasse, le caniche espiègle, le briard pensif, le fox-terrier futile, le lévrier stupide, le chat sournois, la poule idiote, le canard sympa, l'aigle altier, le cheval plein de noblesse, le tigre cruel, le renard subtil, la chèvre mutine, le crocodile fourbe et lâche... Nicolas, sous ses faux airs de vieux sage hindou, était un chien éveillé, joyeux, curieux de tout, jubilant en silence. Il caracolait. Les briards caracolent. Venait-il à ma rencontre, il manifestait sa joie par ce bref mouvement du col en rond, patte droite jetée en avant, qu'ont les chevaux caracolant et qui fait coquettement voltiger la crinière. Il avait une passion, délirante, forcenée : le chocolat. Quelqu'un dépouillait-il de son papier d'argent un carré de chocolat, n'importe où dans un rayon de cent mètres, Nicolas aussitôt bondissait, eût démoli vingt portes pour parvenir à la source de l'affolant arôme.

Cependant les saisons couraient en rond, se mordant la queue, de printemps en printemps bouillonnait la sève, explosaient les bourgeons, les troncs hissaient les branches, toujours plus haut, la masse verte s'étalait, couvrait tout, les feuillages se mêlaient, les arbres de forêt rattrapaient les fruitiers et les étouffaient, ronces et orties sournoisement grignotaient le sous-bois, l'herbe s'élevait à hauteur d'homme. Là-dedans couraient les pintades. Deux d'abord, un couple dont m'avait fait cadeau Guy Garnotel. Je n'avais jamais vu de pintade vivante, la beauté de ces fiers oiseaux m'avait touché au cœur. Quiconque a vu des pintades courir dans les hautes herbes, dressant soudain comme un périscope leur fine tête casquée, rouge intense et bleu vif et, prestes, fendant l'herbe sans laisser de traces, ne peut oublier le choc de plaisir. Comment est-il possible qu'on mange cela? Comment est-il possible qu'on puisse manger quoi que ce soit de vivant? Quel miracle, la vie! As-tu vu leur robe gris perle semée de flocons blancs? Et ce délicat reflet bleu pervenche, comme poudré dessus? Et les petits! As-tu déjà vu une nichée de poussins pintadeaux, minuscules boules de duvet jaune citron détalant sur d'invraisemblables énormes pieds laqués de rouge vermillon? Il y eut bientôt soixante pintades, une horde, une harde, qui se propulsait en bloc d'un bout à l'autre du jardin, tous les cous bien parallèles, j'en riais de bonheur. Si l'une d'elles, attardée à quelque aubaine, s'apercevait soudain qu'elle était seule, elle entonnait le grand cri de détresse de la tribu, tel Roland à Roncevaux, le cri de la pintade est aussi éclatant que le braiment de l'âne, mais beaucoup plus terrifiant, et lui répondait en chœur le gros de la troupe, fantastique festival de discordances qui, produites par le gosier de ces petites marquises arrogantes délicatement poudrées de bleu pastel, me ravissaient.

Tout le monde ne partageait pas mon ravissement. Les pintades perchaient, la nuit, dans un arbre, tout près de la maison, un escogriffe d'arbre orphelin trouvé, tout petit, transi et ravalant ses larmes, sur une décharge de banlieue, ses racines enchevêtrées dans les ressorts d'un sommier, et transplanté là par moi sans que j'aie jamais pu savoir le nom de son espèce, je ne l'avais trouvé nulle part, Linné avait dû l'oublier dans son grand recensement universel, il avait si piètre mine, cet arbrisseau avorton, une personnalité si falote, c'était l'arbre le plus arbre que j'aie jamais vu, le plus conforme, le plus terne, le plus anonyme, mais quelle santé! A peine en terre, il avait poussé comme un fou, se haussant du col à vue d'œil, projetant ses branches noirâtres tout autour de lui, se taillant son chemin vers le ciel, élargissant son espace vital à coups de tête à coups de poing, et voilà : maintenant il dépassait la faîtière du toit et secouait en novembre des charretées de feuilles au dessin sans grâce, qui avaient pris dans la mort une triste couleur caca sans avoir jamais été vraiment vertes et qui se tassaient dans les tuyaux de descente des gouttières en un inexpugnable béton. C'est cet arbre que les pintades avaient élu. Le clan s'y perchait suivant une stricte hiérarchie, le coq-chef tout en haut, le menu peuple réparti du sommet aux basses branches par ordre d'importance décroissante. Un pas sonnait-il sur la route, une pintade, certainement une sentinelle, émettait aussitôt quelques claquements d'avertissement, discrets encore, auxquels le clan répondait avec la même discrétion. Lorsque le passant arrivait au droit de l'arbre aux pintades, c'était soudain le grand branle-bas, les trente-six mille trompettes de l'Apocalypse dans lesquelles soufflaient trente-six mille archanges soûls à crever, ça durait deux ou trois minutes, pas plus, mais à chaque fois... Les voisins se plaignaient, jamais directement à moi, bien sûr. J'attendais donc. Les enfants riaient et trouvaient ça merveilleux, puisque papa le trouvait. Tita, elle, bondissait au plafond, adieu sommeil, avait au matin les yeux cernés et faisait des allusions à mon culte un peu cucul-la-praline pour la création et les créatures.

Je lui disais :

« On ne peut quand même pas les tuer! »

Elle me répondait :

« Sûrement pas. Je dis seulement que soixante pintades, c'est beaucoup. L'an prochain, elles seront trois cents. Qu'est-ce que tu comptes faire? »

Moi, elles ne me gênaient pas. Pas du tout. Mais, effectivement, trois cents pintades sur seize cents mètres carrés, ça donne à penser. D'autant qu'il y avait aussi les canards. Guy m'avait fait par la suite cadeau d'un couple de canards de Barbarie, oiseaux fascinants. Le mâle était gros comme quatre canards ordinaires, plus noir qu'un corbeau avec des reflets vert scarabée. Il était fait comme un bateau, un solide bateau trapu de pêcheur breton poussant devant soi son étrave arrondie. Il ne se terminait pas, à l'autre bout, par la petite queue en crochet des canards du bois de Vincennes, mais par l'ample éventail des oiseaux au long cours. Il était muet, à part un terrible sifflement de colère, plutôt un arrachage de gorge à force de rage. Et il attaquait. Ne respectait pas l'humain. Te fonçait dessus du plus loin qu'il t'apercevait, te bondissait à la verticale à hauteur d'yeux et essayait de te les crever de son bec formidable, armé au bout d'un vicieux crochet très pointu. En même temps, de ses ailes déployées, il te balançait à toute volée des gifles à assommer un enfant. Et encore ça, j'oubliais : ses deux énormes pattes palmées se projetaient en avant, te labourant le visage de leurs ergots eux aussi cruellement acérés. Tout un orchestre. Il suffisait de ne pas avoir peur. Dès qu'il me sautait aux yeux, je l'attrapais par le cou, d'une main, et je le maintenais éloigné de moi à longueur de bras. Il giflait furieusement l'air, étirait le cou et éborgnait le vide. Je riais à m'étrangler, lui donnais deux claques et le lançais au loin, de toutes mes forces. Il me revenait aussitôt dessus, mi-courant mi-volant, le meurtre dans les yeux, mais je ne l'avais pas attendu. Tita avait peur de lui, les enfants n'osaient plus mettre le nez dehors. La sale bête, ne pouvant atteindre leurs yeux qu'ils protégeaient de leurs coudes, avait imaginé de leur percer le crâne, et y était presque parvenue, une fois ou l'autre.

Ces prodigieux canards, eux aussi, firent des petits, c'est comme ça que nous fûmes bientôt cernés par une meute, ou une troupe, ou comment dit-on, de trente ou trente-cinq tueurs, je n'ai jamais pu bien les compter. Moins grégaires que les pintades, ils vivaient chacun leur vie, s'élevaient en spirales très haut dans le ciel, se prenaient pour des rapaces, planaient en cercle, se posaient fièrement aux cimes des toits des voisins, comme des vautours sur une Cordillère, ou comme des cormorans sur une pointe du Raz, c'était un spectacle fantastique. Leur vue m'était une perpétuelle jubilation.

Mais les canetons piauleurs se faufilaient sous le grillage mitoyen et dévoraient les semis. Mais les pintades sans foi ni loi volaient par-dessus et becquetaient les salades. Mon île déserte était de toutes parts battue par les flots d'une humanité pavillonnaire, donc raisonnable, qui avait toléré avec une indulgence réprobatrice mais relativement amusée les excentricités de mon arche de Noé tant qu'elles ne causaient pas de tort aux laitues, scaroles et radis... On grommelait à la cantonade, ou vitupérait dans le lit du vent les sacré nom de dieu de saloperies de bestiaux au profit de qui voulait l'entendre, on finit par me faire des remarques navrées, puis des menaces pleines de regret d'avoir peur de ne pas pouvoir s'empêcher, sur un coup de colère, bien sûr, de tordre le cou à deux ou trois canetons insolents, vous savez ce que c'est, je ferais pas de mal à une mouche mais sur le moment on peut faire des choses qu'on regrette après, surtout que je serais dans mon droit, faut dire ce qui est.

L'intolérable commence aux limites sacrées de la mitoyenneté. Je ne pouvais plus ignorer qu'au-delà de la haie opaque de troènes par moi plantée, au-delà du mur de meulière assemblé à la terre à lapins par les esclaves russes du maréchal Mortier, ne régnait pas le vide intersidéral, ni même les miroitantes solitudes océaniques. La multitude était là, avec ses catalogues Manufrance, ses escarpolettes à pompons et ses Mickeys en faïence décorée sur ses pelouses-moquettes. On me fit remarquer, avec tact, qu'on avait déjà eu bien de la patience de tolérer ces hautes herbes mal peignées qui déshonoraient un lotissement par ailleurs coquet et qui, surtout, semaient à tout vent leurs graines de mauvaise compagnie sur les impeccables sillons, mais enfin, bon, on n'allait pas pour si peu se fâcher entre voisins, seulement, là, trop, c'est trop.

Et bon. Le cœur navré, je fis à mon tour cadeau à Guy de la plupart des canards et des pintades, ne gardant qu'une demi-douzaine de chaque et me promettant de dénicher systématiquement les œufs avant que les oiselles travaillées par l'instinct de la maternité n'aient eu le temps de les couver. Guy les mangerait, certes, mais après les avoir beaucoup aimés et sans que le passage de la belle vie à la casserole leur soit trop atroce. Que peut demander de plus un canard ou une pintade, dans ce monde de goinfres ?

Tita n'était pas tellement d'accord avec cette luxuriance végétale, avec ce grouillement animal. Ses goûts l'auraient portée vers un jardin plus ordonné. Mon égoïsme ingénu donnait vie à mes rêves adolescents de jungle et d'île déserte. Tarzan, Robinson Crusoé et Mowgli la Grenouille avaient marqué à tout jamais ma tendre cervelle. Tita aurait plutôt cherché à recréer ce qu'elle avait perdu, ce qu'elle estimait être son dû et qu'on lui avait volé : le parc opulent et bien policé de son enfance cossue. Mais c'est moi qui maniais la bêche et le sécateur, la jungle de poche l'emporta. Et puis, sincèrement, je croyais que tout le monde, dans le secret de son cœur, était hanté par ce même instinct vers le « naturel », vers le « sauvage », vers le paradis terrestre avant la survenue de l'homme. Les gens à pelouses bien tondues, à ifs taillés en boules, à parterres de fleufleurs géométriques cernés par des allées de gravier blanc ne pouvaient être que des pauvres types, des amputés de l'essentiel, des lavés du cerveau, des adjudants-chefs en retraite... Voilà comme je sentais les choses, moi, sans chercher plus loin. Tellement sûr j'étais, sans même m'être posé la question tant cela allait de soi, que Tita, âme échappée au moule du conformisme, ne pouvait avoir que les mêmes aspirations que moi, que je ne lui demandais pas son avis. Elle, pour qui ces choses n'étaient après tout pas essentielles, laissait faire mon enthousiasme de démiurge néophyte et n'en pensait pas moins. Les tyrans ne savent pas toujours qu'ils le sont.

*

C'est curieux, quand j'y pense, cette puissance d'annihilation que j'ai, cette obstination à nier le réel. Je ne voyais pas, littéralement pas, les murs des maisons voisines qui enserraient de toutes parts notre languette de verdure échevelée. Je n'entendais pas les graillonnements des téléviseurs dans les longs crépuscules d'été. La haie de troènes était mon horizon perdu dans les brumes bleues des inaccessibles lointains, les braiments des pintades m'émouvaient plus que ne l'auraient su faire tous les perroquets de la grande forêt amazonienne et mon cœur fondait lorsque Tita m'appelait pour me montrer, à la nuit tombante, un hérisson obèse vautré dans la gamelle du chien, grognant de bonheur, poussant dans la pâtée son petit groin noir frémissant, et puis s'endormant là, gavé, la panse dans la boustifaille, comme un moine ivre sous la table du festin, et pour finir basculant avec la gamelle dans un tintamarre de fer-blanc.

Partout, sans cesse, dans la foule la plus dense, je recrée ma solitude. Je dresse mon mur. Ça doit avoir un nom en psychiatrie, un nom désobligeant, j'aime autant ne pas le connaître... Je suis toujours surpris quand je constate que les autres ne sont pas faits comme moi. Dans leur tête, je veux dire. Par exemple, qu'ils ne sont pas spontanément persuadés d'être des animaux comme les autres, embranchement des vertébrés, ordre des mammifères, etc. Des animaux avec juste un peu de cervelle en plus, mais tout à fait animaux quant à l'essentiel. Chien, volaille, hérisson ne me sont pas « frères inférieurs », gentils nounours sympas et pittoresques, mais bien mes semblables, mes copassagers sur cette planète de hasard. Je dois faire un effort pour me rappeler qu'il n'en est pas ainsi pour tout le monde.

Le chien avait son chat, moi j'avais ma chatte. Une mémère chatte sans doute abandonnée, perdue en plein « centre commercial », tapie le long d'un mur, paralysée de terreur. Les mômes de l'école s'en servaient de ballon pour jouer au foot, c'est la boulangère qui nous le raconta, assez indignée, il faut dire, mais que voulez-vous, les enfants sont les enfants, tout le monde s'apitoyait pauv' tite bête, enfin, bon, quoi, il fallut expliquer à Nicolas qu'il y avait un chat de plus dans le royaume, ce qu'il ne consentit à admettre qu'après un grand mois de gueulements et de vexations infligées à l'intruse. On l'appela la Mimite, pourquoi se casser le cul à chercher de l'original? Elle était toute en velours finement chiné à petites touches grains de riz de toutes les couleurs, au moins six couleurs, je les ai souvent comptées : du noir, du roux ardent, de l'ocre jaune, du blanc, du gris foncé, du gris léger et encore d'autres trucs, mais moins nets. Plus une belle cravate blanche. Nous vécûmes ensemble un bon ruban d'années. Elle fut la mère d'innombrables générations et mourut, belle comme tout, de la connerie d'un vétérinaire qui ne sut pas déceler à temps qu'elle avait un petit chat coincé dans le ventre. Elle ronronna jusqu'au bout. Les chats meurent en ronronnant. Et ils te regardent, de leurs grands yeux pleins d'adoration sereine, jusqu'au bout, jusqu'au bout.

La Mimite parlait. Ne serait pas entrée dans une pièce où il y avait du monde sans s'annoncer et saluer la compagnie d'un gracieux roucoulement du fond de la gorge. Lui adressait-on la parole, elle répondait. Remerciait quand on lui donnait à manger, vous engueulait si l'on avait tardé. Oui, bon, je tourne mémère à chats, et alors ? Quand, dans la vaste nuit amie, je taillais ma route, à pied, depuis le terminus de Cœuilly où m'avait déposé le dernier bus, la chatte venait à ma rencontre. Elle m'avait attendu, au coin de la rue, posée en potiche sur la bordure du trottoir, la queue soigneusement ramenée sous elle, elle m'avait attendu, et voilà, elle avait perçu mon pas au loin, le mien, mon pas, et elle accourait, elle tricotait des papattes, très digne très comme il faut, jubilant en dedans mais n'en laissant rien voir, poussant devant elle son ombre dans un rayon de lune, et s'il n'y avait pas de lune m'avertissant d'un bref appel de gorge car elle me savait assez myope bien que ne portant pas lunettes parce qu'assez coquet, aussi. Alentour chantaient les rossignols. Je n'en avais jamais entendu auparavant. Qui n'a pas entendu le rossignol pâmé d'amour a vécu pour rien. Ils se tenaient dans les vestiges de bosquets encore disséminés le long de la route de Cœuilly au Plessis-Trévise, un rossignol tous les cent mètres, quand on cessait d'entendre l'un on commençait à entendre le suivant, la première fois j'ai pleuré comme un con, les autres fois aussi. Je n'ai pas hésité. Je me suis dit : « C'est le rossignol ! Ça ne peut être que ça ! » Et puis j'ai compris que tout ce qu'on a pu en dire n'est que conneries, on ne peut rien dire, on ne peut que pleurer de bonheur. Au début, ce n'est pas ça : il se cherche, il prélude, essaie des thèmes, casse net quand ce n'est pas bon, jure, se traite de tous les noms, malhonnête comme tout, ça peut être assez long. Et puis ça y est, il tient la pêche, il entre en transe, improvise, délire, s'étonne lui-même, répète un trait bien venu jusqu'à ce qu'il s'en lasse, virevolte, languisse... Je ne vais pas vous raconter le chant du rossignol, j'y serais aussi mauvais que quiconque... Ah! les vers luisants. C'était un coin à vers luisants, ne me demandez pas pourquoi. Ils brillaient dans l'herbe des bas-côtés, de loin en loin, jamais plus d'un à la fois. C'est là que j'ai appris que la lumière des vers luisants est verte. Vert émeraude. Et se voit de très loin. La nuit, bien sûr. Ainsi mes retours s'achevaient-ils en marches triomphales, et personne ne le savait que moi, toutes les fenêtres étaient closes, les pavillonnaires ça se couche tôt, la nuit était à moi, à moi tout seul, ma mère la nuit, j'avais envie de croire aux fées, même ma fatigue contribuait à mon bonheur.

*

Ça nous fit très vite beaucoup de chats. Et puis la population se stabilisa. Il existe un phénomène : les chats mâles, dès qu'ils sont adultes et que leur poil est dans toute sa beauté, ils disparaissent. Pourquoi les mâles? Parce qu'ils s'en vont au diable vauvert courir la gueuse. Et parce que des ramasseurs paient des galopins pour capturer les chats en vadrouille. La peau de chat est souveraine contre les rhumatismes, demande plutôt à ta grand-mère. Ça se vend en pharmacie. Très cher. Et voilà comment la mère Michel a perdu son matou : il réchauffe désormais les articulations grinçantes d'un vieux con qui se soigne aux remèdes naturels. Va empêcher un chat de courir! L'ennui, comme dit l'autre, c'est qu'on s'y attache. Eh, oui. Et on ne s'habitue pas au malheur. Chaque fois, ça fait mal. Chaque fois, ça laisse un trou qui ne se comble pas. Tous ces chats qui furent mes amis, qui eurent confiance en moi, qui se crurent à l'abri du mal puisqu'ils étaient dans ma maison, dans mon ombre, à moi tout-puissant. Tous ces chats que j'ai aimés, qui m'ont aimé... L'énorme, la compacte pâte humaine où nous sommes plongés, cinq milliards d'humains, magma qui nous presse de partout, chacun de nous, et ne se laisse pas oublier, pas un instant, pas un instant... Plus bêtes que méchants, je veux bien, mais si bêtes, bon dieu, si cons, si innocemment, si souverainement cons... Je crois que je les préférerais carrément méchants, ils feraient moins de mal.

Quand j'étais môme, rue Sainte-Anne, pas question d'avoir un chat. Strictement défendu. C'était une maison respectable. Puant la merde et la pisse, faute de tout-à-l'égout, et bourdonnante de mouches vertes l'été, mais respectable. Respectable, ça veut dire pas de chat, pas de chien. Chez les pauvres. Chez les riches, non. Explique-moi ça. Enfin, bon, j'aurais tant voulu un chat, un lapin, un cochon d'Inde, n'importe quoi de tiède avec du poil, mais maman, comme si j'avais demandé je ne sais quelle horreur... Je m'étais rabattu sur trois canaris, cadeau d'une patronne à maman. On s'est aimés très fort et très longtemps, au moins dix ans, plus longtemps si ça n'avait tenu qu'à eux, ils se sont retenus de mourir tant qu'ils ont pu, ils voyaient bien que j'aurais de la peine, à la fin c'étaient de très vieux canaris, chauves déplumés horribles, tout branlants quand ils dormaient en boule sur leur vieille patte tordue de rhumatismes, les canaris ça dort sur une seule patte, et de temps en temps ils se cassaient la gueule dans leur sommeil, du haut du petit bâton, ils tombaient dans la petite baignoire, n'avaient plus la force de se secouer comme ils font, vous savez, ni de se hisser, tout alourdis de flotte, sur le barreau, et alors ils restaient là, aplatis au sol, dans la flaque d'eau, frissonnants, tristes, tristes, les petits vieillards. Je les réchauffais dans mes mains, leur soufflais mon haleine tiède sous les plumes.

Jusqu'au bout, n'empêche, chantant à t'épanouir l'âme. Pas éraillés, ni grognoneux, rien. Du cristal. De la joie toute pure, insolente, à tue-tête, toujours l'un, ou l'autre, ou tous les trois ensemble. Le moindre bruit les lançait. Maman qui m'appelait par la fenêtre, une voiture qui passait, une simple conversation... Quand maman m'engueulait, aux premiers éclats de voix mes trois troubadours démarraient à plein gosier, alors je me marrais, maman couvrait la cage d'un torchon pour les faire taire, mais ça lui avait cassé l'élan. J'espérais des poussins, je guettais les œufs. Je leur avais fait un petit nid bien douillet. Il nous a fallu du temps pour comprendre que c'étaient trois mâles.

J'ai quand même eu un chat. Un chat secret. C'était un chaton, il miaulait le terrible miaulement de l'orphelin, j'ai fini par le trouver, terré dans un coin noir, derrière de vieux harnais, chez le père Moreau, le bourrelier. A partir de là, il était à moi. Mais pas question de le ramener à la maison. Il y avait, dans la rue Sainte-Anne, juste en face de notre porte, une vieille petite fenêtre jamais ouverte qui donnait sur le grenier au-dessus de la remise au père Moreau, à trois mètres du trottoir, à peu près. J'ai mis le chat dans ma chemise, j'ai grimpé à force d'ongles le long du vieux mur jusqu'à la fenêtre, j'ai posé le chat sur le rebord, ce serait sa maison, la maison du chat. Je lui ai fait un lit d'un chiffon replié, je lui ai mis du lait dans une boîte à sardines, je suis allé chez le boucher mendier des rognures. Les autres mômes se marraient. Je leur ai dit faites-le pas chier, merde. Ils ont protesté qu'est-ce que tu crois, on n'est pas comme ça, merde, qu'est-ce qu'il est mignon, merde! Comment que tu l'appelles? P'tit Chteuf. Quoi? P'tit Chteuf. C'est quoi comme nom, ça? C'était rien. Un nom marrant qu'on avait trouvé, P'tit Louis Taravella et moi. J'aimais bien.

Je tremblais de bonheur. A l'école, je ne pensais qu'à mon chat, sur sa fenêtre. Il ne pouvait pas sauter, c'était trop haut, et les mômes ne pouvaient pas l'emmerder. Je me mettais à notre fenêtre, j'essayais de l'apercevoir, dans la nuit. Aussitôt réveillé, je cavalais lui dire bonjour, lui porter du lait. J'arrivais de l'école, je grimpais le prendre, je le perchais sur mon épaule, je l'emmenais promener sur les collines du Fort. J'étais aussi heureux que j'avais imaginé que je le serais, c'est-à-dire plus qu'il n'est possible d'imaginer.

Un jeudi matin, je traînais au lit, seul à la maison, maman était au travail, voilà Jean-Jean qui s'amène, essoufflé, il s'était tapé les étages quatre à quatre, je lui demande ce qui lui arrive, il me hoquette :

« Oh! François, dis donc, ton chat, oh! la vache... »

Je sens le malheur me mordre au ventre. Je dis :

« Et alors, quoi, mon chat? »

Bien emmerdé, Jean-Jean.

« Ben, mon vieux, oh! là! là...

— Il est arrivé quelque chose, hein?

— Ben, tu sais, c'est les mecs, i sont cons, ils l'ont fait descendre de sa fenêtre, tu sais, et pis ils l'ont coursé, ils y ont jeté des pierres en gueulant, pour se marrer, quoi, alors lui, la peur qu'il a eue, il s'est trissé à fond de train, ils y ont couru au cul, jusque dans la Grande-Rue, lui il a traversé comme un dingue, y avait juste l'autobus qui passait, ah! la vache, en plein dessus, dis donc, merde! »

Je me cramponne à ce que je peux :

« Ouah, eh, tu te fous de ma gueule...

— Je voudrais bien. Non, je te jure, c'est vrai, t'as qu'à venir voir.

— C'est peut-être pas lui?

— Tu parles! Je le connais bien. D'abord, t'as qu'à

venir voir, je te dis. Là, dans la Grande-Rue, juste en bas. »

Je m'habille, j'ai les jambes molles. Je dois tenir une drôle de tête. Jean-Jean me dit :

« T'sais, il a pas eu le temps de souffrir, il a même rien vu. »

Et la peur, hein? La terreur panique des minutes d'avant... Ah! les fumiers! J'y suis allé, j'ai vu la flaque de sang et de tripes, plate comme une crêpe, les poils noirs et blancs. Chaque bagnole qui passait en emportait un peu. Je suis remonté en vitesse, pas que les autres me voient chialer. J'ai poussé le verrou, je m'en suis payé tout mon soûl. Jamais pu savoir qui étaient « les mecs ». Oh! et puis, les uns ou les autres... Ils étaient tous capables de le faire. Ils n'étaient tous qu'un seul ricanement. Les autres. J'avais dans les neuf-dix ans, par là. Quand je repense à P'tit Chteuf, j'ai neuf ans. Il y a « les autres », et moi au milieu, et j'ai neuf ans.

*

Je ne me rappelle pas avoir eu de nounours en peluche. C'est peut-être pour ça que le besoin de toucher du poil vivant et chaud me tient si fort au cœur. Un jour, avec Jean-Jean et son petit frère Piérine, on avait barboté deux chiens. Enfin, barboté est peut-être un peu sévère. Les deux corniauds erraient, en détresse, par les rues vides, sous la pluie, pleurant contenu comme ils savent pleurer, à sanglots flûtés gueule fermée. Nous aurions dû peut-être chercher leur maître avec davantage d'acharnement, sonner à toutes les portes, aller chez les flics. Nous aurions dû, certainement. Mais ces chiens nous ont tout de suite aimés, nous. Comme aiment les chiens : totalement. Nous n'avions pas l'habitude. Nous avons reçu ce raz de marée d'amour à bout portant, balayés cul par-dessus tête, coup de foudre mutuel, personne ne nous séparerait jamais de ces chiens, plutôt cre-ver.

« Bon, dit Jean-Jean. Et maintenant, où qu'on les met?

— Dans la cave de chez toi? je dis.

— Ça va pas! I vont se mettre à gueuler, ouais, parce que tu sais, les chiens, j'aime mieux te dire, ça aime pas rester tout seuls, et alors mon père ça va l'empêcher de dormir, lui il descend, il les étrangle tout de suite, un à droite, un à gauche, tu l'as jamais vu en colère, mon père. »

Le père de Jean-Jean était tout le contraire d'un féroce, mais voilà comment nous aimions voir nos pères : forts jusqu'au ciel, et implacables comme des dieux.

« Toute façon, dans la rue Sainte-Anne y a pas mèche. Tous ces mômes qu'on est... Ça grouille partout, pas un recoin tranquille.

— Bon, ben, alors, écoutez, moi, j'ai une idée. On va aller les cacher au Fort.

— Et pis? Ils vont prendre toute la flotte sur la gueule. Ils vont crever.

— On peut leur faire une cabane. Avec des feuil-les, comme on se fait pour nous.

— Oh! dis, eh, les cabanes, ça va tant qu'il pleut pas, mais à peine que ça tombe on prend tout sur la gueule, eh, comme si tu le savais pas!

— Ouais, mais eux, c'est des clebs. Ça s'enrhume pas comme nous. Ils ont leurs poils, tu comprends, la pluie traverse pas.

— Et comment qu'on fait pour leur porter à bouffer, hein? Ça fait vachement loin, le Fort, j'sais pas si tu te rends compte.

— Eh ben, on ira à quatre heures en rentrant de l'école, un jour toi, un jour moi, on fera la manche chez les louchébems pour des rognures, on leur mettra de côté notre gras de jambon...

– Moi, le gras, mon père il m'oblige à le bouffer, même que des fois ça me fait dégueuler, mais il dit que c'est bon pour les poumons, il dit.

– Moi, mon père, mon gras de jambon, il se le bouffe lui, et même les os il bouffe, et ceux qu'il bouffe pas il se les garde pour ses chiens à lui qu'il connaît, y en a plein tout partout dans Nogent.

– Toute façon faut faire quelque chose. On va pas rester là comme des cons. Moi, je dis le Fort, on peut toujours les mettre là provisoire, demain on trouvera mieux. »

Alors, on les a menés là-haut, sur le Fort, dans un repaire secret qu'on ne pouvait atteindre que par un labyrinthe encore plus secret, à travers des ronces impénétrables et truffées de pièges ingénieux, on a entassé des épaisseurs de feuillage contre la pluie, plutôt pour nous tranquilliser la conscience, et puis on a attaché les chiens à un arbre avec de la ficelle, on leur a laissé des rognures de boucherie, des gâteaux secs et même du lait dans une boîte de conserve, on les a embrassés, et puis on est partis. Les chiens se sont aussitôt mis à pleurer. Piérine voulait y retourner.

« Non, a dit Jean-Jean. Faut pas qu'on soit faibles, ou alors on pourra plus se tirer. Faut être ferme avec les chiens, c'est papa qui l'a dit. »

J'avais le cœur gros, mais j'ai dit « Ouais, faut être ferme. » On s'est mis les mains sur les oreilles et on est rentrés en courant. Il pleuvait tant que ça pouvait. Il a plu toute la nuit.

J'ai été long à m'endormir. Je pensais aux chiens. J'écoutais la pluie. La journée d'école s'est traînée. A quatre heures, je fonce chercher Jean-Jean, j'avais fauché un camembert presque entier, du saucisson de cheval, des biscuits, du sucre et mon bifteck de midi, j'avais réussi à faire semblant de le manger. Jean-Jean s'était fait refiler un gros paquet de rognures par Fredo Manfredi qui était commis boucher, mais c'était presque rien que du gras. Son frère portait une gamelle pleine de spaghetti à la tomate.

« Ouah, les clebs, ils bouffent pas les nouilles, eh!

— Ouah, l'autre! Chez nous, en Italie, ils ont rien que des pâtes, les clebs, et si ils aiment pas ça, ils ont rien d'autre.

— Ou des fois la poulainte, quand c'est que c'est de la poulainte[1].

— Ben, merde, tu feras pas bouffer de la poulainte à un chien français, ça me ferait mal!

— Oh! oui, qu'il la bouffe, si qu'il a faim! »

On grimpe au Fort, toujours cette saleté de pluie, qu'est-ce qu'ils doivent être mouillés, les petits chéris. Tu crois qu'ils tousseront?

Et voilà : plus de chiens. Les ficelles coupées, et nous comme des cons avec nos victuailles.

On a eu beaucoup de chagrin. On examinait tous les chiens dans la rue. On était sûrs que « les nôtres », s'ils nous reconnaissaient, même enfermés, même en compagnie de maîtres richissimes, rompraient leurs liens dorés et courraient à nous en criant de joie.

Et puis le temps a coulé, tout en cherchant on se montrait les bonnes femmes qui descendaient de bagnole, dans ce temps-là les bagnoles étaient faites de telle façon que quand la fille descendait elle devait lever les jambes et écarter les cuisses, quand tu voyais une auto avec une nana dedans ralentir pour s'arrêter tu cavalais te planter juste devant, tu

1. La poulainte : prononciation dialectale pour la *polenta*, bouillie de semoule de maïs.

te prenais un jeton de mate fabuleux, les jarretelles, les cuisses blanches et la culotte rose, et des fois pas de culotte, ça arrivait, alors tous ensemble on gueulait « Salope! Tu m'as fait peur! », mais au fond on était très émus tout fondants, et peu à peu on a oublié nos chiens, nous étions des gosses pleins de santé.

LE PLACARD AUX BALAIS

Je lui dis :

« Je suis un petit vieux. Les terribles moustaches, la crinière, l'allure, tout ça c'est bidon, je ne peux plus te la faire. Même l'écriture. Les gueulements Don Quichotte. La lucidité « mordante ». Lucidité mon cul! Toi, tu sais bien que derrière tout ça il y a un petit vieux, né petit vieux, et maintenant vieux pour de vrai, en plus. Racorni, rétréci, rabougri. Trouillard, égoïste, douillet, frileux, merdeux... Tu n'as rien à espérer de moi, rien à tirer de moi. Tu auras beau me secouer, tu n'arriveras pas à me faire sortir de ma petite flaque de pipi, à me faire vivre. Ce sera le cul entre deux chaises à perpète. Le provisoire indéfiniment prolongé. Et justement, c'est ça que tu ne supportes pas. »

Elle :

« C'est mon affaire. Et d'abord, je ne m'installe pas dans le provisoire. Je suis certaine que tu arriveras à savoir ce que tu veux. Plutôt : à oser vivre en harmonie avec ce que tu veux.

— Ecoute. Dans quinze ans, je serai ou mort, ou gâteux. C'est un maximum. Quinze ans, tu te rends compte? C'est l'âge d'un vieux chien. Je ne t'aurai fait que l'usage d'un vieux chien. »

Hypocrite comme tout. La trouille qu'elle me prenne au mot. Et quand même sincère, ça n'empêche pas. Convaincu tout le premier de ma gueuserie et de cet avenir calamiteux. Mais désirant en dépit de tout susciter l'amour inouï, celui qui fait fi de la barbe blanche, de la ride grimacière, du caractère de chien, des testicules en gibecière de pauvre homme, et ne se soucie certes pas des lendemains... Lucidité contre instinct, c'est toujours l'instinct qui gagne. Et l'instinct veut vivre, et il est prêt à gober les plus crasseuses foutaises romantiques, l'instinct, pourvu qu'elles transcendent la réalité sordide, et projettent mon moi sacré vers les sublimités inaccessibles aux vulgaires autres. Je suis vieux, je suis odieux, je suis un jean-foutre, je te fais une vie d'enfer parce que je m'en veux d'être aussi con, je te promets encore bien pis pour demain, et toi tu m'aimes, pardi, tu m'adores, cela va de soi, tu te ferais hacher pour moi, plus t'en chies plus tu m'aimes, c'est tout naturel, s'adressant à moi. Ben, voyons... Le temps qui me mord la gueule y met un petit je-ne-sais-quoi d'artistique auquel n'ont pas droit les autres... Je suppose qu'on est tous aussi boursouflés de contradictions flatteuses dans nos secrets replis. C'est bien ce qui fait que les escrocs peuvent bouffer.

J'en remets :

« C'est dégueulasse, les vieux. Je hais les vieux. Surtout les beaux vieux. Plus un vieux est un beau vieux, plus il est dégueulasse. Oui, c'est la nature, c'est comme ça, on doit tous vieillir un jour, il faut se résigner, gningningnin... C'est peut-être la nature, n'empêche que c'est dégueulasse. Un mort aussi, c'est la nature. Regarde un macchabée de huit jours, t'as beau te répéter que c'est la nature, tu vas au refile. Eh bien, un vieux, je suis apitoyé, je suis attendri, je suis bouleversé, tout ça tout ça, bon, mais justement parce que c'est pitié et épouvante de voir un être naguère vif et beau réduit à ce débris. Ne me dis pas que la vieillesse est majestueuse, paisible, un beau bateau qui entre, toutes voiles dehors, au port de sérénité... Mensonges! Mensonges utiles, je veux bien le croire, mensonges thérapeutiques, mensonges-morphine, mais mensonges. Il faut regarder les choses en face... »

Le beauf' intégral. Je m'enfonce, je m'enfonce... Suis-je vraiment aussi con, ou est-ce que je me donne le plaisir pervers de jouer au con? Avec l'espoir que son amour passera outre à ma connerie conquérante? Ou en se pourléchant d'avance de l'amère délectation que son amour n'était pas de si bonne trempe que ça, puisqu'il n'y a pas résisté... Et me poser ces questions-là, n'est-ce pas encore la pire des conneries, l'insanité grandissime? Tu causes, tu causes, au lieu de lui dire « D'accord, on y va, main dans la main, et merde! », ou bien « Non, tu vois, c'est pas possible, j'y arrive pas, je souffre comme une vache, on arrête. »

Elle attend.

*

« Finalement, tu finis toujours par faire ce que tu veux, dit Gabrielle.

– Bilan globalement positif, dirait Marchais. »

Elle hausse les épaules. En ce moment, ce n'est pas de l'amour qu'il y a dans ses yeux.

« Tu es tourmenté, je veux bien le croire. Tu cèdes à celle qui te harcèle le plus, à celle qui est là, tu promets tout ce qu'on veut, mais à peine le dos tourné tu regagnes le terrain perdu, c'est pas difficile, tu ne fais rien, tu laisses pourrir, tu m'as à l'inertie, et après toutes ces années nous en sommes au même point, c'est exactement ce qui t'arrange, et moi à chaque fois je marche, je crois que ça va enfin bouger, je suis folle de joie, comme une conne, et je me casse la gueule, à chaque fois, à chaque fois!

– Ce qui m'arrange, hein? C'est ce que tu crois?

Toi, tu estimes que « je fais ce que je veux », et moi je dis que je pisse le sang.

– Ça te regarde. C'est encore plus lamentable si tout ce que tu me fais subir ne te rend même pas heureux. »

Elle hurle :

« Mais qu'est-ce que tu viens foutre ici?

– C'est toi qui es revenue me chercher.

– Alors, si je n'avais pas bougé, tu ne serais pas revenu? C'est ça, hein? Tu ne serais pas revenu? Je t'ai ramené de force?

– Bien sûr que si, je serais revenu. Je reviens toujours.

– Alors, pourquoi ne fais-tu pas le minimum pour me rassurer? Je ne te demande pas grand-chose, j'aurais jamais cru être un jour aussi dépendante, aussi suppliante, mais même ça tu me le refuses...

– Je ne te refuse pas...

– Non, tu ne refuses pas! Pas franchement! Tu promets n'importe quoi, pour que je te foute la paix, le temps d'une bonne baise, mais tu ne fais rien, et alors j'insiste, je te fais des scènes, comme une pauvre connasse, j'ai l'air d'une harpie, j'ai honte, et toi tu fous le camp. C'est ton arme, ça. Tu fous le camp. Tu laisses un message : « Je n'en peux plus. « Il vaut mieux se séparer. » Rompre! Tu ne connais que ça. Il y a un problème, il faut le regarder en face, le résoudre, non, toi, tout de suite l'argument sans réplique : tu romps, tu n'es plus là, pfuitt, plus personne.

– C'est pas un argument, ni une échappatoire. Je te quitte parce que je ne vois rien d'autre à faire. Et bon, quoi, tu comprends très bien. Quand je décide de rompre, j'en suis malade, c'est comme si je me sortais les boyaux du ventre.

– Mais alors, pourquoi se faire du mal?

– Et pourquoi, toi, ne pas me prendre comme je suis? Avec mes contradictions, mes inconforts, et surtout cet énorme manque de caractère, qui est chiant, qui est horrible, qui complique la vie, mais qui est moi, après tout. Si tu veux juger moral, dis que je suis une larve, une merde, une couille molle, un fourbe, un faux derche, tout ce que tu voudras, les mots ne manquent pas, les mots pour mépriser, mais ne t'acharne pas à me vouloir autre que ce que je suis, à me faire faire ce que je ne peux pas faire. Si, à la fin des fins, je le faisais, je te le ferais payer. Oh! pas délibérément, mais je serais tellement mal dans ma peau, je ferais une telle gueule que tout serait gâché, bien pis que maintenant. Il n'y a pas que du mauvais, en moi. Prends le bon, laisse le reste. Si vraiment tu n'y trouves pas ton compte, ayons la force de nous séparer une bonne fois. La vie est courte. Surtout la mienne.

– Ecoute. Je tiens à toi. C'est pas ce que je fais de mieux, mais c'est comme ça. Quand je te crois vraiment parti pour toujours, je panique, je me conduis en folle, je ferais n'importe quoi. Mais je ne peux pas supporter cette situation en marge. La maîtresse clandestine cachée dans le placard aux balais, celle dont on ne parle pas, qui n'existe pas, qui se ronge en attendant tes apparitions... Tu sais ce que c'est, les week-ends d'une bonne femme sans mec? Les copines mariées qui t'invitent dans leurs campagnes? Les dimanches à regarder tomber la pluie pendant que le petit est chez son père? Les dimanches à t'attendre, parce que tu t'es laissé arracher la vague promesse que tu passerais, et moi, me méprisant d'être aussi conne mais me faisant belle, inventant des trucs extravagants pour te faire rire, excitée comme une gamine, puis de plus en plus certaine que tu ne viendras pas, pour finir sur mon lit, en pleurs, semant les kleenex barbouillés de mon beau maquillage de Cendrillon, jusqu'à ce que je m'endorme, au petit matin, au moment même où il faut se lever et remettre ça. Et je suis malade, et je suis écœurée, et je suis certaine que cette fois c'est bien fini, tu ne reviendras plus, et j'ai la trouille au ventre, et j'ai beau faire, le petit voit très bien dans quel état je suis, et il comprend tout, il essaie de me consoler, discrètement, et j'ai honte d'être aussi transparente, aussi conne, et va commencer une semaine de travail comme ça, toi! »

PARIS EN AOÛT

Sur le parvis de Notre-Dame, toujours le vent souffle. Toujours. Un vent ou l'autre. Par les étés les plus
torrides – et à Paris ils peuvent être vraiment
torrides – une brise folâtre caresse les joues, soulève les jupes. Les touristes juvéniles à barbes
rousses et à quincaillerie photographique ne le
savent pas : ils sont en jeans, mâles et femelles,
pour ce qui est des cuisses, et, pour ce qui est des
joues, sont enfouis jusqu'aux oreilles dans le petit
trou où l'on regarde avant de faire sortir le petit
oiseau. L'hiver, il tourbillonne là des rafales sibé-
riennes. Ce phénomène s'explique sûrement par un
effet pneumatique qu'on devrait pouvoir assez facilement mettre en équation, pour peu qu'on soit de
la partie. Le vent de Seine, imperturbable souffle
humide à senteur de grenouille qui se coule à ras
d'eau entre les hauts quais de pierre, se fait ici, n'en
doutons pas, happer en ventouse par quelque piège
à zéphyrs procédant du principe bien connu de la
trompe à eau, piège né tout à fait fortuitement de la
configuration géométrique de l'espace rectangulaire
délimité par la cathédrale, l'Hôtel-Dieu et la préfec-
ture de Police, chacun de ces utiles autant que
renommés édifices fermant un côté du quadrilatère
tandis que le quatrième bée sur le fleuve, plein sud.
Notons encore que le phénomène présente une

asymétrie qui donne à penser : sur la rive opposée, la gauche donc, là où la minuscule église Saint-Julien-le-Pauvre et son jardinet fleuri pas plus grand qu'une tombe de cimetière de campagne présentent une configuration sensiblement analogue bien qu'à échelle réduite, nul vent. Nul, veux-je dire, autre que le grand bête vent commun sévissant sur toute l'Ile-de-France ce jour-là. Ce qui tendrait à prouver que ceci est bien pure affaire de proportions.

De Notre-Dame à la Monnaie, il y a un petit kilomètre. On peut y aller par le quai rive gauche, ou y aller par la Cité, on peut y aller à la rigueur par le quai rive droite, mais alors il faudra de surcroît traverser la Seine sur le Pont-Neuf, ce qui fait bien trois cents mètres en plus. Il avait pris par le plus court, c'est-à-dire le quai rive gauche.

C'était un samedi, le premier samedi d'août. La matinée se traînait vers les torpeurs de midi. Paris, déserté depuis la veille, résonnait comme un appartement vide, on s'y sentait tout maigre tout chétif, perdu dans un pantalon trop grand. Les voitures clairsemées, tout étonnées de n'avoir pas le museau collé au pot d'échappement de la copine, fonçaient, chiens fous, dans ce vide rectiligne qui les happait, droit comme un dard, jusqu'à la Concorde, malheur au piéton! L'habituel matelas d'ouate sale à ras de bitume se réduisait à quelques effilochures fugaces et puait très supportablement.

Il flottait dans l'air un goût d'irréel plutôt grisant. Paris était à toi tout seul, chaque pavé, chaque garçon de café, chaque nuage, chaque femme, tu pouvais en faire ce que tu voulais. Il fallait se dépêcher d'en profiter, ça durerait un mois, pas plus. Le dépaysement des vacances, c'est à Paris, en août, qu'on le trouve. Les vacanciers ont emporté Paris-la-Merde aux Bahamas dans leurs valises, à nous Paris peinard.

En août, à Paris, les choses ne demandent qu'à

basculer dans l'excessif. L'allégresse y devient folie, le malaise angoisse de mort. Le vide de la ville énorme fait écho et amplifie.

Il était malheureux, or il vivait collé à sa ville, en résonance parfaite avec elle, et donc ce samedi d'août il n'était pas que malheureux, il l'était à en crever.

Il allait tout droit chez Gabrielle, et pourtant il n'y allait pas. Il savait qu'il n'irait pas. Il jouait à faire comme si. Il se donnait les affres. Et justement, la violence même de ces affres lui faisait sentir à quel point c'était fini, bien fini. Se répétait-il.

Les choses finissent toujours par arriver, les salopes. De conciliation en conciliation, le divorce, un jour, est là. De petites annonces du *Figaro* en rendez-vous d'agents immobiliers dans des XIIIᵉ à se flinguer , le trou à rats est là. Le temps qui passe gagne à tous les coups, l'ordure. Il lui suffit de passer, il n'a rien d'autre à faire, et il gagne. Voilà Gabrielle divorcée, plantée avec ses paquets et son gosse au beau milieu d'un logement vide. Pas le trou à rats, quand même. Pas non plus la chère vieille chose ample et désuète au fond d'une cour verte de mousse qu'elle a tant pourchassée... Le voilà avec sa divorcée toute neuve sur les bras, sa Gabrielle tremblante d'amour et d'espoir à l'aube d'une vie nouvelle. Disponible à cent pour cent. Jeune épousée, quoi...

Et lui... Eh bien, lui, la veille, il l'a simplement plantée là, comme chaque week-end, en bafouillant je ne sais quoi, comme chaque week-end. Elle a compris que rien ne changerait, jamais, elle le savait mais, là, elle a le nez dedans, elle contemple à ses pieds sa vie en miettes, tout ce gâchis, et ce grand con incoinçable, fuyant comme l'anguille, ces murs au papier bête, cette crasse d'autrui dans les coins, ces trois chaises sinistres, si drôles quand on se montait le ménage de poupée, tout ce que son ex lui a laissé emporter de ce qu'ils avaient choisi ensemble aux jours fleuris...

Il a dit fermement qu'il allait revenir avec des outils, qu'ils allaient s'y mettre, tous les deux, déblayer le plus gros, dès lundi. Lundi... Tout le discours ne tendait qu'à ce mot : lundi. Puis, vite vite, s'esbigner sur la pointe des pieds.

Cette fois, ça s'est passé très mal. Les autres fois aussi : ils ont l'un et l'autre un penchant morbide pour le tragique, c'est tout de suite la rupture et l'inexorable. Mais, là, tout à fait très mal. Il se déteste. Et la déteste de le foutre dans des inconforts pareils. D'être aussi immensément malheureuse. Il ne peut même pas être malheureux pour son compte à lui, bien à fond. La culpabilité lui ronge le dedans du crâne, pauv'lapin. Il se dit « Pauv' lapin! » Et savoure l'amère dérision. C'est qu'il est lucide! N'a pas d'illusions sur lui-même. Terriblement lucide. S'il avait autant de volonté que de lucidité...

Une rupture, c'est aussi le soulagement. Enfin, ce devrait être. Un peu. La vie de jeune homme retrouvée, entrevue tout au bout du tunnel, pour quand cicatriseront les moignons. Ecrabouillé, déchiqueté, mais, de nouveau, disponible... Et ce soulagement, cette pâle consolation de la rupture, il lui en veut, à elle, de les lui gâter. Il la revoit sanglotante, recroquevillée sur son matelas, tassée dans un angle du mur comme un chien en fourrière... Il ne peut pas supporter l'idée de ce désespoir, voilà. Merde, c'est dur d'être dur...

Pourquoi demande-t-elle tant, aussi, cette grande conne? Absolue comme une chèvre. Et ce besoin de tout dire, de tout mettre à plat, toujours... Lui, bon, il ne savait pas, au départ, qu'il n'était pas doué pour l'amour total, l'amour-brasier, l'amour fou. Il s'y croyait, cet homme. Non qu'il ne soit pas capable de flamber. Il a flambé, il flambe toujours. Seulement, aussi ardentes soient ces flammes, aussi haut crépitent-elles, elles ne le dévorent pas corps et âme, voilà. Son cœur porte un gilet d'amiante. Il est un pantouflard de l'amour, un passionné mais faut que je rentre c'est l'anniversaire du gosse, un comptable de ses transports, un vieux con qui veut péter plus haut que son cul.

Elle, une kamikaze. Ne mégote pas. Fout tout en l'air, mari, avenir, le bonheur n'en parlons pas, risque même d'y perdre son gosse, la prunelle de ses yeux, pour ce quasi-sexa à fausse belle vieille gueule d'aventurier-poète, bidon comme c'est pas permis, plus qu'à moitié ramolli, un pied dans l'hospice l'autre dans les chrysanthèmes, et tout ce passé, et tout ce présent terriblement présent qu'il traîne à la queue comme un chapelet de casseroles...

Elle voit tout ça, il le sait bien, qu'elle le voit. Toute cette misère. Simplement, elle a décidé de ne pas le voir. Elle se fabrique un bonhomme à elle, tel qu'elle se le veut, et rien ne l'en fera démordre. Il a beau lui gueuler la vérité, et qu'il n'est qu'un petit vieux lubrique, et qu'il aime sa femme, très fort, et qu'il lui a menti, et qu'elle l'emmerde, et qu'il n'en demande pas tant, et que tout cet amour l'accable et l'écrase, elle écoute, attentive, les yeux effrayants de colère et de douleur, puis plonge dans la grosse ravageante crise, puis fait comme si de rien n'était. Suit sa vérité à elle... Machine folle. Piège à rat. Horrible.

Il a les yeux plus gros que le ventre, il a voulu péter plus haut que son cul, et maintenant il mesure la hauteur exacte de son cul : à ras de terre. Oh! pas vexé! Quoi qu'il puisse découvrir sur lui-même, il s'aimera toujours, il se l'est juré. Il sera jusqu'au bout son propre meilleur ami... Bien sûr, il aimerait bien s'admirer. Il se préférerait grand superbe héros romantique, se jetant tête baissée dans l'ouragan, vivant cet amour à corps perdu, sans peur du vertige, sans calculer, sans comparer, sans se dire « Demain ? », sans se dire « Et l'autre ? », et tant pis pour les dégâts, tant pis s'il en est qui souffrent, fonce, laisse-toi aller, tu n'as jamais aimé comme ça, peu de gens aiment comme ça, c'est trop beau, c'est trop rare, fais comme elle, avec elle, à fond... Il se préférerait tel, mais voilà, il ne l'est pas.

Si seulement il ne l'aimait pas, ou pas autant... Décidément, la vie est dure pour les compliqués, les ambivalents, les irrésolus, les chimériques, les fromage ET dessert !

L'horrible nuit. Elle ressassait, ne comprenant pas pourquoi cette main qu'elle léchait la repoussait :

« Pourquoi ?... Pourquoi n'ai-je pas droit à un peu de ton temps ? Puisque j'ai admis le partage... Puisque ta femme l'a admis, tu me l'as dit... Pourquoi me laisser seule, tout le temps, tout le temps, puisque tu m'aimes ? »

Pourquoi ? Eh, pardi, par lâcheté. Faut te faire un dessin ? Mais les intrépides ne comprennent tout simplement pas les lâches. C'est pourtant facile à comprendre, la lâcheté, non ? Je t'aime, tendrement, profondément, un jour sans toi me ravage et me panique, et voilà, crois-le si tu veux, j'aime Tita tendrement, profondément, j'aime notre vie, ou plutôt je m'y suis fait mon trou, cahin-caha, pas toujours très confortable mais c'est mon trou, je ne veux pas avoir à trancher, m'amputer de l'une ou de l'autre serait abominable, je veux tout et, comme je ne peux pas être en même temps ici et là-bas, je cours de l'une à l'autre, c'est exténuant, et puis j'ai horreur de faire mal, surtout à qui j'aime, quand je fais mal, même malgré moi, c'est moi qui ai mal, or je ne peux éviter que l'une au moins ait mal, et plus souvent les deux ensemble, alors ma vie est un tohu-bohu de tourments et d'angoisses, une agonie, une abomination, et tout ça est con à pleurer, voilà, voilà, voilà...

Qu'est-ce qu'il fout là, au coin de la rue Dauphine, sous le gros soleil en carton, bousculé par des bordées de gaillards aux cuisses à l'air, de terribles cuisses panées de duvet roux, saine jeunesse nordique, grosses grasses cuisses con, tu remontes jusqu'à la gueule, confirmation : grosse gueule de bon con tout rose bien gentil bien con, yeux de faïence, bonheur d'être loin de papa-maman et d'y être en bande, vague peur de perdre la bande, gros poussins rouge bleu jaune groupés serré, literie rouge bleu jaune roulée bien propre oscillant au-dessus des têtes joufflues entre deux tiges d'aluminium. Il les hait. Il hait tous les touristes, jeunes et vieux, raz de marée de groins béats. D'habitude, il se dit : « Mais, bon dieu, quel intérêt de voyager quand on est aussi moche ? Quel plaisir ? Avec leurs gueules de cons, ils foutent en l'air le paysage. Paris est un aquarium. Nous, les Parigots, sommes les poissons rouges de cet aquarium-là, et ces millions de bons cons qui nous regardent à travers la vitre avec leurs yeux de veau... »

Aujourd'hui, il ne les voit pas, les yeux de veau. La vitre est brouillée. Il a foncé jusqu'à ce carrefour parce que c'est comme ça qu'il marche : en fonçant. Ça date du temps où il croyait à la culture physique, où il espérait que la marche à pied et le vélo gonfleraient les misérables pattes de héron dont lui a fait cadeau la nature, cette truie hilare. Les mollets n'étaient pas venus, il ne lui était resté que l'habitude d'arpenter le trottoir à enjambées d'autruche et d'avaler les escaliers comme s'il y avait un jambon à décrocher là-haut... Il a foncé, bon, eh bien il n'a plus qu'à foncer en sens inverse. Après tout, pas de problème jusqu'à lundi, l'emploi du temps est tracé... Ouais, s'il n'y avait pas la bête qui lui bouffe le ventre.

Bon dieu, que ça fait mal! Il s'en veut d'être malheureux comme ça. Et ça ne fera qu'empirer, il se connaît! Une rage de dents, ça se soigne par l'aspirine. Le mal d'amour, par le raisonnement, non? Il se raisonne, il se secoue les puces :

« Enfin, quoi, elle n'est pas si unique, cette bonne femme! C'est dans ta tête. Tu t'hallucines. Tu te racontes des histoires, et tu les écoutes, bonne pomme. Tu fais une fixation, comme elle dirait, rien de plus... Finalement, quoi? C'est une grande bringue avec un gros cul et des petits seins. Et un nez qu'est même pas le sien, et raté, en plus, et qui jure avec le reste. Dans cinq ans, dans dix ans, ce sera une jument osseuse posée sur ce cul qui se sera écrasé comme une poire blette, elle finira par tomber dans son cul, au fond du sac à merde, bourrelée de cellulite, culotte de cheval, gras bide mou livide, nichons comme des peaux de raisin recrachées... Et ses joues fleuries, ses bonnes joues rouges, trop rouges, la couperose qui menace à fleur de peau, eh bien, elle ne menacera plus, elle sera là, la couperose, en gros plan, en relief, violâtre, dégueulasse, une carte du métro... Elle s'emplâtrera la gueule de kilos de fard pour la cacher, mais que dalle! Descends de ton rêve, Machin, ouvre les yeux, vois demain. Vois-la. Telle que. Matrone. Hommasse. Tas de graisse en bas, paquet d'os en haut. Une paire de tenailles sur une citrouille. Et flétrie. Amère. Chiante. L'œil bordé de rouge d'avoir tant pleuré. Le pli fané qu'elle a déjà au coin de la bouche, il pendra jusqu'où? Cette lueur de folie qui lui court dans les yeux et qui te fait peur, elle flambera jusqu'où? Parce que tu lui auras fait la vie saumâtre, forcément. Tu lui auras fait payer tout au long ce viol qu'elle te fait subir. Tu n'auras pas voulu ça, t'es pas méchant, mon pauv'gros, mais ça se sera fait tout seul. Elle te prend de force, elle va le payer, jour après jour, jour après jour, la conne.

Ça lui aigrira l'humeur et lui brouillera le teint, toutes ces larmes, ces paroxysmes, ces nuits blanches, ça lui ravagera la gueule dans le sens de la longueur, comme un torchon sale pendu à un clou. Les névrosées, ça vieillit mal. »

Il parle tout haut. Il fait les gestes, il mime les grimaces. Deux colosses blonds à cuisses de chevaux de brasseur se marrent, gentiment. Ils disent quelque chose qui se termine par « ... verrückt, Mensch! » Il leur crache « Je t'emmerde! », leur fait un bras d'honneur hargneux, et puis il regrette, mais son premier mouvement est toujours un sursaut agressif, et toujours sur le mode crapuleux. « Je sue la haine, se dit-il. Je dois avoir l'air d'un petit Français aigri à la Reiser. Me manque le béret basque et la baguette sous le bras... Oh! et puis, merde, z'avaient qu'à pas être là, eux et leur mark à la con... »

« Et moi, hein, où j'en serai, moi, dans cinq ans?... Cinq ans? Même pas! Qu'est-ce que je dis?... Demain... Tout de suite... C'est déjà fait, mon grand. En plein de l'autre côté. Tes soixante berges, c'est pour dans quatre ans. Trois et demi, triche pas. De quoi j'ai l'air, moi, vieille croûte bien conservée, à côté de cette triomphante? De quoi j'aurai l'air, la semaine prochaine, ou celle d'après, quand le définitif coup de vieux m'aura cinglé la gueule, en traître, comme il fait toujours?... Tu ne fais pas ton âge, tu juvéniles, tu as le mollet sec, le dos ferme, la tête agile sur sa rotule bien huilée, tu as tous tes cheveux et même du rab, tu sautes le portillon du métro dans la foulée, comme négligemment, comme pas un de ces avachis de jeunots de maintenant... Cela va de soi, c'est la moindre des choses puisque c'est toi... Tu ne te rends pas compte que les plus hideux vieillards sont justement les « bien conservés », les toujours bon pied bon œil? On les imagine bouffés de l'intérieur par les termites, le vide intégral sous la peau trop rose... Eh, si, tu le sais, et la preuve, mais t'as beau savoir, on a beau savoir, ça n'exorcise pas. Un vieux con qui se surveille et qui se contemple se surveillant est quand même un vieux con qui se surveille... Et, un matin, un sale matin, tu as soudain ton âge, le vrai, comme l'ont les copains : gueule grise, bajoues tremblantes, dos affaissé, œil trouble, gestes cassés, tout peureux tout frileux. Plus d'illusions. Plus de demain... Ah! ah! tu te figurais peut-être que t'allais garder ton avance jusqu'au bout, béni des dieux, détaché du peloton, et regarder les copains devenir moches et cadavres vivants et puis cadavres tout court, et toi, frais comme l'œil, les mains en haut du guidon, t'augmentes même ton avance, tu creuses l'écart... Tu rajeunis, ma vache! Tu vas la blouser, la mère Squelette! Jamais été aussi en forme! Tu cavales comme à vingt ans, baises trois fois plus et dix fois mieux, dans ton boulot tu es un chef, tu n'en as jamais assez, tu leur en fous plein la vue les roule tous dans la farine, tu n'arrives pas à comprendre comment les autres, ceux qui étaient à l'école avec toi, ont bien pu se laisser devenir ces larves flasques, cabossées de hernies, essoufflées, asexuées... Ces bides! Ces cous! Comment peuvent-ils se supporter? Toi, tu te serais flingué, plutôt, eh?... Alors, voilà, champion, ça ne se fait pas petit à petit. Ça te tombe sur la gueule d'un coup, comme un cent de briques quand la corde de la poulie a cassé. »

Là, il s'aperçoit qu'il a glissé, va savoir comment ça c'est fait, de la rage contre Gabrielle à l'attendrissement sur ses propres futures varices. Mais puisqu'il s'en aperçoit, qu'à cela ne tienne : il se prend par l'oreille et se ramène à ses moutons... Et estime que trois fois le tour du quartier Buci-Dauphine-Institut, ça commence à bien faire. Il décide de boucler le quatrième tour, puisqu'il est commencé, et d'arrêter les frais. Profite de ces derniers cent mètres pour se jurer que, dût-il en crever, il ne la reverra pas, jamais, d'ailleurs elle l'a chassé, elle se l'est extirpé, merci pour le coup de main, il s'est déchiré le ventre une fois pour toutes, maintenant il retourne à ses espadrilles, à ses pantalons troués, à ses barbes de quatre jours, à ses chers bouquins, à Tita dont il n'attend rien, qui ne laissera rien voir, mais dont il sait (ou croit savoir) qu'elle sentira une allégresse s'épanouir dans un petit recoin d'elle en dépit qu'elle en ait. Et, nom de dieu, fini de rêver! Le cœur, la tête et la braguette : coucouche-panier. Tu as l'âge, pépé, amplement l'âge. Fous la paix aux fillettes, laisse les jeunes mamans tricoter tranquilles dans leurs Luxembourgs. Tu fais trop de mal, pépé, et t'as pas l'estomac pour...

Il voit son reflet dans une vitrine. S'interpelle :

« Sale faux jeton! Allez, dis-le : finies les emmerdes! Ce sera plus franc. »

Il est arrivé. Arrivé! Il n'avait nulle part où arriver. Qu'aurait-il à faire dans cet immeuble genre « Habitations à Bon Marché » des années trente, sévérité de bon aloi tempérée de brique rouge et de mansardes tarabiscotées, cet immeuble rococo qu'il a vu construire, il s'en souvient très bien, ouh, le vieux laid! Son cœur cogne, mais c'était prévu, non? Cette saleté de poigne qui te broie la tripe, cette envie malsaine de rôder, de gravir « son » escalier, d'hypnotiser le bouton de « sa » sonnette, c'était prévu, archi-prévu. Allez, assez fait joujou. Tu as bien flirté avec ton gros bobo, tu as eu ton compte, maintenant tu t'en vas, bien sage.

D'ailleurs, Gabrielle n'y est pas, il se rappelle tout à coup. C'est le jour où elle travaille dans cet hôpital pour enfants déglingués, au diable vauvert, trois heures de train, elle en revient grise de fatigue, s'illuminant soudain s'il est venu l'attendre à la gare. Eh, mais ça résout tout. Gabrielle n'est pas de l'autre côté de la porte, la sonnette n'est qu'une sonnette, arrête le cinéma... Du coup, puisqu'il n'y a plus de danger, il sent lui monter des attendrissements. On change de film. La tigresse cramponnée à sa proie devient la pauvre petite Cosette si malheureuse à cause de lui, bourreau d'enfants... Elle va rentrer ce soir, crevée, l'âme en berne, sera accueillie par ces paquets en vrac dans ce désert méchant. Il va lui faire une surprise. Il aura déballé l'essentiel, déblayé par-ci par-là, planté trois clous, mis le couvert, il a le temps de lui faire ça avant de partir, ça lui réchauffera le cœur, vaut mieux se quitter gentiment que comme deux chiens furieux qui emportent chacun un morceau de la viande de l'autre dans la gueule, non?

Pauvre de lui. Faible lui. Triste nouille, qui se ment à lui-même, et qui ment si mal!

Bon. Il me faut, se dit-il, quelques outils, un minimum. Le problème est passé sur le plan pratique, et même manuel. Il est à son aise. Plus de tourments psychologiques du type « Retournons flairer les lieux où elle eût dû être », n'est-ce pas? Rien à voir. Du sain. Du net. De la bonne action.

D'abord, acheter. Acte simple, acte direct, acte revigorant. A l'autre bout du Pont-Neuf, en plein dans l'axe, barrant la perspective, il y a la Samaritaine. Hideuse audace des années folles plantée comme une dent gâtée à mi-chemin entre Louvre et place Dauphine, seule fausse note, mais vociférante, de cette rive droite depuis la Concorde jusqu'au pont de Sully, la chère vieille pute racoleuse lui tend les bras. Le jour, ça peut encore aller, les années ont passé dessus, la pierre s'est patinée vieille pierre, les outrances Art Déco sont devenues à leur tour objets de musée, et bien pâles bien cucul comparées aux apocalypses verticales du Front de Seine, le monstre tout doucement se fond dans l'ambiance gorge-de-pigeon qui est la chère douce mélancolique couleur de Paris... Mais, dès le crépuscule, l'horrible salope flambe jusqu'au ciel du strass canaille de ses néons. L'incendie écrase le quartier, efface le Palais de Justice, Saint-Germain-l'Auxerrois, le Louvre même, et fait rage jusqu'au fond des eaux noires de la Seine, où il s'éparpille en de rouges tremblotis.

Il abomine cette chienlit, mais il aime les grands magasins, il les a toujours aimés. Sa timidité s'y rassure, pas de contact humain, pas de vendeur collant, tu fouilles, tu cherches, tu te démerdes. Surtout les sous-sols à quincaillerie. Ce sont ses greniers de grand-mère à lui.

Il se faufile, poisson dans l'eau, parmi les petits vieux bien propres bien râpés errant à la quête du Graal fabuleux, le bidule infime mais irremplaçable pour réparer la sonnette du pavillon de Bry-sur-Marne. Il écarte les beaufs péremptoires essayeurs de systèmes d'alarme électroniques contre les cambrioleurs, « J'en pique un chez moi, aussi sec je le bute, aussi sec, pouvez me croire, ah, ça, pas un pli, arrivera ce qu'arrivera, m'en fous, il l'aura toujours pris dans la gueule, merde, et puis d'abord ils vous acquittent à tous les coups, ils voient bien la bonne foi éclatante, non mais quand même, quoi, on n'a pas assez de mal à le gagner, peut-être ? » Il picore ici et là un marteau, une égoïne, des tenailles, des pinces à tout faire, un mètre en bois jaune, un tournevis, une équerre, une chignole électrique... Non. Pas la chignole. Une chignole, ça s'achète pas comme ça, comme un pot de yaourt, faut y avoir pensé avant, en avoir bien dégusté l'envie, créer l'état d'âme, quoi. L'achat d'une chignole, ça se rêve longtemps. Des clous, des vis, des prises de courant, du fil... Bon. Ça fait un paquet plausible. Lourd, même.

Son sac-réclame au bout du bras, il enjambe encore une fois la Seine, sur le Pont-Neuf. Il y a des choses dont il ne se lassera jamais, par exemple enjamber la Seine sur le Pont-Neuf. Jusqu'au milieu du pont, ça monte. Là, il y a Henri IV sur son cheval qui fait signe de venir le rejoindre à une tendre salope des mansardes d'une des deux maisons dix-septième authentique tout brique et pierre de taille en sentinelles à l'entrée de la place Dauphine, viens ma colombe, j'ai de quoi te rendre heureuse, si ça ne te suffit pas il y a mon cheval. Et puis ça plonge vers la rive gauche, un dos-d'âne ça s'appelle, Henri IV sur le dos du cheval et le cheval sur le dos-d'âne, hi hi. Dans les demi-lunes à droite à gauche, sur les bancs de pierre, la jeunesse nordique étale ses cuicuisses au soleil dans le plus beau paysage urbain du monde, tout ce qu'elle voit c'est qu'il y a du soleil, la jeunesse nordique, du soleil qui bronze, et aussi des clochards qui se finissent au douze supérieur et dégueulent violet, très typique, ça c'est Paris, clic, clic, les objectifs japonais cliquettent, t'as pas cent balles, mon frère, what does he say, was sagt er, cosa dice, tiens, le dernier Boche est un Rital, non capisco, alors va te faire enculer, si tu veux ma photo tu paies un litre, quoi, merde, on n'est pas des estatues, pas confondre, plus loin un couple s'emmêle les langues et pistonne des joues comme n'importe où ailleurs mais ils sont venus à Paris exprès parce qu'à Paris c'est meilleur c'est suprême, Paris et Venise, il n'y a que là, c'est écrit dans le dépliant du charter.

PARIS EN AOÛT, SUITE ET FIN

Il a une clef. Elle lui a dit : « Tiens, voilà ta clef. »
Solennelle. Lui signifiant par là qu'il est chez lui.
« Non : chez NOUS. » L'ascenseur expo coloniale se
dandine pouf-pouf-pouf jusqu'au sixième. Il a de ces
portes en bois, à ressorts, qui battent des ailes et
bringuebalent des vitres. Pas question de s'en
extraire discrètement. Tu retiens les deux portillons
avec un coude et un pied le temps que tu ouvres la
porte de palier en ferraille ouvragée, là tu te faufi-
les, malin comme tout, et quand tu crois avoir
gagné, les deux machins t'arrivent dans le cul bien
ensemble, à toute volée, et rebondissent, encore et
encore, dans une fracassante allégresse de verre
secoué. Si tu as un paquet à la main, tu peux t'y
prendre comme tu veux, les sacrées portes le happent comme ces trucs vicieux des flippers happent
la bille, tu vois, et ton paquet reste de l'autre côté.
Démerde-toi.

L'ascenseur aujourd'hui est en grande forme. Il
finit par se retrouver à quatre pattes sur le palier, le
contenu du sac en plastique répandu sur le plancher de la cabine. Les portes farceuses jouent à se
renvoyer ses petites ferrailles éparpillées. Il jure
bordel à queue trois ou quatre fois, pas trop fort
quand même, le tapis rouge de l'escalier l'impres-
sionne.

Il a remarqué depuis quelque temps que les objets lui ont déclaré une guerre sournoise. Il est couvert de bleus, de pinçons, d'estafilades, de brûlures, tous ses ongles sont cassés ou fendus. Même ses dents sont contre lui. Elles lui mordent sans prévenir la joue ou la langue, sauvagement, et puis remordent au même endroit, juste au même. Vingt fois par jour. C'est ça qui fait mal, tiens! « Voilà, c'est l'âge, pense-t-il. On contrôle moins bien, on ne coordonne plus. Déjà que j'ai la mémoire bouffée aux mites... Maman! Je commence tôt... Cinquante-six ans, c'est un peu vache, non? Encore un instant, monsieur le bourreau! » C'est ce qu'il se dit dans les moments de déprime. Aux autres moments, il met ça sur le compte des délabrements consécutifs aux angoisses de l'amour. « Cette vie de dingue archi-dingue me fout les nerfs en l'air. Voilà où mène la rage du cul, pépé! Et on n'a encore rien vu... T'as pas honte, vieux con? » Eh, non, il n'a pas honte. Il a des choses très inconfortables très pénibles, mais honte, non, sûrement pas.

Il sonne. Il n'y a personne, en principe, mais des fois que... Eh bien, décidément, non. Il enfonce « sa » clef dans cette serrure qu'il connaît encore mal. Un tour, deux tours. Ça s'ouvre. Tiens, remarque-t-il au passage, il y a une autre clef à l'intérieur. Ah! non, raisonne-t-il, quand il y a déjà une clef dans une serrure, on ne peut pas en introduire une deuxième, ça, pas moyen. Tout fier d'avoir la tête logique et de savoir des choses. Et puis il prend note que cette porte-là est exceptionnellement épaisse et le cylindre de la serrure exceptionnellement long, assez long pour accepter l'introduction d'une clef par chacun de ses bouts à la fois. Les clefs sont d'ailleurs très courtes. C'est une de ces serrures modernes qui commandent, en même temps que le pépère verrou, un ingénieux système de barres de fer s'enfonçant en haut et en bas, la nique

196

aux voleurs, mais *Que Choisir* vous démontrera que c'est tout à fait bidon bien que hors de prix, les voleurs ont évolué encore plus vite... En arrière-plan, un petit secteur sans importance de son cerveau grignote dans l'ombre. Une clef à l'intérieur? Sa, donc, clef, à elle? Elle est là, donc? Choc dans la poitrine... Mais si elle a laissé la clef sur la porte, c'était après l'avoir fermée, la porte? Afin que personne, même possédant une autre clef, ne puisse l'ouvrir? Alors, fin de déduction, elle est là, enfermée à double tour? Car c'était bouclé à double tour, il sent encore, dans le gras de son pouce, l'effort des deux tours...

L'écureuil, dans sa tête, ne grignote plus, il pédale de toutes ses petites pattes dans sa petite roue. Il prend soudain conscience qu'il est dans le drame, en plein dedans. La panique lui fouette le sang. Et lui éclaircit les idées. Il est l'homme de la panique. Lucide, méthodique, œil-de-lynx. Voyons voir. Elle s'est enfermée. Très bien. Personne ne sait qu'elle est là. Tout le monde est parti se bronzer le cul au diable, c'est l'août en plein. Personne, même, ne connaît sa nouvelle adresse, sauf moi, mais justement je l'ai quittée pour ne jamais revenir, en tout cas pas avant lundi. Eh bien, pas de doute, je vais la retrouver saignée à blanc, ou aplatie sur le trottoir. Six étages, c'est tentant. Il sent sa peau se hérisser tout le long de son dos.

Il hurle :

« Gabrielle! Gabrielle! »

Tout surpris de la méchanceté de sa voix. Il gueule en articulant bien. « Comme un con! se dit-il. Elle est ou pas là, ou morte. Pas sourde. » Il ouvre des portes. La cuisine s'offre en premier. Déserte. Minuscule et déserte. Pas d'odeur de gaz. Et d'une. La grande pièce sur la rue. Pas de Gabrielle allongée sur la moquette. Ni debout, d'ailleurs. Les fenêtres ne battent pas au vent, les rideaux ne flottent pas, tragiques, dans le courant d'air. Il se penche quand même par-dessus la rambarde du petit balcon. « Comme si elle aurait refermé soigneusement la fenêtre derrière elle avant de plonger! » Le trottoir s'étire au soleil, innocent comme l'agneau. A la verticale, écrasée par la perspective, une concierge portugaise promène une meute de chiens au bout d'un faisceau de laisses : les chenils sont hors de prix, et puis, là, c'est personnalisé, elle leur cause. La Portugaise balance un coup de latte à un chow-chow qui prétend poser sa crotte alors que les autres veulent trotter. Il a le temps de voir, par-dessus les toits, alignés côte à côte comme les joujoux d'un gosse un peu demeuré, de gauche à droite : la tour Eiffel, l'Académie, le Louvre, Saint-Germain-l'Auxerrois, le Sacré-Cœur. Il a le vertige. Il rentre vite la tête. « Quelle façon con de se tuer! »

Il parcourt les pièces. Tout ce vide sonore. Partout des caisses de carton, carrées, des paquets, mous. Pas défaits, à demi défaits laissés en plan... Il veut se rassurer. Elle sera descendue boire un café. Mais la clef en dedans? Merde, c'est vrai. Oh! ça doit pouvoir s'expliquer... Il finit par remarquer que le désordre n'est pas si désordre que ça. Il y a des petits tas. Avec, s'avise-t-il, sur chaque tas, un bout de papier griffonné à la diable. Il en déchiffre un. Pas à la diable : c'est son écriture, elle est comme ça toute ronde, elle chaloupe et tortille.

« Ces livres appartiennent à Lucienne Briac. Je les lui rends, et je lui fais cadeau de ces bijoux sans grande valeur mais que je sais qu'elle aimera en souvenir de moi. »

Ouh là là! Il sent se dresser ses cheveux. Si, si. Pas en pelote d'épingles, mais strictement le long d'une ligne qui prolonge la colonne vertébrale. Une crête. Une crête d'horreur.

Un autre tas :

« Il y a dans cette enveloppe tous les documents concernant une police d'assurance sur la vie souscrite au bénéfice de François C... François, je tiens expressément à ce que tu touches cette assurance, elle couvre même le suicide après un certain délai que j'ai eu soin de respecter. Tu en placeras la moitié au nom de mon petit garçon. Le reste est pour toi, pour tous les frais que je t'aurai causés. Merci. »

Eh, ben... Cette fois, c'est sûr. Mais où, bon dieu, où ?

Il n'y a plus que la salle de bain. Elle est si petite... Inconsciemment, stupidement, il la gardait pour la fin, les grandes pièces d'abord, et puis en suivant l'ordre hiérarchique descendant, n'est-ce pas... Il resterait baba devant la splendeur de sa connerie, s'il avait le temps. Ou peut-être que, « quelque part », il savait que ce serait là ?

La porte ne s'ouvre pas. Il y a quelque chose qui bloque. Quelque chose de massif, d'élastique. Il pense « Nous y voilà ». Ses mains ont la tremblote. S'arc-boutant au mur d'en face, il réussit à forcer quelques centimètres de jour. Il distingue une espèce de tas de chiffons, par terre. Sa robe de chambre en velours noir râpé, épaules gigot, taille de guêpe, une friperie 1900 qu'elle adore.

Elle est couchée sur le carrelage, tout de son long, sur le dos, comme un gisant de crypte gothique, son cul coince absolument, bourré de force entre porte et baignoire, vachement calculé son coup, va m'ouvrir ça, toi.

Il repousse l'affolement qui monte, qui monte... Trouver un truc. Un bout de bois, une tringle... Il trouve un balai. Pèse de l'épaule sur la porte aussi fort qu'il peut, écrase la tendre chair. Faufile le manche du balai par la fente, sous le dos. Soulève le balai à deux mains, la porte maintenue poussée à fond avec la tête. C'est lourd, à bout de bras, comme ça. Et si elle est déjà raide? Filet glacé le long de la moelle... Mais où va-t-il chercher des idées pareilles? Eh, se répond-il, si elle est raide, c'est qu'elle a basculé de l'autre côté depuis un bon bout de temps, Ducon, plus rien à faire... Le torse se soulève, la charnière des reins plie, elle n'est pas bloquée, elle n'est pas raide, y a de l'espoir! C'est ça qui donne des forces!

Il finit de soulever le buste, du même mouvement pousse avec sa tête de quoi se faufiler en s'arrachant les oreilles, le voilà dedans.

Elle est répandue, absolument plate, à deux dimensions. Peinte sur le carrelage. Il soulève une main, c'est du chiffon. Prend doucement la tête, qui s'abandonne et roule, comme si le cou était la ficelle d'un bilboquet. Les yeux ne montrent que du blanc, la mâchoire pend. Il colle son oreille à la blanche poitrine, c'est ce qui lui vient à l'idée. Il cherche le cœur. Il n'y a pas de cœur. Elle est froide. Est-elle vraiment froide? Par rapport à lui, oui. Par rapport au carrelage, ça se discute.

Merde, merde, merde, merde, merde, panique-t-il. Elle l'a donc fait! Elle est de celles qui le font... La vache! Qu'est-ce qu'elle a bien pu se trafiquer? Va savoir... En tout cas, pas de sang. Bon, la sortir d'ici.

Il empoigne Gabrielle aux aisselles. Bon dieu, ce que c'est lourd, de la bonne femme morte! Et cette putain de porte à contresens! Et le temps qui cavale, le sale con... Dix minutes de corps à corps avec ce sac de tripes inerte auquel pendouillent deux jambons de plomb, ça traîne derrière, ça s'emmêle et vous fait casser la gueule, et la saloperie de tête qui bascule en avant, en arrière, cou cassé...

Il y arrive. Traîne tout ça sur la moquette jusqu'à la grande pièce, la mieux éclairée. Cale la tête contre un mur. Maintenant?

Appeler un docteur, pardi! Un docteur... En août... Heureusement, le téléphone est branché. S.O.S.-Médecins... Numéro? Renseignements. Le douze. Le terrible douze. D'avance, il trépigne de rage impuissante. Jamais le douze n'a débouché sur autre chose qu'une exaspérante sonnerie dans le vide. Jamais, depuis qu'existe le téléphone, personne n'a obtenu un renseignement par les Renseignements... Et bing, au premier coup, ça décroche.

« Allô! Ici les Renseignements. J'écoute. »

« Mon jour de veine », a-t-il failli se dire. Tellement surpris qu'il bafouille.

« S'il vous plaît, le numéro de S.O.S.-Médecins, vite, vite, c'est une urgence, cas de vie ou de mort! »

Il a dit « cas de vie ou de mort », parfaitement. Comme Louis Jouvet dans... Dans un film ou l'autre. C'est bizarre, la spontanéité. On lui donne le numéro. Il dit « Merci ». Le gars des Renseignements lui dit « Faites vite! Et bonne chance. » La voix navrée. Bon petit gars. Il appelle S.O.S.-Médecins. Il explique. Il se rend compte qu'il se fait la voix un peu plus haletante que nécessaire. C'est pour convaincre le médecin S.O.S. Crier plus fort qu'on a mal si on veut être entendu.

« Vous serez là dans combien de temps?

– Donnez-moi déjà l'adresse! »

C'est vrai... Il la lui donne.

« Comptez cinq minutes. Moins, si je peux. »

Il se souvient tout à coup que la porte sur la rue ne s'ouvre qu'au moyen d'une clef, chaque locataire a la sienne, et aussi que la loge est vide, la concierge est partie se tremper les orteils dans l'eau polluée, y a pas de raison, et que par conséquent S.O.S.-Médecins trouvera porte close à moins qu'il n'aille l'attendre en bas... Oui, et laisser Gabrielle toute seule? Gabrielle peut-être pàs tout à fait... Il est persuadé que, s'il la quitte de l'œil une seconde, elle va passer de l'autre côté, elle n'attend que ça...

Ce que ça peut être long, cinq minutes... Comment ça se cherche, les signes de vie? Une glace de poche, comme dans les bons auteurs? Il tournaille. Pas de glace de poche, dans ce bordel. La seule glace a un mètre de haut, d'ailleurs elle est fixée au mur.

Il scrute le visage sans couleur où les ombres, déjà, verdissent. Rien. Marbre. Neige. Eternité. Et voilà que, dans le coin de son œil à lui, quelque chose a bougé. Croit-il. Mais quoi? Pas sur le visage. Plus à droite. Quoi, bon dieu? Ça y est : le revers de la robe de chambre. L'extrême bout de la pointe du revers de vieux velours noir. Il ne le regardait pas, mais son œil l'a très bien vu bouger, l'extrême coin de son œil, à la limite de la zone de visibilité, là où c'est tout flou. Ou bien a-t-il cru le voir bouger? Il s'écarquille sur le triangle de velours, à en loucher.

« Tu vas bouger, saleté? Tu vas bouger, oui ou merde? »

Les secondes passent. La pointe du revers a enfin comme un frémissement, oh, presque imperceptible. Il faut vraiment avoir envie qu'elle bouge. De nouveau immobile. A croire qu'elle n'a jamais bougé. Qu'elle attend qu'il ait le dos tourné. Secondes, secondes... Et voilà, ça bouge, à peine à peine. Cette fois, c'est sûr, c'est sûr. Il a vu. La longueur du revers amplifie le tout hésitant tout faible battement, et ça donne ce tremblotement infime.

Il sent un formidable soulagement lui vider le corps. Comme un furoncle qui, d'un coup, aurait crevé. En même temps, une excitation lui fourmille partout. Avant tout, rendre ça bien évident.

Il regarde alentour, avise une plume de paon. Une plume de paon! Qu'est-ce qu'elle fout là? Voyons, c'est tout à fait le genre de truc à trouver chez une jeune femme romanesque et fantasque, non? Il ramasse la plume, la fixe au revers du machin par une boutonnière qu'il taille à coups de dents, c'est très joli très chatoyant, et comme sensibilité, pardon : cinquante centimètres de tige, chaque tressaillement du revers fait sursauter l'œil de la plume d'un bon centimètre. Tu regardes fixement l'œil, ça ne bouge pas, rien, longtemps longtemps, et puis, toc, le petit sursaut... Il peut courir en bas tenir la porte ouverte au docteur S.O.S., il pourra lui affirmer que, le temps de descendre, elle était encore en vie, que donc elle est rattrapable. L'ascenseur oscille en se cognant les hanches, comme une grosse mère dans un sentier de montagne avec des souliers trop petits.

Pas de docteur en vue, pas de voiture « S.O.S.-Médecins ». La porte se referme avec fracas si on ne la retient pas. Rien pour la caler. Il se ronge les sangs. Des passants passent. Et elle, là-haut, pendant ce temps-là? Il n'y tient plus. Il essaie de coincer la putain de porte à l'aide d'un papier plié plein de fois sur lui-même. La porte recrache le papier avec mépris et claque, inexorable. Tant pis. Il court à l'ascenseur. Le cher vieux fracas de verrerie secouée lui apprend que l'ascenseur est parti se dandiner dans les étages. Il fait le tour de la cage, se rue dans l'escalier, avale les étages par deux marches à la fois (« quatre à quatre », ça s'appelle), il y a un tapis mou tout le long, c'est un de ces escaliers à tapis avec des barres de laiton carrées, bon chic bon genre, ça vous casse l'élan, vous avachit la sécheresse du coup de jarret, tapis mon cul, se précipite haletant par la porte, laissée béante, celle-là, fonce jusqu'à Gabrielle ou à ce qu'il en reste, regarde la plume de paon comme personne ne regarda jamais une plume. Rien, rien, rien... Nom de dieu, RIEN... Eh!... Tu vas bouger, saleté! Dis, tu vas bouger! BOUGER!... Et le petit sursaut. Merci, mon Dieu! Non, c'est vrai, je suis athée. Faible, le sursaut, faible... Bien plus faible que tout à l'heure. Il veut faire quelque chose. Il y a sûrement quelque chose à faire. Mais quoi, bordel de dieu? M'en fous, je suis athée... Bouche-à-bouche? C'est comment, déjà? Il faut lui souffler dedans, ou bien aspirer? Mais non, le bouche-à-bouche, c'est pour les noyés. C'est pas une noyée. C'est une quoi, au fait? Qu'est-ce qu'elle s'est trafiqué? Poison, oui, mais quel? Somnifères, à tous les coups. Et alors? Qu'est-ce que je fais, moi? Café. Café très fort. Oh! dis, eh, tu te vois passant gentiment du café, et elle qui clamse pendant ce temps-là? Et comment je lui fais avaler? Mais qu'est-ce qu'il fout, le docteur? Au mois d'août, ça roule, dans les rues! Il sent qu'il va perdre les pédales. Au fait, le docteur : s'il se pointe et personne en bas, il est foutu de se tirer vite fait. Si ça se trouve, il a sur les bras une liste d'attente de douze suicidés qui râlent aux quatre coins de Paris...

Il plonge de nouveau vers la rue, ouvre, scrute : personne. Merde. Panique. Panique, panique, panique. Il va grimper-descendre comme ça huit fois en tout, l'œil tour à tour écarquillé sur les irisations de la plume de paon et sur les perspectives mangées de soleil de la rue.

Le docteur s'amènera après quarante bonnes minutes de poireau-agonie, se hissera par l'ascenseur tandis qu'il dégringolait à pied une fois de plus – comment le docteur a-t-il franchi la porte traîtresse, il ne le saura jamais –, aura jaugé le désastre le temps qu'il regrimpe les six étages de tapis rouge, s'arrachera le stéthoscope des oreilles pour lui dire, la gueule à l'envers, « Ben, merde! », c'est un jeune, à col roulé, sportif et sévère, se jettera sur le téléphone et appellera le SAMU. « J'avais donc raison d'avoir la trouille », se dit-il. Mais enfin, bon, ça ne le concerne plus, n'est-ce pas?

« Qu'est-ce qu'elle a pris? demande le docteur.

— Aucune idée, répond-il.

— Il y a longtemps? »

Il hausse les sourcils, hausse les épaules, paumes écartées, hausse tout ce qu'on peut hausser pour mimer l'ignorance navrée.

« J'étais pas là, se croit-il obligé de préciser.

— Evidemment, opine, sentencieux, le docteur. Sans quoi vous l'auriez empêchée. »

« Voilà » mime-t-il, chaudement.

« Cherchons, dit le docteur. Il faut absolument que nous sachions ce qu'elle a pris. »

Ils cherchent. Vident des sacs-poubelles et des corbeilles à papier, pataugent des doigts dans du gluant... Un pin-pon d'apocalypse fait sursauter les murs. C'est le SAMU. Un SAMU tout rouge, le SAMU des pompiers. Une charge d'éléphants secoue l'escalier. Six épais gaillards bourdonnent autour de Gabrielle, deux en pompiers, bottes à clous, casques au Miror, vestes en cuir d'hippopotame, haches bringuebalantes, mousquetons et diverses ferrailles à sauver les gens, quatre en blouse blanche et stéthoscope qui bat de la trompe, tous terriblement efficaces.

En moins de rien une civière est glissée sous Gabrielle, une civière formidable, en cuir d'hippopotame, comme tout, fourrée de peau de mouton bien chaude, avec tout autour des sangles à immobiliser le gros gibier. Gabrielle est couchée roulée ficelée là-dedans, juste le nez qui dépasse avec, collé dessus, un groin relié à une bouteille qu'il suppose d'oxygène, et aussi un hérisson de tuyaus plantés partout en elle, quand il n'y avait pas de trou on en a fait un, un pompier à chaque bout entre les brancards, les quatre blouses blanches aux quatre coins, les mains les bras les dents insuffisants à porter la floraison de bocaux épanouis à l'autre bout des tuyauteries...

Ça fait dans l'escalier un martèlement funèbre. Des nez pointent aux portes entrebâillées, et puis s'effacent. C'est un immeuble qui sait se tenir. Le voisin du dessous montera peu après demander si tout va bien-besoin de rien, il lui répondra mais oui mais oui, et non pas du tout, merci beaucoup. N'hésitez pas à demander, insistera le voisin. Bien sûr que non, vous êtes très chic, répondra-t-il. Et il refermera la porte. A double tour.

*

Le tourbillon rouge est passé, emportant à grands pin-pon déchirants le souffle ténu de Gabrielle. « Vers où ? » a-t-il demandé. On lui a donné le nom de l'hôpital, Sainte-Quelquechose, dans une périphérie, au diable.

« On peut pas vous emmener, s'est excusé le pompier-chauffeur en embrayant, mais vous pouvez y aller par vos propres moyens. »

Ah! bon. Les blouses blanches aux goutte-à-goutte tiraient des têtes tout ce qu'il y a de peu rassurantes.

« Vous croyez que...?

– Franchement, impossible à dire. Pour l'instant, on va essayer de la retenir du bon côté, ça serait déjà pas mal. »

Ils avaient fini par dénicher, tassés sous le matelas, les emballages vides : Binoctal, Gardénal, Rohypnol, Valium, Séresta...

« Au moins cent cinquante comprimés en tout. Elle a mis le paquet! Pas de danger qu'elle se loupe. C'était pas du cinéma. Comment se fait-il que vous l'ayez trouvée?

« – Une espèce de miracle. Je ne devais pas venir. Elle avait bouclé de l'intérieur, elle ne savait pas que, même avec la clef laissée dans la serrure, on peut ouvrir de l'extérieur.

– Le vrai coup de pot!

– Oui », dit-il.

COMA QUATRE

GABRIELLE sur son lit d'hôpital, Gabrielle longue et flasque, algue abandonnée au courant, les bras flottant sur le drap, Gabrielle figée dans une épouvantable sérénité... « Coma quatre », dit le réanimateur. A l'air qu'il prend, ce doit être l'ultime ultime... Presque une semaine déjà de ce cauchemar. Pas le moindre signe à quoi accrocher l'espoir. Je me dis c'est pas vrai, puisqu'elle vit elle vivra, et en même temps je ne puis croire qu'elle redeviendra « comme avant ». Elle sera à tout jamais ainsi, légume pitoyable hérissé de tuyauteries dérisoires, ne mourra ni ne vivra, respirera aussi longtemps que la mécanique au halètement de soufflet de forge forcera ses poumons à s'emplir et à se vider, aussi longtemps que la sonde évacuera d'elle par en bas ce que l'autre sonde y introduit par en haut, comme ça sans fin, sans fin, et rien. Et rien. Et rien... Et le jour viendrait où une décision devrait être prise... Mais c'est pas possible! Mais quel sale con! J'ai fait ça, moi?

Sur le palier où l'on me faisait patienter – les visites n'étaient autorisées qu'à dose infime, encore les premiers jours ne pouvais-je la voir qu'à travers une vitre – je rencontrais son père, sa mère, époux séparés, venus chacun pour son compte, Vincent, son désormais ex-mari, et les plus fidèles de ses amies. J'attendais des regards de reproche et de mépris, j'étais l'assassin, comment osais-je... Je ne trouvai que stupeur et chagrin, et compassion. Compassion pour moi. C'est elle qui m'avait joué un sale tour en se tuant.

Le sixième jour, l'infirmière m'accueille avec un sourire.

« Elle a ouvert les yeux! »

On me fait passer la blouse aseptique rituelle et je peux voir les yeux ouverts de Gabrielle. Tout au fond, il y a quelque chose de très las, qui se cache de la lumière. La conscience n'est pas loin, mais elle se rencoquille, elle renâcle devant la vie comme devant une écœurante journée. Elle se donne encore cinq minutes, cinq toutes petites minutes...

*

Elle vivra, c'est sûr, maintenant. Oh! bon dieu, que je suis content! Je cours à ma bagnole, je me renferme et je pleure tout mon soûl, je ris et je pleure, ce que j'ai eu peur, ce que j'ai eu peur! Elle vivra, elle vit, elle m'a souri, ce grand corps va de nouveau marcher au pas de chasseur, mollets cambrés sur ses talons de pisseuse. Elle explosera de ses fous rires de cinglée, elle râlera parce qu'elle perd ses cheveux, elle dégotera des petits restaus ouvriers formidables, elle courra voir des films culturels super-chiants, elle aura mal aux dents, elle emmènera son petit garçon manger du flan à la sortie de l'école. Tant de choses à faire! Oh! comme tu as raison de vivre, Gabrielle! Oh! que tu me fais du bien, mon amour! Ça va gazer, maintenant, tu vas voir.

*

Il y eut encore quelques jours de crépuscule, et puis il y eut de nouveau Gabrielle au milieu de ses caisses dans l'appartement vide. On était revenu à la case de départ.

QUAT'Z'YEUX

Tita me dit :

« Elle est désespérée, elle est abandonnée... Tu lui as promis ou laissé croire je ne sais quoi, elle t'a cru, te voilà au pied du mur, tu mesures la gravité de ce que tu as fait, tu es affolé... Elle a failli mourir, mourir pour toi, c'est flatteur, mais quelle responsabilité, n'est-ce pas?

– Elle n'a pas voulu mourir « pour moi », j'ai jamais dit ça.

– On se tue rarement « pour » quelqu'un. Disons « à cause » de toi. Tu as eu très peur, et maintenant te voilà tout éperdu à l'idée qu'elle pourrait recommencer. Car désormais tu sais qu'elle peut le faire. Je te vois bouleversé, ne sachant que faire, n'osant me demander conseil ou aide, espérant que je le ferai de moi-même... »

Elle ajoute, avec quelle amertume!

« Moi aussi, pendant plus de deux ans, j'ai été au bord. »

Elle n'en avait jamais plus reparlé. C'était... Bon dieu, c'était il y a quinze ans!

« Tu ne t'es jamais tellement préoccupé de mon chagrin. Tu ne t'es même pas rendu vraiment compte. Pour moi, tout s'écroulait. Tu peux comprendre ça, maintenant? Il n'y avait plus rien. Je voulais en finir. Comment je ne l'ai pas fait, je n'en sais rien. Je ne suis pas plus forte qu'une autre... Les enfants, peut-être. Je me suis cramponnée à ça. Toi, tu ne voyais rien. Tu vivais ton rêve. Depuis, tu peux bien faire ce que tu veux, ça ne m'est pas égal, hélas, mais je ne veux pas que ça me démolisse. J'avais tout mis sur toi, tu n'étais certes pas l'idéal vers lequel me portaient mes aspirations, mais tu étais fort, intelligent, beau, oui, d'une certaine beauté brutale, tu avais un esprit original et caustique qui me déconcertait et m'attirait, je n'avais jamais rencontré cela, je ne mesurais pas alors, dans mon désir d'avoir enfin trouvé CELUI qui devait venir, combien tu étais négatif et démolisseur. L'assurance avec laquelle tu assenais tes paradoxes et tes logiques à contre-courant me séduisait, et aussi ta générosité, ta largeur de vues... Je croyais en toi, je voulais y croire, tu n'as même pas vu avec quelle ferveur! J'ai encaissé coup sur coup ton pessimisme, tes colères, tes déprimes, ton incapacité à supporter les enfants, ton rejet de la famille, tes violences verbales, surtout ta grossièreté de langage et de façons qui m'était une perpétuelle agression. J'ai encaissé parce que je te croyais loyal. Je croyais ton amour plus fort que tout, et c'est cela qui comptait. Quand je me suis aperçue que, là aussi, je m'étais trompée... Ainsi donc, depuis toutes ces années, je vivais sur une illusion! Cet amour qui sanctifiait tout, qui rendait tout supportable, n'était que pacotille. Tu n'étais fidèle que par manque d'audace. A la première femme décidée à faire les premiers pas, tu t'emballes, tu t'enflammes comme un puceau boutonneux, plus rien ne compte, et moi moins que le reste... Et ce n'étaient pas des histoires de coucheries vite faites entre deux portes, non, non, toi, c'est à chaque fois la grande amour flamboyante, l'affaire de ta vie, tu fonces, tu écrases, l'Amour avec un grand A justifie les pires saloperies, les plus impudentes lâchetés. Je n'existais tout simplement plus, ni les enfants, ni rien. Plutôt, j'existais comme une gêne. Pas très contraignante, d'ailleurs : tu avais décidé que j'étais une épouse moderne, « compréhensive ». C'est bien commode, le modernisme, ça permet de ne pas entendre la délaissée qui pleure toute la nuit... Tu étais triomphant, tu me piétinais allégrement, tellement grisé que, si j'en étais morte, cela t'aurait bien soulagé, je crois. Je ne t'en ai jamais reparlé, pardonne-moi si je me laisse un peu aller aujourd'hui, mais c'est qu'aussi la sollicitude que tu manifestes pour les états d'âme de Gabrielle me rend un peu amère. Que veux-tu, tu ne t'es jamais autant inquiété des miens.

— Peut-être que tu ne pleurais pas assez fort. »

Ça ne la fait pas rire. Moi non plus. Je ne sais plus quoi dire. Elle a raison. Et alors ?

« C'est un tel gâchis ! Elle est toute seule. Au bord de la folie ou de je ne sais quoi...

— Tu l'aimes ?

— ...

— Réponds, je t'en prie. Un peu de courage. Je suis concernée, moi aussi, même si tu l'oublies. Tu l'aimes ?

— Oui.

— Au point de tout quitter pour elle ?

— Non. Pas à ce point-là.

— Ne dis pas ça pour me ménager. S'il faut nous séparer, je puis encore encaisser ça.

— Pas à ce point-là. Je ne peux pas la quitter, je ne peux pas te quitter.

— Et tu ne peux pas quitter ta maison. »

Elle me met complètement à poil, sans pitié. Je la regarde. Non, elle n'est pas méprisante, pas du tout. Juste douloureuse, et désirant m'aider, je crois. Eh bien, bon.

« C'est vrai. Il y a ça. Aussi.

— Je n'ai pas l'intention d'être « complaisante ».

Je me contenterai de ne pas être harcelante. C'est toi qui mènes le jeu, comme toujours. J'essaierai de ne pas prendre ça trop à cœur, en tout cas de ne pas t'infliger mes contrariétés. Je te demande seulement de me laisser en dehors. »

Je ne réponds rien. Faut-il répondre?

Elle reprend, vivement, comme pour prévenir ce que j'allais dire, et à peine a-t-elle parlé je me rends compte qu'en effet j'étais arrivé à ce carrefour-là, juste celui-là :

« Non, je ne veux pas la connaître. Je suis certaine que c'est une brave fille. Ça n'aurait pas marché, autrement. Il te les faut propres, naïves, honnêtes et romanesques. C'est bien pourquoi ça fait tant de dégâts. »

Exactement ce que je passe mes nuits à me répéter, sans bien comprendre comment ça s'est fait : moi l'ahuri, moi l'irresponsable, moi l'enfant perdu dans mon nuage laiteux, j'aurais saccagé la vie des grandes personnes?

« Mais enfin, me dit Tita, qu'espérais-tu? Comment voyais-tu la chose?

— Je ne voyais rien. Je... Je ne pouvais pas ne pas y aller, c'est tout.

— Sans te préoccuper de la suite?

— J'étais, comment te dire, transporté. Tout s'arrangerait. C'était tellement beau, tellement... prédestiné, ça ne pouvait pas ne pas s'arranger.

— Enfin, tu avais bien quand même une vague idée, une vision, je ne sais pas... Tu nous voyais vivant à trois, c'est ça? Peut-être même habitant ensemble, pourquoi pas? La maison est grande. Tes deux femmes, comme deux sœurs... Une un peu usée, une toute neuve. La vie de pacha. »

Oh! merde, bien sûr, dit comme ça...

« Je calculais pas aussi ric et rac... Je t'ai dit, je vivais l'instant, je voyais tout beau, ça s'arrangerait, d'une manière ou d'une autre, je me sentais plus fort que tout, capable de tout résoudre le moment venu, tu comprends?

– Et maintenant, qu'est-ce que tu comptes faire? »

Je ne sais pas... C'est ce qui est terrible : même maintenant, je ne sais pas. Je dis :

« Le moins de mal possible. Réparer, si je peux.

– A moi, tu n'as rien fait de plus qu'auparavant. A elle, tu peux encore faire davantage de mal, puisqu'elle n'en est pas morte et que ça ne l'a pas guérie de toi.

– Du mal, je lui en ferai de toute façon. Il n'y aurait qu'un moyen de ne pas lui en faire, ce serait de te quitter pour vivre tout à fait avec elle.

– Et cela, tu ne le feras pas?

– Non.

– Alors, c'est elle qu'il faut que tu quittes. Maintenant, tout de suite. Qu'elle n'ait pas le temps de croire de nouveau que c'est possible. Elle a reçu un choc terrible, elle y a survécu par miracle, qu'au moins ce choc soit salutaire! Elle n'admettra jamais le partage, je veux dire jamais du fond du cœur, et toi tu vas louvoyer, mentir, aller de concessions en reniements, elle a une sensibilité à vif, une intransigeance dont je commence à me faire une idée, tu joues avec des choses qui te dépassent... Rien ne peut donc te secouer, même pas ce qui vient de se passer? Tu seras toujours livré passivement à l'événement, à ton caprice, à la volonté de la dernière qui parle? Dût-il y avoir la mort au bout, il s'en est fallu de peu, en tout cas la vie saccagée, pour elle, pour son enfant. »

Je n'en peux plus. Elle a raison, et tout ça je le sais parfaitement. Traqué. Le rat pris au piège. C'est toujours l'image qui me vient.

« Bon dieu, je ne veux pas faire de mal, je ne le supporte absolument pas, et du coup j'en fais dix fois plus que ceux qui ne pensent qu'à leur petite gueule et que chacun se démerde!

– Tu voudrais ne pas faire de mal et ne te priver de rien, ne t'imposer aucune contrainte. »

C'est vrai. Et alors? Je désire si peu. Mais, quand je désire, c'est si fort! Est-ce ma faute si les objets permis à nos ambitions ne m'intéressent pas? Le fric? C'est pas marrant, une fois le nécessaire assuré. Je n'ai envie d'aucun objet coûteux, j'use mes loques jusqu'à la corde, je me nourris de pain et de fromage, je bois de la flotte. Pas par avarice. J'ai pas envie, quoi. La gloire? Oh! si que je m'en fous, maman! Être reconnu dans la rue, serrer la main des gens célèbres, moi le rase-murailles, le rêveur d'îles désertes... Pourquoi la seule chose exaltante sur cette terre, la seule qui, par moments, te soulève au-dessus de tes pompes et te fait trouver que la vie vaut la peine, pourquoi déclenche-t-elle cette avalanche de malédictions? Pourquoi veut-on posséder l'autre « pour la vie », fonder, construire en granit, sur deux yeux, sur un cul, sur l'appel de nos glandes? Rien à faire, M.L.F. ou pas, au bout de l'amour il y a le gosse, et l'arbre de Noël, et la tournée de la famille au Premier de l'An, et la télé du soir, et le pépère qui s'imagine se continuer dans ses petits-enfants, et merde... La femme cherchera toujours dans l'amour, même clandestin, même adultère, même « copain-copain », le simulacre de la conjugalité, de ses rites et de ses chaînes. Elle est porteuse de gniards, ses glandes crient pour le ventre plein au moins autant que pour l'orgasme, c'est comme ça, c'est la nature, se demander si c'est normal, ou juste, ou moral, autant jouer de la flûte de Pan! Le mâle de la mante religieuse ne peut éjaculer et envoyer sa semence au bon endroit qu'au moment même où la femelle lui arrache la tête. Tu vois une norme, une justice, une morale, là-dedans, toi? Et après elle le dévore, la grosse vache! Tous les plaisirs, toutes les plénitudes!... Eh, dit le moraliste laïque, c'est qu'il est une chose qui nous transcende, et que vous oubliez, et qui éclaire tout : l'espèce. L'individu n'est rien, l'espèce est tout! Ah! oui? J'emmerde l'espèce! Où est-elle, s'il vous plaît, cette espèce dont je ne serais qu'un instant furtif? Vous personnalisez les catégories de classification, et ça vous suffit, et ça vous apaise, vous avez une raison d'être, vous existez, vous êtes infime mais nécessaire, tout est pour le mieux dans le meilleur des mondes, œuvrons, mes frères, la main dans la main... Passez, muscade! Les pseudo-matérialistes actuels ne sont que des chrétiens nouveau style, comme eux ils se paient de mots et de fantasmes creux... Ça y est, me voilà reparti, tagada, tagada...

Dans l'appartement vide, Gabrielle m'attend.

MÉNILMONTANT

Voici donc venu le temps des amertumes. On a beau se connaître bien à fond, se scruter l'intérieur sans se faire de cadeau, un moment vient où l'évidence vous saute au nez qu'on était très au-dessous de la vérité, et qu'il faut réviser tout ça du côté de tant-pire, comme aurait dit maman.

Bien sûr, il s'est passé des choses. Qui vous ont douché la tête. La petite autosatisfaction en a pris un coup. D'où plongeon dans la marinade saumâtre. Ça peut ne pas être tout mauvais : ça fait loupe. A condition de ne pas abuser. De la lucidité objective à la délectation morose, il n'y a pas loin. Tiens bon la rampe, Machin.

Oui, ben, moi, je coule à pic.

Coup sur coup, beaucoup de pavés me sont tombés dessus. Un journal crevé sous moi, l'autre, mon enfant chéri, ma création, mon apothéose, tellement changé par les petits malins que c'est moi qui avais l'air en visite. Et puis ma paralysie devant la feuille de papier. Et puis, par-dessus tout, dominant tout, et certainement pour une bonne part cause de tout, cet amour de puceau à l'âge où l'on devrait s'intéresser aux châssis à salades.

On est tout seul dans sa peau. Et démerde-toi. Connais-toi, et fais avec. Si tu peux te changer, t'améliorer, je veux dire du point de vue rendement efforts-résultats, tant mieux pour toi, mais je n'y crois guère. Question de volonté, dis-tu? Eh, justement, la volonté, on la reçoit en cadeau dans le berceau, comme le reste. Heureux ceux qui en ont, ils ont le reste de surcroît... Oh! mais non, bonhomme! Trop facile! Ça conduit à tu sais quoi, ça? Au fatalisme. A la résignation. Et la morale, où on la met, la morale, là-dedans? Nulle part. Elle n'a pas prise, ça lui glisse des doigts comme une savonnette. Mais alors, ce monde est absurde? Rien ne sert à rien? Tu nais, tu vis, tu crèves, et rien? Personne n'est coupable, personne n'est saint? Tu te rends compte où tu vas? Oh! oui : j'y suis déjà. Pourquoi tu te démènes, alors? T'es pas logique avec toi-même!

Voilà. T'as tout compris. Pas logique avec moi-même. Je m'échine et je ne crois en rien. Parce que, je vais te dire, je suis un déprimé excitable. Maman disait : « Toi, t'es un feignant réchauffé. » J'étais sidéré par sa pénétration, mais ce n'était que de l'humour morvandiau.

On ne peut pas vivre pour vivre. Il faut un but, même bidon. Tous les buts sont bidon, d'accord. Mais, cela posé, il te faut quand même un but, un but-bidon, d'accord, d'accord, l'essentiel c'est que ça marche, et que tu vives. Un excitant psychique, si tu préfères. Mes excitants avaient été *Hara-Kiri* et *Charlie-Hebdo*. Ça avait marché très fort, je galopais dans les brancards. Vingt-deux ans à me défoncer, m'obsessionner, emmerder tout le monde avec mes coups de sang et mes déprimes, mais quel pied, madame! Chaque lundi soir était un soir de victoire. Lourds de fatigue et des transes de la catastrophe frôlée, on était là, au chaud, entre voyous. On avait bouclé! On n'en revenait pas. Chaque numéro d'un journal est une aventure. Chaque numéro de *Charlie-Hebdo* était un pari d'ivrognes. Il fallait être dingues... Et bon, voilà, quoi. Fini.

Un feignant réchauffé... Le mal que j'ai à me mettre au travail! Même quand puissamment motivé. (Si pas motivé, je ne peux pas m'y mettre du tout.) C'est à coup de ruses que j'arrive à me coller le cul sur la chaise, devant ma planche à tréteaux, dans le rond de la petite lampe verte. Je souffre, je me tortille. Je me tends des pièges indignes de moi, n'importe quoi plutôt que la feuille blanche. Une fois en train, va m'arrêter! L'inertie à vaincre est la même pour stopper un corps en mouvement que pour le mettre en branle.

Face à face avec moi, je sais comment m'y prendre. Je me connais, pas question de me rouler, enfin, pas plus loin qu'un certain point. Je remplace la volonté par la, comme je vous disais, ruse. Devant les autres, devant un autre, je suis foutu. Ils font de moi ce qu'ils veulent. Les autres, quelle plaie!

Mon péché originel, ma malédiction : je ne sais pas dire « Non » trois fois de suite. Je finis toujours par en passer par où ils veulent, et ils le savent, et ils en abusent. Si encore c'était par gentillesse! J'y aurais du moins le plaisir de faire plaisir... Mais encore une fois, ce n'est que faiblesse. Ils m'emmerdent, je n'ai nulle envie de leur faire plaisir, je m'en veux, je m'engueule, et après je le leur fais payer, je râle, mais ils ont eu ce qu'ils voulaient, le reste ils s'en foutent. Quelle ténacité, les autres, quelle force de caractère! Sacrés petits râblés!

Je passe donc ma vie à céder et à me reprocher d'avoir cédé. Ça me met dans des inconforts permanents, des transes et des rages, et des mensonges et des prétextes... Un « Oui » arraché au bras-de-fer, on n'a rien de plus pressé que de le rattraper à l'hypocrite : tu es trop fort, tu m'as eu, attends, mon salaud, je vais me faire couleuvre.

Les autres... Ils pèsent sur moi de leurs bientôt cinq milliards. Tous ces yeux sur moi, tous ces yeux... Chacun a ses petits mécanismes d'autodéfense qui dressent autour de lui un cercle invisible mais efficace et lui permettent de nager dans la foule comme le poisson dans l'eau du petit père Mao. Là, j'ai une lacune. Un organe d'entre mes organes ne fait pas son boulot. Une glande engorgée, un infime bout de nerf court-circuité, va savoir, en tout cas il me manque quelque chose d'essentiel.

Une fois, il y a longtemps, j'habitais tout en haut de Ménilmontant, au bout de la rue Saint-Fargeau, exactement. Liliane[1] n'était pas encore sortie de ma vie par la petite porte de fer du crématoire, nous roucoulions sous les toits, je dessinais tard dans la nuit, voilà que, levant les yeux vers le ciel noir pour les reposer un peu, je crois voir une lueur à ras des toits, une lueur rose, sautillante. Je regarde mieux, je vois danser des étincelles au bord de cette lueur. J'ouvre la fenêtre, ça crépitait. Il n'y avait pas tellement longtemps que j'étais en train de griller tout vivant dans Berlin en flammes, alors j'étais encore extrêmement sensible à ces choses. « Bon dieu, ça brûle! » Personne n'avait l'air de se faire du souci, en tendant l'oreille on entendait le quartier ronfler, c'était un quartier de gens qui se lèvent tôt. Tout à coup, une espèce de grand soupir, et un paquet de flammes jaunes jaillit d'une fenêtre comme d'une lampe à souder. C'était la maison d'à-côté qui flambait, un pavillon coquet comme tout, enfoui sous les fleurs, une famille vivait là, des gens un peu trop chics pour le quartier, ils fabriquaient des poupées dans le sous-sol pour autant que j'en savais, c'étaient des voisins pas causants et moi non plus.

Je réveille Liliane.

« Il y a le feu à côté. Va sonner chez ces gens, balance des pavés dans les fenêtres, n'importe quoi,

1. Cf. *Bête et méchant*, Belfond 1981.

en moins de deux ça va être trop tard, ils vont griller comme des saucisses! Moi, je cours chercher les pompiers. »

Liliane avait déjà dégringolé les trois étages, pieds nus, en chemise de nuit, elle portait des chemises de nuit de pensionnaire, de pensionnaire d'autrefois, jusqu'aux chevilles, en coton molletonné. Et moi j'ai cavalé jusqu'à la place où il y a le métro Saint-Fargeau et la caserne des pompiers, la rue file tout droit, j'ai écrasé la sonnette, un pompier m'ouvre, je lui dis « Le feu... Rue Saint-Fargeau... 87... » Le souffle me manquait, le type me regardait, je lui dis :

« Ben, vous y allez pas? »

Il me répond, tranquille :

« Si vous voulez profiter de la voiture, magnez-vous. »

Et il me montre quelque chose derrière moi. Je me retourne, la voiture était dehors, la grosse grosse, la grande échelle, toute rouge avec ses petits pompiers en bois peint assis bien rangés à droite à gauche, j'avais rien vu rien entendu, comment ils ont fait faudra m'expliquer, déjà ils fonçaient pin-pon, ils m'ont empoigné m'ont hissé en voltige, en moins de deux ils ont noyé tout ça foutu des coups de hache partout, un vrai bonheur, fallait les voir courir en déroulant les tuyaux, il était juste temps, c'était déjà un bel incendie, la famille aux poupées frissonnait en rang d'oignons sur le trottoir, nuisettes transparentes les chemises molletonnées c'est pas si con, faut avoir été déporté pour avoir acquis ces deux réflexes vitaux : toujours habillé plus chaud que le strict nécessaire et toujours une cuillère dans la poche. Le quartier se réveillait, s'installait aux fenêtres, mais c'était déjà fini. Ils s'en tiraient pas trop mal. Le sous-sol était bourré de bidons de vernis pour poupées, de matières plastiques, d'étoupe à faire les cheveux, rien que des

trucs hautement inflammables, et c'est effectivement là que le feu avait pris. Le chef pompier a
dit :

« Vous pouvez dire merci à Monsieur. »

Monsieur a dit, avec une modestie bien imitée :

« Du pot que je travaille la nuit et que j'aie eu
envie de regarder dehors! »

C'est là que se place l'incident désagréable. Le
monsieur du pavillon, qui était allé se passer un
pantalon et un chandail par-dessus le pyjama, me
dit :

« Je ne sais comment vous remercier. »

Je réponds, comme il se doit :

« Allons, allons, c'est pas un exploit! On ne laisse
pas les gens griller sous votre nez... Et puis, nous
aussi on y serait passés, ces vieilles baraques, ça
flambe comme de la paille. »

De ces choses qui se disent, quoi. J'aurais voulu
vous y voir. Mais le voilà qui met la main à la poche,
qui tire son portefeuille, qui prend deux ou trois
billets, qui me les carre dans la poigne...

Je saute en arrière.

« Hé, ça va pas? »

Je m'effarouche. Je cache mes mains derrière
mon dos. Pour qui il me prend, ce con? Mais lui, cet
acharné :

« Ah! je vous en prie! Vous me faites de la peine!
Prenez! Si, si! Si, si, si, si! »

Moi :

« Mais non! Mais pas du tout! Mais voulez-vous
bien... »

Il a glissé le pognon dans l'ouverture de la
chemise de nuit de Liliane, qui le lui a replacé dans
le col roulé du pull-over. Ça ne le décourage pas, il
remet ça :

« Sans vous, j'étais ruiné. Vous comprenez, l'assurance n'est pas au courant pour les produits inflammables... Peut-être même serions-nous morts, quelle

mort horrible, ah! monsieur, je vous en prie, c'est si peu de chose... »

Et caetera. Il en pleurait de s'écouter. Et moi j'en avais marre, j'avais froid, Liliane aussi, et voilà sa madame qui arrive à la rescousse :

« Allons, acceptez, vous nous ferez tant plaisir! »

Et merde, j'ai fini par les prendre, ses biftons, rien que pour qu'il arrête de me pomper l'air, j'en avais marre, marre de ses tortillements. Je les ai pris avec l'air con et faux derche qu'on a dans ces cas-là, et puis salut bonsoir, vite au chaud dans les draps, ventre à cul Liliane et moi.

Eh bien, j'aurais pas dû. Comment il fallait s'y prendre, j'en sais rien, mais je sais bien que n'importe quel con normal s'en serait sorti, n'aurait jamais laissé ce trou du cul lui refiler du fric. Car savez-vous quoi? Il était devenu le seigneur, et moi le clodo. Et il me l'a fait sentir dès qu'on s'est revus. Oh! il ne le faisait pas exprès, ne s'en rendait même pas compte, j'en suis sûr, mais rien à faire, il m'avait filé du fric, il m'avait payé, il était le patron. Condescendance et chacun à sa place. Tout juste s'il ne disait pas « Mon brave ». Des nuances, bien sûr. Je suis sensible aux nuances. Il n'aurait pas offert du pognon à quelqu'un de son monde. Et ce qui m'est resté en mémoire, ce qui me revient tout de suite en tête quand je repense à cet incendie, ce n'est pas le danger frôlé et le pot qu'on a eu, c'est l'humiliation de n'avoir pas su dire « Non » assez fermement. Ne jamais céder, même pour faire plaisir. Surtout pour faire plaisir. Ils comptabilisent tout dans la mauvaise colonne, les autres. Font pas de cadeaux, les autres.

*

La formidable pression des autres. La puissance avec laquelle ils agissent sur moi. Ma tendance à céder, même quand je sais avoir raison, même quand il s'agit de faire quelque chose qui me déplaît. Mon impuissance devant l'obstination... Convaincre, prouver, démontrer, avoir raison, tout cela ne sert à rien. Il faut s'imposer, vaincre, toujours par la force, par la ruse, par la plus grande gueule, par la ténacité. Surtout la ténacité. Tout est combat. Or, je n'aime pas me battre. Non, ce n'est pas ça. Je n'aime pas vaincre. J'ai beaucoup aimé boxer, j'adorais ça, je tirais à la limite des moyens et des mi-lourds, mais gagner suppose un perdant, et d'avance ça me navre. J'aimerais gagner si personne ne devait perdre. Faiblesse, oui, évidemment, toujours la même. Quelqu'un veut ma place, à peine m'en aperçois-je, je la lui laisse. Si je me sens (ou crois me sentir) si peu que ce soit indésirable, je prends la porte. Faiblesse, défaitisme, manque de tonus, mais aussi orgueil à la Ruy Blas, tu te drapes dedans et, hautain, tu quittes la place... Tu parles si les autres pavoisent! Sacrés charognards! Les pieds sur terre, eux! T'es parti, t'as perdu, c'est tout ce qui compte. Tes grands airs de héron douloureux, tu peux t'en faire de la tisane.

Je n'ai jamais vu une discussion faire évoluer les points de vue. Chacun n'écoute que soi, guette le trou pour se placer, bien décidé à ne pas bouger d'un poil. La logique, le savoir, l'expérience... L'astuce, oui! A quelque niveau que ce soit, le plus camelot l'emporte. Non qu'il convainque, mais il fascine, il fait rire, il t'emmène à la campagne, passez muscade. Ou, simplement, il t'a à la fatigue, à l'usure. Et toi, trop gentil pour lui dire qu'il t'emmerde et qu'il déconne, tu te fais avoir, lucide, sans illusion, ce qui est pire que tout.

La pression des autres m'est d'autant plus étouffante que je suis ce qu'il est convenu d'appeler un farouche individualiste. Alors, je fuis. Pour me protéger. Je ne peux travailler que seul, j'ai besoin d'être responsable à cent pour cent de ce que je fais, je suis tout à la fois passionné et méticuleux, la transe sacrée et le pied à coulisse, chiant si je suis avec d'autres et rougissant d'être chiant, exaspéré-exaspérant... Alors, bon, la tour d'ivoire.

La conscience de mon infériorité, « quelque part », ce « quelque part » étant naturellement le domaine essentiel, m'a toujours été présente. J'étais môme, j'étais régulièrement le premier en classe, je me servais avec ardeur de mes poings et de mes pieds, j'aimais rire et faire rire, le môme, croirait-on, tout à fait épanoui et à l'aise, pourtant, je le sentais bien, j'étais pas dans le coup. Pas démerdard, pas apte aux clins d'œil et ricanements complices... Plus tard, je me suis toujours senti, dans la vie, comme le gars pas du coin tombé dans un bistrot d'habitués...

Ils ont l'air tellement solides, les autres. Tellement consistants. En prise directe. Je n'ai jamais osé parler de cette espèce de flou, de ce voile ou je ne sais quoi qu'il y a entre moi et la réalité. Comment dire? L'impression de ne pas tout à fait être là. De ne pas parvenir à vraiment voir ce que je vois. Comme si la meilleure partie de moi, la bien silhouettée, était ailleurs. Mais où? Il m'arrive d'avoir soudain conscience de ça, et alors une épouvante me prend, je me dis je vais crever et je n'aurai pas vécu, il y a cette brume, cette purée, entre moi et le réel, la vie est là, tout près, je la discerne dans le brouillard, j'entends des sons étouffés, il doit y avoir un passage, fais un effort, concentre-toi, sois vigilant et aigu, tu vas tout percevoir dans sa plénitude, et puis non, rien à faire, c'est toujours presque là mais jamais tout à fait là, on m'a volé ma part, je n'en aurai senti que le fumet, juste assez pour en avoir le regret. Suis-je seul à être décollé ainsi du réel? Ou bien tout le monde l'est-il sans oser le dire? Ou est-ce un symptôme? Et de quoi? C'est grave, docteur?

*

Vous arrive-t-il de vous rendre compte que le moment que vous êtes en train de vivre, le présent, quoi, vous ne le vivez que comme un moment qui ne compte pas, une simple préparation à un demain qui sera, lui, le vrai moment pleinement vécu? Je m'exprime sans doute mal. Comme si le moment actuel était une préface, un brouillon, une répétition, une grisaille, un bouclage de valises, et que demain serait le jour de fête, le départ du paquebot, le vrai grand commencement lumineux de la vie. Cela vous arrive-t-il? Moi, oui. Depuis toujours et de plus en plus souvent. Aujourd'hui n'est rien, demain sera tout. Le réel sera pour demain. Aujourd'hui, je prépare demain. Et chaque demain n'est qu'un aujourd'hui qui prépare un autre demain, et jamais je ne rattrape la carotte...

Ce genre de rêvasserie vous fait toucher du doigt le néant, ses fascinations et ses vertiges. La trouille vous prend, la tête de mort ricane, on entrevoit des abîmes et des éternités, on est écrasé par son insignifiance, on ne sait même plus si l'on existe... Heureusement, ça ne dure pas. On se surprend bientôt accroché à la queue d'une autre chimère qui passait. On est bien peu de chose...

*

Veux-tu te donner des frissons? Ecoute. Qu'est-ce qui te prouve que l'instant que tu vis en ce moment est bien la suite de l'instant immédiatement précédent? Eh, pardi, réponds-tu, ma mémoire! Ces objets, devant moi, qui étaient déjà là tout à l'heure. Cette montre, qui tout à l'heure marquait moins dix et maintenant moins cinq. Ce livre dont je viens de lire les lignes qui précèdent celle-ci... Ah! oui? Et si

tout cela, les objets, la montre, le livre, et la chambre, et la rue, et la ville, et l'Univers, et toi-même, si
la conscience de tout cela, et le souvenir de ce que
tout cela était auparavant, si ce n'était que création
instantanée dans ton imagination et dans ce que tu
appelles ta mémoire? Billevesées? En tout cas,
RIEN ne peut te prouver le contraire, et rien ne
pourra jamais le prouver. La réalité du monde est
indémontrable, et donc la continuité du temps. Toi,
conscience qui, en ce moment même, te poses la
question, tu ne peux être certain que d'une chose,
c'est de ta propre existence. « Je pense, donc je
suis », d'accord, mais tu ne peux rien ajouter à cette
phrase qui ne soit aventuré... Oui. Je suis sûr que les
manuels de philo des lycéens règlent ça en trois
coups de cuillère à pot. Mon excuse est de n'avoir
pas fait de philo, alors ces choses m'amusent, mais
je n'ai personne avec qui en parler, on m'envoie vite
fait sur les roses, enfin, quoi, il y a des évidences, tu
perds ton temps à des conneries... Ben, oui. Ils ont
raison. Les autodidactes, ça touche à tout, ça n'a pas
été vacciné une fois pour toutes par le verbe
magistral. Je suis Bouvard et Pécuchet à moi tout
seul. Encore Bouvard avait-il Pécuchet, Pécuchet
avait Bouvard. Ils pouvaient parler entre eux, s'ex-
tasier à deux, déconner à deux. Ils n'étaient jamais
stupides l'un pour l'autre. Il y avait les autres et il y
avait eux deux. J'ai une tendresse pour ces pignoufs.
Flaubert est trop dur avec eux.

*

De la solitude.

Ça se passe rue Saint-Fargeau, encore. L'immeuble était étriqué, une de ces boîtes à pauvres
d'avant les H.L.M. poussées comme mauvaise herbe
dans les faubourgs à pauvres vers la fin de l'autre
siècle, trois étages de brique blême, le rouge aurait

détonné dans cette tristesse, à chaque palier deux logements minuscules. Nous habitions au troisième étage, le dernier. De l'autre côté de la cloison, il y avait le petit bossu.

La cloison était mince. Nous nous levions tôt, boulot oblige. A peine nous étions-nous dit « Tu as bien dormi? », la radio démarrait de l'autre côté de la cloison. C'était le petit bossu. Il avait attendu le premier bruit provenant de chez nous. Il voulait être certain de ne pas nous réveiller. Il avait attendu longtemps. Il ne dormait pour ainsi dire jamais.

Le petit bossu n'allumait pas la radio. Il n'avait pas de radio. Il faisait la radio. Il était un poste de radio, et il débitait le programme de la radio. Du matin au soir. Par exemple, il annonçait l'heure. N'importe quelle heure : il n'avait pas de montre. Il faisait l'horloge parlante : « Au quatrième top, il sera exactement treize heures, cinquante-huit minutes... Top... Top... Top... Top! » La première fois, j'avais regardé ma montre, puis Liliane. Il était six heures trente-sept. Liliane avait compris plus vite que moi. Elle s'était mise à rire.

« C'est un gosse qui s'amuse.

– Mais c'est pas une voix de gosse.

– Alors, c'est pas un gosse. Thé ou café? »

Le soir, et tard dans la nuit, la drôle de voix cassée avait débité sans un instant d'arrêt tout ce que peut débiter un poste de radio.

« Et voici maintenant, mes chers auditeurs, une soirée exceptionnelle avec celui que vous adorez tous, j'ai nommé Charles Trénet! (Applaudissements) Bonjour, Charles! (Changement de voix) Bonjour, monsieur Saint-Granier! (Changement de voix) Ça va comme vous voulez, Charles? (Changement de voix) Ça boume au poil, monsieur Saint-Granier. (Changement de voix) Tant mieux, tant mieux, Charles. Qu'est-ce que vous allez nous chanter? (Changement de voix) *La Romance de Paris* (Changement de voix) Et voici, mes chers auditeurs, chantée tout spécialement pour vous par le célèbre chanteur Charles Trénet, *La Romance de Paris*, chanson très émouvante et très belle. A vous, Charles! »

Prélude à la guitare (il fait ça en se bouchant une narine et en faisant vibrer l'autre avec le pouce, exactement comme faisaient les gosses de la rue Sainte-Anne), et vas-y :

C'est la romance de Paris,
Au coin des rues elle fleurit,
Pom, pom, tralalalalala
C'est la romance de Paris!

« Et maintenant, un peu de publicité. »
La Quintonine!
La Quintonine!
C'est l' plus fort des fortifiants!

Liliane riait, je riais donc, nous avions le rire facile, c'était notre époque lumineuse, nous venions de trouver un toit, nous osions croire au ciel bleu.

Le mystérieux voisin faisait ça toute la journée, nous nous en étions bientôt rendu compte. Infatigable, il annonçait la météo, les courses, la Bourse, la politique, les jeux, les radio-crochets, du matin au soir, du matin au soir. Nous nous étions habitués à ce bourdonnement comme on s'accoutume à une vraie radio des voisins. Nous, la radio, nous ne l'avions pas, pas encore, les transistors n'étaient pas encore inventés, l'achat d'un poste, même petit, était une affaire sérieuse, il y avait des tas d'autres choses plus indispensables à se procurer en priorité, nous débarquions tout nus entre nos quatre murs nus.

Un dimanche matin, j'arrivais de la cave avec un seau de charbon, je trouve Liliane toute blanche, les larmes lui coulaient le long des joues. De loin en loin, elle apprenait qu'une amie de déportation venait de mourir, elle accusait durement le coup chaque fois, j'ai pensé que c'était ça, je l'ai prise dans mes bras. Cette fois, c'était autre chose. Elle m'a dit :

« Je l'ai vu. »

Avec un mouvement du menton vers la cloison.

« Le voisin?

– Oui.

– Alors?

– C'est horrible, François. Horrible. Que des êtres aussi malheureux puissent exister... On n'a qu'une vie, tu comprends? Et quand ta seule vie c'est ÇA... »

Je me suis mis à imaginer des épouvantes.

Et moi aussi, je l'ai vu. Je descendais, l'escalier était étroit et tournait sec, je vois, à hauteur de mes genoux, deux petites mains de singe cramponnées aux barreaux de la rampe, deux petites mains noires de crasse, agrippées désespérément à ces barreaux, et puis deux manches de chandail et, au bout, comme un sac pendu à deux cordons, un tout petit homme, outrageusement bossu, un paquet de bosses, tellement difforme qu'on n'arrivait pas à en faire le détail. Il levait vers moi, tout là-haut, de beaux yeux clairs et doux, bafouillait quelque chose en se collant à la rampe.

« Excusez-moi, monsieur. Passez, monsieur. Quel beau temps, n'est-ce pas, monsieur? Je m'excuse beaucoup, monsieur. »

C'était bien la voix. Il puait épouvantablement. Il avait l'air coupable et effaré, comme un chien surpris à commettre quelque chose de défendu. Il tirait sur ses bras d'enfant sous-alimenté, sur ses petites mains crispées, réussissait à se hisser d'une marche. Ses jambes traînaient derrière lui. Il pouvait avoir trente ans, ou bien soixante-quinze.

J'ai essayé de sourire. J'ai dit :

« Bonjour, monsieur. Vous êtes notre voisin, je crois ?

– Oui, c'est ça. C'est ça, monsieur, c'est ça. Je m'excuse, excusez-moi, je ne devrais pas, excusez-moi, c'est ce beau soleil, vous ne le direz pas, n'est-ce pas, excusez-moi, non, non, ne m'aidez pas, j'y arrive très bien tout seul, j'aime beaucoup monter, et marcher aussi, c'est difficile, je gêne, excusez-moi, ce beau temps, n'est-ce pas, ah là là là là... »

Il souriait, mondain. Il avait un joli sourire, qui venait de par en dessous, la bosse de son dos poussait sa tête en avant, lui plaquait le visage sur l'autre bosse, celle de la poitrine.

Il s'écrasait contre les barreaux pour que je puisse passer sans le toucher. Je suis donc descendu, j'étais salement secoué, je n'aurais pas pu rester davantage, je me suis carrément enfui, en sautant en voltige un demi-palier à la fois, comme pour me prouver combien j'étais, moi, souple, et fort, et bondissant. J'entendais la voix cassée :

« Au revoir, monsieur. Excusez-moi, monsieur. Ça ne se reproduira plus. »

Liliane, qui connaissait déjà tout le monde dans le quartier, m'apprit que le petit bossu – je n'ai jamais su son nom – habitait là, tout seul. Il n'avait au monde qu'une sœur, d'une cinquantaine d'années, qui passait tous les matins avant de partir pour l'usine, lui apportait de quoi manger pour la journée et puis revenait le soir, en coup de vent, entre l'usine et la lointaine banlieue où elle vivait « avec un homme ». J'imaginais l' « homme » refusant absolument de cohabiter avec le petit frère monstrueux, la pauvre bonne femme menant cette vie harassante, le bossu cloîtré à perpétuité, jouant à la T.S.F., ne résistant pas à l'appel d'un rayon de soleil...

Et puis Liliane est morte. Et moi, j'ai survécu,

comme un con. Dans le nid vide. De l'autre côté de la cloison, le petit bossu poussait son monologue « Ici Radio-Cité. Mes chers auditeurs, voici monsieur Yves Montand qui va nous chanter *Une demoiselle sur une balançoire...* »

J'avais laissé tomber le boulot salarié, je m'étais lancé dans le dessin rigolo, je travaillais là-haut, dans l'odeur de Liliane qui, lentement, s'effaçait. Je m'enfonçais des boules Quiès dans les oreilles pour ne pas entendre.

Un soir, on frappa à ma porte, violemment. C'était la voisine, la sœur du petit bossu.

« Monsieur, venez vite, mon frère... »

Elle était en larmes, se tordait les mains. Je l'ai trouvé sur le lit, bien proprement allongé, le visage tout à fait paisible.

« Est-ce que vous croyez qu'il est...? »

Il en avait tout l'air. J'ai pris sa petite main de singe, elle était froide. J'ai regardé la sœur. Ses yeux se sont agrandis.

« Oh! mon Dieu... Oh! mon Dieu... »

Je suis descendu téléphoner à un médecin. Qui n'a pu que constater qu'en effet... Et puis j'ai habillé le petit bossu, je l'ai rasé, j'ai mis un linge autour de sa tête pour que le menton ne s'affaisse pas. Comme un œuf de Pâques, c'est ça. La sœur était dans un état épouvantable, elle appelait « Pierrot! Mon Pierrot... ». Zulma la Belge, la voisine du dessous, l'a emmenée chez elle. Peut-être bien qu'elle l'a fait picoler. Elle aimait bien picoler, Zulma. Et bon, voilà, quoi. Rien de plus. Une vie.

PETIT BILAN

Maman croyait en Dieu parce que c'étaient les voyous qui ne croyaient pas. Papa vivait comme l'oiseau, sans se soucier s'il avait une âme. Ni l'un ni l'autre ne mettait les pieds à l'église en dehors des enterrements, ça ne leur serait même pas venu à l'idée. Tous deux cependant vénéraient un dieu formidable et sans cesse évoqué : le Devoir, sous son incarnation la plus adaptée aux âmes frustes : le Travail.

J'ai grandi baigné dans le culte obsessionnel, incantatoire et véhément du travail. Maman en était la grande prêtresse. Il n'existait qu'un seul vrai vice : la paresse. N'est-elle pas la mère de tous les autres ? Ça m'allait pas trop mal, j'aimais le travail. Mais aimer le travail, je le sus plus tard, n'est pas le bon chemin. Le dieu Travail ne demande pas qu'on l'aime. Il veut qu'on se force. Sans quoi, où serait le mérite ? Or le fumet du mérite est doux aux narines du dieu Travail. Le vrai travailleur est celui qui n'a pas besoin d'aimer le travail pour faire le travail.

Il en est de l'amour du travail comme de tout amour : il y a des hauts et des bas. Des coups de passion folle et des bouderies. J'aimais le travail, mais je n'aimais pas tout travail. Je bêchais volontiers la terre compacte, des heures durant, à mouiller la chemise, mais cinq minutes d'arrachage des mauvaises herbes me rendaient fou enragé. Je montais en courant le charbon de la cave, mais astiquer les pieds de la table me donnait d'avance la nausée. Je n'étais pas un vrai travailleur. Maman ne s'y trompait pas. « Un feignant réchauffé », eh, oui.

Je me suis bientôt aperçu que, si le travail bien fait est source de joies puissantes, la paresse savourée en gourmet ne l'est pas moins. Il me fallut d'abord oser m'affranchir de la terrible malédiction du paresseux. Toute minute non consacrée au travail était minute volée. On s'excusait de s'asseoir pour manger, on mentionnait discrètement qu'on se levait avant l'aurore après s'être couchée sur le coup de deux heures (Ma lessive à finir, le pantalon du petit à repriser...). On se posait furtivement sur l'extrême bord des chaises, d'une seule fesse, comme coupable. Si l'on était malade, ce n'est pas de souffrir qu'on devait se lamenter, mais bien des journées de travail perdues. Il y aurait eu indécence. Cela conduit tout droit à l'hypocrisie, mais tout, dans la vie sociale, n'y conduit-il pas?

Programmé au culte du travail comme une Jeunesse hitlérienne au culte du Führer, avec quelle honte ne découvris-je pas les délices de la flemme! Ça a été dur. Que de câbles à trancher! Maintenant, ça va mieux. Quoique... Enfin, si, quand même.

C'est peu dire que j'aime lire avec passion. Je lis comme un fumeur enragé fume, comme un alcoolique boit : dès que je ne suis plus occupé, à la seconde même mon œil cherche de l'imprimé à déchiffrer. Si je n'en ai pas sous la main, je souffre toutes les tortures du manque. Je ne puis me mettre à table si je n'ai de quoi lire, le livre est même la première chose que je pose devant moi, la plus essentielle, avant même la nourriture. C'est pourquoi les déjeuners d'affaires, ou d'amis, me sont une corvée : d'abord on ne peut pas lire, ensuite il faut parler, à tout le moins écouter.

Qui a précédé l'autre? La lecture ou la paresse? C'est le problème de l'œuf et de la poule. En tout cas, l'une est le merveilleux support de l'autre, l'autre le parfait accomplissement de l'une. Inséparables. La plus grande volupté que je puisse concevoir, moins violente peut-être que la baise – laquelle n'est après tout qu'un besoin, alors que la lecture est un luxe – mais aussi moins bouleversante, et plus durable, c'est le moment béni où j'allonge ma carcasse pleine d'os sur un plan horizontal, ma tête calée à la bonne hauteur, la lampe minuscule éclairant en plein le livre ouvert entre mes mains et rien au-delà, la nuit tout autour. Un miel me coule par tous les membres, des fatigues ignorées et légères se révèlent çà et là, juste pour rendre encore meilleur le soulagement, la paix m'envahit. La paix. J'en arrive à aimer mes insomnies.

Tout ce qui flatte ma paresse m'est source de joies puissantes. Quand je suis seul, je m'y abandonne sans retenue. Bouffer des restes, des rogatons dans du papier, avec un croûton durci, en buvant l'eau du robinet, pour dessert croquer des morceaux de sucre, seuls des feignants aussi conscients et organisés que moi peuvent comprendre quel haut plaisir c'est. Les assiettes, même si ce n'est pas moi qui les lave ni qui mets le couvert, leur seule présence me gâche le repas, je ressens physiquement, dans mes muscles, dans mon agacement, une énorme énergie gaspillée. Entre traverser la rue pour m'acheter un bifteck qu'il faudra ensuite faire cuire et ronger un bout de gruyère rance, je n'hésite jamais.

Ça, c'est le plaisir direct. S'y ajoute celui, raffiné, de se vautrer dans l'abjection. Par exemple, ne pas faire son lit. Traîner des jours et des jours pas lavé, pas rasé, à poil s'il fait chaud, en vieux pull troué le cul à l'air sinon, et perdre son temps, connement, vicieusement, empoissé dans ses haleines et ses remugles, en lisant des polars cons comme la mort. Ça peut être le Paradis. Surtout s'il fait plein soleil dehors et que s'entrechoquent tous les fracas de la ville... Ô mes persiennes closes! Ô ma pénombre! Ô mon fond de cour moisi!

*

J'aime l'excès de paresse et j'aime l'excès de travail, l'un fait d'ailleurs mieux goûter l'autre, et puis j'aime l'excès pour l'excès, parce que je suis un excessif, na.

J'aime ce qui est violemment amer, si vous connaissez un breuvage plus révulsant que le divin Fernet-Branca des grand-mères ritales, faites-le-moi savoir. J'ai été initié aux sauvages délices du piment de Cayenne dans les gargotes chinoises du passage Raguinot, derrière la gare de Lyon, par les beaux dimanches où nous y terminions la journée avec les cinq gosses ravis, manger des « demi-sauces » aux nouilles de riz dans d'immenses écuelles, avec des baguettes, quelle fête, parmi de vieux Asiates souriants et des semi-clochards qui, comme nous, venaient s'emplâtrer le ventre pour presque rien dans la riche odeur, l'épanouissante odeur de la soupe chinoise, c'était Hong-Kong et Singapour au bout de la rue, le quartier suait le coupe-gorge, pourtant il n'y avait pas plus calme, pas plus familial, les restaus chinois étaient alors inconnus ailleurs que là. Je m'y suis découvert un goût ignoré pour les jus pimentés à te faire sauter les oreilles au plafond...

Je ne peux aimer que passionnément, passionnellement, et, si je suis rationaliste, je le suis avec fureur. Déficience du système nerveux, seuil d'excitabilité trop bas, va savoir, et qu'importe? Ça donne une vie plutôt secouée, passant de l'excès de bonheur à la noire déprime à une cadence de décharges électriques, pas le temps de s'embêter, quelles secousses!

Aimant l'excès, je l'aime aussi dans la retenue. L'humour effleuré, diffus, omniprésent d'un Giraudoux, d'un Anatole France, d'un Jacques Perret, d'un Garcia Marquez me transporte dans un ciel de plaisir d'où je descends à regret... En somme, tout m'est bon, pourvu que ce soit bon. Et quand c'est bon, ça m'est violemment bon. Pas de nuances. Il y a l'excellent et l'exécrable. Le médiocre est exécrable.

Le mauvais, il me le faut au-delà du supportable. Ce qui ne sent pas bon, il faut que ça empeste. S'il ne fait pas chaud à crever, il faut qu'il gèle à te peler le cul. Si tu n'es pas un ami, sois un salaud... Une pomme doit être quintessence de pomme, un citron doit faire péter l'émail des dents, un radis n'est radis qu'un peu trop vieux, lorsqu'il emporte la gueule et que l'odeur d'étable du chou-rave, jusque-là camouflée par l'astuce du jardinier, y est revenue dans toute sa brutalité... Foin des moutardes douces et parfumées, une moutarde est là pour faire hurler les papilles.

Horreur suprême : la mayonnaise, cette pommade... Autre abomination : la chantilly... Signe des temps : ces deux salopes qu'on ne devrait employer qu'à graisser les gonds des portes sont les deux seuls produits de la tant vantée cuisine française à avoir conquis l'universalité. Vous avez vraiment des goûts de cochons.

*

Je ne peux rien supporter aux murs, et encore bien moins dans une vitrine. Je hais l'œuvre d'art, ou le portrait de famille, ou le calendrier des P.T.T., qui te dévisage chaque fois que tu passes devant. Je ne peux même pas supporter le papier peint. Le papier peint! Triomphe du goût de cochon, abjection de minus! Ça fait d'une chambre un paquet-cadeau, une bonbonnière, un étouffoir. Ça rabaisse le mur au rang de support pour décalcomanie. Ça efface la masse maçonnée, épaisse, rassurante, agrippée au sol, excroissance du sol, et suggère l'écran futile. Un mur doit être compact, ou du moins faire semblant, c'est d'une caverne que nous avons besoin autour de nous, pas d'un cornet de frites. Foin des Japonais et de leurs maisons de papier de soie!

Le mur que j'aime est sans couleur : couleur de mur, couleur du temps. Il ne cherche pas à exalter la pierre, comme ne manquerait pas de le faire un mur de résidence secondaire à vraies fausses vieilles poutres. Il se fait oublier, il est espace vide. L'œil s'y perd, rien ne l'arrête, rien ne l'agresse, rien ne l'agace ni ne le distrait. L'esprit y gambade mieux même que dans le ciel : pas de nuages tentateurs... Surtout, surtout, qu'on n'y accroche rien! Rien que des planches pour que s'y entassent les livres. Pas de tableau, pas de visages aux yeux figés qui si vite deviennent fastidieux, et puis odieux. Pas de paysage, pas de dessins, les plus admirables, les plus drôles, ainsi crucifiés, à force d'efforts pour s'imposer à toi te collent un cafard insinueux, dont tu ne devines pas la cause mais qui est bien là, jour après jour, et te sape. Au diable bibelots et curiosités! Plus ils sont jolis, et précieux, et originaux, et de famille, plus ils puent la boutique d'antiquailles. S'il est une chose que je déteste autant que le toc, c'est l'authentique. L'objet rare et de bon goût m'emmerde. Il fait surgir l'image du collectionneur, cet explorateur de crottes de nez, ou de la dadame à trouvailles qui « fait » les Puces et l'hôtel Drouot. Ça vous étrique et vous riquiquise. Ça sent la pisse.

L'art et la nostalgie, la peinture (en repros, eh), et

les photos de famille, je les enferme dans des cartons bien ficelés, que j'ouvre quand il me prend une bouffée d'art ou de nostalgie. Collés au mur, ils s'imposeraient à moi, me tireraient par l'œil, m'obséderaient, seraient les patrons dans ma tête. Car mon regard n'est jamais machinal... Et s'il l'était, machinal, alors à quoi bon ces spectacles encadrés qu'il ne verrait pas?

Rien. Pas de caravelle en réduction, pas de pistolet damasquiné, pas de ces mille petites merdes qu'on vous offre aux anniversaires et qu'on ne peut plus jeter... Si : une mappemonde Vidal-Lablache pour écoles primaires du temps où je portais galoches et tablier noir. J'ai toujours rêvé d'une mappemonde. J'en aurais une un jour. Voilà, je l'ai. Je peux mourir.

Un temps, avant de bien me connaître, j'épinglais au mur des cartes de géographie. J'aime beaucoup les cartes. C'est très beau, les cartes. Je ne sais pas s'ils le font exprès, mais c'est très beau. Surtout les cartes physiques très détaillées, gravées très fin, avec ces couleurs légères d'aquarelle qu'elles ont. Montagnes bistre suavement dégradées, plaines vert tendre, rivières bleues aux méandres précis, outremer finement hachuré des océans, blanc pur du pointu des montagnes, qui évoque le furoncle sur le point de percer. Et ça fait rêver. Pas à des voyages, à des évasions, non. A des trucs géographiques. Pourquoi cette rivière fait-elle ici un angle brusque? Qu'est-ce que ça doit être marécageux, ce delta! Sûrement pourri de moustiques... Je peux passer des heures sur quatre centimètres carrés de carte, me posant des tas de problèmes marrants, fasciné, coupé du monde, louchant à faire se caramboler mes yeux.

Je ne mens jamais pour mon plaisir, ou pour empaumer quelqu'un, ou pour me sauver la mise... Stop. Rectification : je mens de temps en temps pour me sauver la mise. Cette con de peur du ridicule, tu sais... Je mens essentiellement pour faire plaisir, mais le plus souvent pour éviter de faire de la peine. C'est de leur faute, aussi. Ils se croient capables de supporter la vérité, ils font les bravaches et les intransigeants, et tiens, quand ils la prennent en pleine gueule, rien que de les voir c'est à toi que ça fait le plus mal. Alors, hein, bon.

Ils te protestent mais non, mais non, il vaut toujours mieux dire la vérité, aussi cruelle soit-elle. C'est vrai, si toi tu es assez solide. Quand ils ont eu leur paquet, pour toi le plus dur est fait, qu'ils se démerdent, tu t'en laves les mains. Alors que le mensonge est compliqué, il faut l'inventer, et qu'il tienne debout, et ne pas se couper, et bien se rappeler tout ça plus tard, car le mensonge te court au cul, une seconde d'oubli, crac. Et puis un mensonge en entraîne mille, t'en finis plus, c'est le bagne. Donc, à vous qui avez de l'estomac, je vous conseille de dire la vérité. Moi qui n'en ai pas, je fais ce que je peux, je bricole, je ravaude. N'importe quoi pour retarder le moment de tordre le cou au petit chat. Saletés de petits chats! Ils m'auront fait crever tout au long de ma putain de vie.

*

Si je n'étais pas un dégonflé, je dirais :
« Tita, je pars pour huit jours samedi prochain. »
C'est tout simple. Et on verrait bien.
De loin, je suis persuadé que, cette fois, je vais le

faire. Et puis le moment approche, et la montagne grossit, et je remets d'heure en heure, et le moment est là, et alors, bon, je me contente d'être parti, on s'expliquera au retour, huit jours de gagnés. Lamentable, oui, je sais.

Si encore c'était pour le plaisir! Mais pas du tout. Dégonflade sur dégonflade. Gabrielle, « qui ne m'a jamais », a arrangé ça en moins de deux, s'en fait une joie d'enfant, « Une semaine rien que toi et moi », alors, moi, pas le cœur de dire franchement non, je fais « Hon, hon », bien emmerdé, en plus que je déteste voyager, se foutre dans des salades pareilles même pas pour se faire plaisir, rien que pour ne pas faire de peine, oh, merde, ne pas faire de peine à droite, ne pas faire de peine à gauche, j'y arrive pas, je m'y casse la gueule, mes angoisses, mes mensonges et mes non-dits ne pourront pas empêcher que, pendant huit jours, je ne serai pas du tout avec l'une, et que, pendant ces mêmes huit jours, je ne serai pas non plus tout à fait avec l'autre, comme ratage on ferait difficilement mieux. Ou bien c'est pour rester « à la maison », vivre « comme un vrai couple », se retrouver après le boulot, tout ça, mais justement j'ai horreur, de plus en plus horreur, du conjugal, Gabrielle ne voit pas le désastre qu'elle se prépare avec ses obsessions de « couple » et de « conjugalité », enfin, merde, quoi, je suis obligé de mentir, et de faire du mal, pour des trucs qui me font chier. C't'un monde...

Et moi, dans tout ça, qui se soucie de moi? Je suis le salaud sur toute la ligne, bourreau à droite, bourreau à gauche, et moi, qui est mon bourreau, à moi? Qui puis-je maudire? Qui attendrir par mes pleurs? A qui faire la gueule? A toi-même, pardi. Ton bourreau, c'est toi-même, Ducon-la-Joie!

Elles, au moins, chacune à un bout, elles ont une chose qui vous maintient le nez au-dessus de l'eau : elles ont BONNE CONSCIENCE. Elles ne font de tort à personne. Leurs tourments sont des tourments de VICTIMES. Elles sont malheureuses, et délaissées, et humiliées, elles ont peur de la suite, mais elles sont EN PAIX AVEC ELLES-MÊMES. Elles ne connaissent pas leur bonheur.

*

Quand tout va à peu près bien avec l'une et avec l'autre – ça arrive – je les aime l'une et l'autre plus fort, si fort! Plus j'aime l'une, plus j'aime l'autre.

Oh! si seulement...

*

Un jour, je devais avoir dans les douze ans, papa m'avait rapporté une montre. Un type la lui avait vendue, dans un bistrot, il avait besoin de fric, il s'était fait ratisser par un bourrin à Vincennes, probable, alors il vendait sa montre. Elle était vieillotte, plaquée or, l'or s'en allait par endroits, dessous c'était du cuivre ou quelque chose comme ça, en tout cas un métal jaune, si bien que les endroits râpés ne te sautaient pas à l'œil, pas tout de suite. Papa était très fier de son cadeau. Et moi, donc! Je l'ai gardée longtemps, on s'aimait bien, nous deux, et puis je l'ai perdue, on finit toujours par les perdre. Et plus on les perd tard, plus on a de chagrin. J'en ai eu tellement que je me suis juré que plus jamais je ne porterais des choses qui vous donnent de tels déchirements. Ça tombe bien, je n'ai aucun goût pour les choses chères, je trouve que la verroterie marrante fait plus d'effet sur une femme que les diamants que je ne saurais d'ailleurs pas distinguer, si la femme te laisse de marbre c'est pas les diamants qui te feront bander, à moins de déviation intéressante du strict point de vue clinique. J'estime complètement con que des petits trucs aient une grande valeur simplement parce qu'on en a arbitrairement décidé ainsi : or, pierres dites « précieuses », peinture à l'huile, tout ça. Personne ne devrait avoir le droit de posséder des tableaux de valeur : ils devraient rester dans les musées, enfermés à clef, on vendrait au prix d'un croissant-beurre des reproductions imprimées très fidèles pour ceux qui aiment ça... Ou alors, c'est du féti-chisme pur et simple, avoue. Il faut que ce soit la toile même qu'effleura le Maître de son pinceau magique... Comme si les mélomanes ne pouvaient goûter la musique que jouée par Mozart en per-sonne, avec ses doigts à lui? Et attention, pas de disques : viles reproductions... Oui. Vous êtes bien des bons cons. De plus en plus.

Je ne possède rien qui vaille plus que sa stricte valeur utilitaire. Je ne puis supporter près de moi un objet laid, enfin que j'estime laid, mais nul besoin de le savoir précieux. Ma montre est une Kelton, ou quelque chose du même genre, il est rare qu'elle me fasse plus d'un an, je les perds ou je les casse, et chaque fois ça me fait peine, alors pour me consoler je cours au tabac du coin m'en choisir une autre, je me tâte longuement, je me la veux sympa-thique, on va passer des mois ensemble, peut-être toute la vie, un coup de pot.

Mon seul luxe : les bouquins. Pas d'éditions rares, ni de reliures anciennes, je n'ai jamais eu les moyens, ni le temps. Et puis, les aurais-je eus que ça m'aurait vite cassé les pieds. Délectation de mania-que, collection de timbres! Mes livres sont ceux du commerce, la moitié au moins en collections de poche, et bien fatigués. N'empêche, quand on m'en fauche un – tu connais : l'ami qui oublie de rappor-ter – ça me fait saigner. D'autant que beaucoup sont dédicacés, ça remonte aux temps glorieux où je tenais boutique littéraire dans mon *Charlie-Hebdo*, paix à ses cendres. Je n'ai pas le fétichisme de la dédicace. Simplement, je pense au pauvre con d'auteur coincé dans un fond de cave – ça se passe presque toujours dans une cave –, chez son éditeur, derrière un monstrueux amas de bouquins à signer, et qui se crève le cul, le malheureux, et qui se torture le citron à imaginer une formule « personnalisée » pour chacune des terreurs qui font et défont les chiffres de vente dans le monde de la critique. Effroyable. J'y suis passé, alors je comprends, et je compatis. Quand je lis « A Cavanna, qui... gningningnin... » je vois le collègue tordu par la haine, cherchant quoi dire à cet enculé de Cavanna, c'est quoi son genre, à ce métèque ? Ah ! oui : l'humour cynique et mal élevé. Merde, c'est pas ma gamelle, à moi, fait chier, qu'il crève !... Et attention, pas se gourer ! T'as pas le droit de recommencer, les livres sont comptés, et d'ailleurs ils sont déduits de tes droits. Alors, bon, j'ai le respect de la dédicace, tu comprends pourquoi. Ça fait que je garde pas mal de bouquins qui ne m'excitent pas des masses, simplement parce que l'auteur s'est tellement défoncé le cul pour me mettre un petit mot gentil.

LA MASURE SUBLIME

Le béton, donc, nous avait rattrapés. Les tours s'étaient mises en marche, elles avaient cerné l'île déserte. Elles la boufferaient un jour, elles avaient tout leur temps. En attendant, elles étaient là, tout autour, et nous au fond du puits. Le raz de marée cubique dévorait posément la plaine, Bois-l'Abbé, La Queue-en-Brie, Noisy-le-Grand y passaient l'un après l'autre, en une nuit un supermarché te poussait sous le nez, comme un furoncle, le lendemain c'était un collège en fibrociment camouflé de mosaïque bleu sale, le chemin de terre explosait en bretelle à quatre voies avec terre-plein central et rails de sécurité, les bonnes femmes se maquillaient pour aller acheter les croissants, les vieux paysans crevaient dans leurs maisons de meulière brute subitement devenues objets de musée, de jeunes techniciens les remplaçaient, empilés dans des « résidences » en peau de tambour.

Partir ou crever de tristesse. Quitter cette maison, construite sur le granit. Elle n'aurait donc été qu'une étape. Elle avait nourri mon rêve de pérennité pendant vingt ans, et voilà, ce n'était qu'un rêve. Se cramponner à son rêve pavillonnaire tandis que tout autour rugissent les bulldozers et que s'empilent, tirés de terre par le bec héronnier des grues, les cauchemars verticaux de tes vieilles années, il y faudrait un goût du malheur, ou de la dérision, ou un sens de l'humour, qu'on peut se permettre pendant cinq minutes, au cinéma, mais pas plus.

Tita a commencé à éplucher les petites annonces de l'*Indicateur Bertrand*. Dimanches de cavalcades vers les « affaires à saisir de suite ». J'avais des économies, pour la première fois de ma vie. Les deux journaux tournaient à peu près rond, en tout cas les salaires tombaient chaque mois, ça nous semblait le Pérou, on y était enfin arrivés, payés ric et rac comme des fonctionnaires, tu te rends compte, c'en était fini à tout jamais de la misère... On s'y croyait, quoi. D'autre part, plus Le Plessis devenait tocard et béton, plus la petite maison prenait de valeur. Cherche pas à comprendre, c'est une Grande Loi de la Nature. Voilà qu'en se battant griffes et ongles pour loger les gosses nous avions fait une bonne affaire! La seule de toute notre vie, mais justement... On se sentait gonflés à bloc.

Nous nous sommes vite rendu compte que si notre baraque avait fait un bond à l'*Argus*, elle n'était pas la seule : tout l'*Argus* avait bondi en chœur. Pour retrouver l'équivalent – moins le béton tout autour –, étant donné « ce que nous pouvions mettre », il fallait cette fois émigrer à cent ou deux cents bornes de Notre-Dame. Un pied à Paris, l'autre dans la Sarthe, ou dans l'Orne... Le grand écart.

L'ère des résidences secondaires n'avait pas encore pris son essor grandiose. Pour la fameuse bouchée de pain, unité universelle dans l'immobilier, la Normandie, la Champagne ou le Val-de-Loire vous proposaient des châteaux forts d'époque avec tours, créneaux et pont-levis. Une grosse bouchée de pain, d'accord. Mais pour la même bouchée on t'offrait un F 5 dans la Résidence des Cygnes à Malakoff ou une cabane à outils à retaper à Gournay-sur-Marne... Les coups de cœur que nous avons eus! Si nous ne sommes pas revenus dès le premier dimanche avec un domaine sous le bras, le premier visité, c'est parce qu'il y en avait d'autres, tout aussi emballants, et que nous n'arrivions pas à nous décider... J'ai gardé la nostalgie poignante d'un bloc crénelé à fenêtres gothiques, une tour à chaque coin, dressé à flanc de coteau dans la Normandie proche, quinzième siècle à peine retouché, Du Guesclin en diable, fleuri de pommiers, cerné par le méandre d'un torrent bondissant, tout auréolé d'ocre rose par le soleil couchant... N'allez jamais visiter au soleil couchant! Le soleil couchant est le complice des marchands de biens, il touche une commission. Et on te donnait cette merveille pour même pas le prix de la petite maison du Plessis! On nous aurait rendu la monnaie!

Et le manoir du clair de lune! Il se trouvait aux confins de la Sarthe, celui-là. Trop tard pour visiter, mais nous avions voulu le voir quand même, ne pas être venus si loin pour rien. Un petit machin plus ou moins Renaissance ramassé sur lui-même, un hectare de hautes herbes tout autour, la lune s'amusait sur les ardoises...

Si la raison l'emporta à la fin, elle ne l'a pas fait exprès. Ça se trouvait à soixante-quinze kilomètres, dans la Beauce opulente, c'était grand, c'était démesuré, et surtout c'était, chose incroyable, moitié moins cher que le moins cher! Tita était tombée amoureuse sur-le-champ. J'étais plutôt réticent, je trouvais à la chose un côté bon bourgeois épanoui à chaîne de montre, et puis l'ampleur des travaux me faisait peur. Car c'était une ruine. Une ruine somptueuse, un gouffre à fric que personne de sensé n'aurait voulu prendre en charge. Ce qui expliquait le bas prix.

La maison était en vente depuis des années, dernier lambeau d'un vaste héritage peu à peu dispersé. Les champs et les fermes avaient vite trouvé preneur, mais cette bâtisse et son parc, improductifs, délabrés et dévoreurs d'impôts fonciers, n'intéressaient personne. Qui irait engloutir du fric là-dedans? Des sans-fric, pardi. Boum, nous voilà.

Un paquet d'épines. Cinq hectares de ronces conquérantes, dévorantes, impénétrables. Des sommets d'arbres en émergeaient, et, au milieu, une pyramide d'ardoises mangées de lichens, flanquée de quatre hautes cheminées de brique rose. Une vague piste s'enfonçait dans le roncier, menait, à regret et en vous arrachant des lambeaux de chair, à une porte de côté, celle de la cuisine, la seule accessible. De près, on avait une idée plus précise. Ce qu'on devinait de la maison sous l'assaut furieux des ronces et la luxuriance molle de la vigne vierge retombant des gouttières en guirlandes lourdes de sève était ravissant. Formes modestes, largement conçues, classicisme Louis-Philipard bon enfant, petite rocaille en lits alternés ocre jaune et rouge, angles de brique, frises de céramique à fleurs, et même, aux coins, des écussons de faïence émaillés racontant naïvement les travaux et les jours. Persiennes de bois, certaines pendant de guingois à un gond, d'autres manquant, toutes édentées. Un petit porche surmonté d'une véranda devant, autant derrière. Surtout – pour moi! –, il y avait les communs. A quelque distance de la maison, un ensemble de bâtiments utilitaires, alignés le long d'une vaste cour pavée, qui avaient quelque chose de la ferme moderne 1880 soucieuse de progrès et d'hygiène, et qui me rappelaient l'architecture austère des fortifications de Paris.

Tita séduite, moi ne demandant qu'à l'être, les choses allèrent rondement. Une banque consentit un crédit, rassurée par mes rentrées désormais régulières, Choron m'avança dix briques, Le Plessis fut vendu... Ce fut le plus dur. Quitter ma maison. Aucune maison ne serait autant ma maison que celle-là. Pendant vingt ans, je n'avais cessé d'y travailler. Huit jours avant de la quitter, je gâchais une brouettée de béton pour je ne sais quelle bricole... J'ai chialé comme un veau. C'est con de s'attacher.

*

C'est peut-être l'absurdité même de tout ça qui a fini par m'emballer. Cette demeure d'aristo décavé, ces dépendances en enfilade, ces cours, ces écuries, ces granges, ces greniers, ces escaliers... Ces toits crevés, ces gouttières percées de mille trous par les plombs des chasseurs bredouilles se vengeant au passage sur les pigeons... Ces tas d'ordures partout, cet étang comblé ras la gueule par une vase puante d'où émergeaient des carcasses de lits-cages et de vélomoteurs, ces ronces triomphantes... L'énormité de la tâche, je suppose, sa folie m'ont stimulé comme un défi. Et le discret enthousiasme de Tita.

Moi à qui il faut si peu de place pour vivre, une cellule nue, un matelas par terre, me voilà pris de délire devant cette démesure. J'y suis perdu comme un pou dans un tonneau, les distances sont harassantes, tout est dégingandé, tous ces espaces sonores, jonchés de crottes et de cadavres de rats, tapissés de toiles d'araignée, qui, même si j'arrive à les aménager, à y mettre des choses à moi – mes livres, bien sûr ! – retourneront vite à la poussière à moins que je ne consacre mes jours à faire le ménage, j'aurais ricané de pitié si l'on m'avait raconté ça d'un autre, et voilà que je suis pris, ferré ! Je serai le cinglé du « château », je m'y userai paumes et ongles, j'y userai ma vie, je retaperai cette maison comme si la retaper était la tâche à moi assignée sur terre, LE but.

On a les buts qu'on peut. Quand on n'est pas doué pour le sublime, il reste l'absurde. Qui ne peut être Roland peut toujours être Don Quichotte. Je vais cultiver ce délire-là. Il chatouille au fin fond de la fibre le vieux rêve enfantin de la ville-fantôme, un de mes préférés pour m'endormir. Je laisserai le « château » à Tita et aux enfants, moi je ferai joujou dans les communs.

J'aime faire les choses plus qu'en jouir. Je me raconte comment ce sera quand tout sera fini. J'irai de-ci, de-là, mon chien sur les talons, mon chat sur l'épaule, dans la ville-fantôme, je me tordrai les pieds dans la cour aux pavés bousculés comme par une houle à cause des taupes qui creusent dessous, les pigeons s'envoleront au tout dernier moment, les poules me monteront sur les pieds pour mendier du grain... Oui. Toujours ces rêves de solitude ardente. Ça doit vouloir dire quelque chose. Je me ferai analyser. Un jour. Plus tard.

Les premières réparations, l'indispensable, nous ont ramenés sur terre. Eh, oui, dit la sagesse populaire, si c'est pas cher à l'achat, c'est que c'est cher autrement. Me revoilà boursouflé de dettes, et les deux journaux qui choisissent ce passage difficile pour commencer à battre de l'aile... Le plongeon est amorcé, tous nos efforts n'infléchiront pas la trajectoire... Il y aura un moment terrible, le moment où il faudra envisager de revendre... Et puis la merveilleuse surprise des *Ritals*, le premier de mes livres qui ait « marché ». Il a galopé. Il a tout payé : fisc, maçon, couvreur, peintres... Il n'en est pas resté un sou. La maison a ensuite dévoré *Les Russkoffs*. Quel appétit! Mange, maison, mange! C'est que je l'aime, moi. Ma pyramide de Chéops. Mon amas de projets irréalisables, avortés avant même d'être conçus. Mon tas d'imaginaire figé.

Et peut-être que je ne m'y donne si à fond, si désespérément à fond, que parce qu'elle est l'image d'une stabilité dont j'ai éperdument besoin et qui me glisse et me glissera toujours entre les doigts. Peut-être parce que j'ai peur.

La grosse bête de pierre et de brique, c'est la vie trapue, accrochée au sol, enracinée, immuable, dont je voudrais tant qu'elle existe, qu'elle soit la mienne, ma vie... Enfin, je crois vouloir ça, c'est ce que je me raconte, moi l'instable, moi l'inquiet, moi le chercheur d'emmerdes, je n'y crois que d'un œil, bon, mais j'ai besoin de me raconter ça, qu'il existe un havre tout là-bas, que pour l'instant on est dans le provisoire mais qu'on y va.

Deux ans après, je rencontrais Gabrielle.

*

Nicolas et Mathieu, arrachés à leurs habitudes par les caprices des hommes, avaient adopté sans enthousiasme mais sans répulsion les nouveaux aîtres. L'âge leur avait apporté l'indifférence avec les infirmités. Nicolas partageait notre vie depuis dix-sept ans, ce qui est bien vieux, même pour un robuste briard. Son arrière-train n'allait plus à la vitesse de ses pattes de devant, il le traînait comme un pantalon vide. Il trottait cependant, ne m'aurait en aucun cas laissé partir sans lui, et moi je ne pouvais m'empêcher, cent fois par jour, d'évoquer la fin prochaine, me demandant de quelles horreurs elle serait précédée... Mathieu, l'enfant trouvé, dont on ne pouvait que supputer l'âge, avait pris soudain un terrible coup de vieux. Devenu sourd, aveugle et perclus, il traînait sans repos sa carcasse torturée, sanglotant comme un gosse qui a mal, se cognant partout, tout seul dans sa nuit et son silence... Il ne lui restait que le contact, la main posée sur sa tête. Alors il grognait de bonheur, essayait de remuer son trognon de queue, mais lui aussi se paralysait de l'arrière-train. Tita très doucement le lavait et lui coupait le surplus de poils, les caniches négligés deviennent vite incroyablement sales, il était béat comme un vieux bébé. On l'a retrouvé, un matin, noyé dans la mare. Tita pense qu'il s'est suicidé. Il nageait très bien, la berge est partout accessible.

Nicolas, lui, est allé se cacher dans un baraquement vide. Il s'est allongé sur le flanc, la queue déployée, les quatre pattes bien alignées, ça faisait un chien tout de profil, découpé dans du papier. « Il n'a pas souffert », nous répétions-nous, comme des cons. Et que voulez-vous que nous disions?

*

J'avais emmené maman voir la nouvelle maison, je lui avais montré sa chambre, au rez-de-chaussée.

« Moi, j'aime mieux mon petit logement où que j'ai vécu avec mon pauv' vieux. Et puis, tu me vois quitter la rue Sainte-Anne? A mon âge? »

Elle allait sur ses quatre-vingt-six ans.

« Justement, à ton âge! Ta rue Sainte-Anne, ils sont en train de la foutre en l'air, ils vont y faire un supermarché ou je ne sais quoi. »

Elle hochait la tête, fronçait le sourcil.

« C'est bien trop beau pour une pauv'vieille pauvresse comme voilà moi, tout ça. Et si tu veux m'écouter, c'est bien trop beau pour toi. Les maisons des riches, c'est pas pour les pauvres. Suffit pas d'acheter, faut suivre. Faut en gagner, des sous, dame! Et pas seulement une fois en passant! Te v'là lancé dans la grandeur, tu t'y casseras les dents.

– Mais c'est pas pour jouer au riche, c'est pour les murs, pour l'eau, pour les arbres. Tu comprends? Un bout de terre où personne n'a le droit de tuer. Pas de chasseurs, pas de pêcheurs. Ça nous fait du bien, de nous dire ça. On n'aura pas de meubles riches, ni de tableaux, ni de tralala. Juste la maison et l'espace autour, voilà, c'est ça notre luxe. Tu comprends? »

Ce n'était pas le genre d'arguments qui pouvaient toucher maman. Elle était d'ailleurs flattée, mais ne l'aurait laissé voir pour rien au monde, cramponnée à son personnage de prophète de malheur. Je la sentais, n'empêche, ébranlée, pas loin de se laisser faire... Et puis elle s'est cassé le col du fémur, et elle est allée mourir à l'hôpital, je vous ai déjà raconté tout ça.

*

Voilà, ce serait un endroit où l'on ne tuerait pas. Ce petit bois, cet infime touffe verte posée comme un pubis sur la plaine à blé sans limite, serait lieu d'asile pour tout ce qui court, qui vole ou qui rampe. Pour tout ce qu'on assassine pour le sport, le dimanche après le pousse-café. Ça se saurait. Les bêtes savent vite ces choses. Elles accourraient.

Le premier chèque des *Russkoffs* paya les pieux et le grillage pour une clôture. Très mal vu en ce pays de chasse forcenée. Tant pis. Ici, on ne massacre pas. On ne tue pas pour faire joujou.

Tita et moi avons au moins cela en commun : l'horreur du meurtre, par-dessus tout du meurtre gratuit. Homme ou bête, ce nous est tout un, et cela s'appelle souffrance. Et cela s'appelle peur, fuite éperdue, agonie sans fin, nichées abandonnées crevant de faim sans comprendre, mort, mort, mort, souffrance, souffrance... Les chasseurs à gros bide et à trogne bleue, déguisés en commandos de la jungle, tenue de combat camouflée, œil farouche, avec leurs femelles habillées de virilité de cinoche par le grand couturier, me sont le parfait exemple de la férocité quand elle est permise, de la férocité à bonne conscience, de la férocité épanouie. Oh, comme ils aiment tuer! Comme ils sont contents qu'il existe des « nuisibles »! Etonnez-vous qu'ils adorent lyncher, qu'ils soient pour la peine de mort, qu'ils tirent si facilement dans le dos en cas de « légitime défense », qu'ils partent en chantant pour les guerres, qu'ils bombardent des villes avec tant de minutie, quand c'est permis!

Amoureux de la nature, se proclament-ils! Pourquoi tuer, alors? Justement, rétorquent finement leurs défenseurs barbouillés de culture : l'amour et la mort sont jumeaux, gningningnin. Il y a toujours un paradoxe littéraire pour justifier n'importe quoi.

Belle lurette qu'il n'y a plus de gibier, par ici, ils ont tout tué, alors ils « ensemencent », c'est le terme exact, il existe des élevages de faisans, de lapins, de cailles, de tout ce qu'il faut, plein la région, ils viennent vous manger dans la main, ils n'ont le droit de vivre que le temps d'être tués. Car la terre appartient à l'Homme, son Dieu le lui a dit, et les bêtes y sont tolérées pour sa nourriture et pour son plaisir, à lui, Homme, chouchou de Dieu.

Un endroit où il y aurait des pintades et des canards, et des poules, et des faisans, et des lapins dansant dans le clair de lune, et des écureuils curieux, des hérissons polissons, des lézards dans le grand soleil, des grenouilles sur les nénuphars, des crapauds sous les grosses pierres, et dans l'eau de gros poissons, et, tiens, un héron méditatif, et puis un ou deux moutons, non, pas de chèvre, ça tue les arbres, alors un âne, un tout petit, ça bouffe les chardons, et ça chante quand c'est content, et puis une licorne, toute blanche et un peu crâneuse, et puis un dragon cracheur de feu, qu'on ne verrait qu'à la nouvelle lune, pendant une seconde seulement, sans savoir d'avance où il faut regarder, et puis bien sûr une fée, qui monterait du fond des eaux, d'abord toute tremblée et puis plus nette quoique toujours un peu transparente, avec cette pâle lumière autour, et puis des hiboux et des loups-garous, qui dans la nuit font hou-hou, et puis de ces grosses choses sans forme, juste des morceaux de nuit plus noire, qui font peur aux petits enfants tant qu'ils n'ont pas vu leurs yeux d'or, si sages, si tristes. Un endroit comme ça.

PARIS LA NUIT

ELLE dort. D'un œil. Si je bouge, à peine à peine, les deux projecteurs verts aussitôt sont sur moi, dardés à travers la toison en bataille, inquiets de ce qui m'agite, rassurés de me voir là. Le drap colle à son corps de jeune géante, à grands plis creux en accompagne l'abandon, statufie l'épanouissement de la hanche, creuse d'ombre l'étroit de la taille... Une de ces bêtes longues et sinueuses, aux membres anguleux, qui s'affalent dans le sommeil comme cassées en plein bond, et restent là, plaquées au sol, éclatées, disloquées, belles en dépit de tout. Ses mains sont jointes sur l'oreiller sous sa joue, entre chair et plume, comme quand on fait signe qu'on a sommeil. Ma main à moi pèse sur son bras, à paume étalée, de temps en temps je la bouge un tout petit peu pour sentir bien à plein la bonne jeune vie vivante.

Je ne dors pas. Après l'amour, il me faut des heures et des drogues pour trouver le sommeil. Au rebours des autres, l'amour me réveille, aussi fourbu aie-je pu me sentir en me couchant. Le désir et son accomplissement explosent avec une telle violence qu'ils me projettent cul par-dessus tête vers des paroxysmes de fin du monde, je gueule je perds tout contrôle, et puis l'ébranlement fut si fort que j'en ai pour des heures avant que ne revienne la paix. Après la retombée des sommets, passés les instants divinement comateux où la tête est pleine de cloches sonnantes et les membres fondus en gelée, sournoisement me monte aux nerfs je ne sais quelle excitation malsaine, qui croît de minute en minute et s'accompagne d'un grand mal de tête, d'impatiences dans les jarrets, de frénétiques palpitations de cœur, et bien sûr d'idées noires, de plus en plus noires. Charmante ironie du sort pour qui est « porté sur la chose ».

J'ai vite su qu'il me fallait éviter la baise du soir si je ne voulais pas passer une nuit blanche à me morfondre et à me tourmenter. Et à tourmenter l'aimée, un insomniaque rageur n'étant pas le compagnon de lit idéal pour le repos, même sur un matelas Simmons. A moins, aussitôt les accus rechargés, de repiquer au truc. Mais voilà, les idées noires ne portent pas à la reproduction de l'espèce, tout au contraire mes pensées boueuses sont de détestation de la chair et de ses faiblesses. Où est passé le terrible désir de tout à l'heure?

Mais va te raisonner! Fou obsédé je suis de la femme et de ce qu'elle a entre les cuisses, de ses odeurs et de ses moiteurs, tête baissée je plonge dans le tiède océan, sans la femme à quoi bon vivre, et la femme c'est Gabrielle, jamais femme ne me fut plus femme qu'elle, ni ne le sera jamais, je le sais de tous mes déchirements. Depuis que je la connais je ne suis qu'un perpétuel rut, de jour et de nuit, qu'elle soit là ou qu'elle me manque, que je l'aime ou que je la déteste, ceci au moins est constant : mon insatiable, mon inextinguible, ma bien-aimée soif de son corps...

J'ai entre-temps connu d'autres femmes – oui, je t'ai « trompée », Gabrielle, souvent –, qui me voulaient, que je voulais, or mon désir, pourtant ardent et fouetté par la nouveauté et le plaisir de plaire, ne passait pas de ma tête à mon bas-ventre. Nouée, l'aiguillette. Quelque chose en moi qu'il fallait rassurer. Ne reste plus qu'à sauver la face, ce qui, à vrai dire, n'est plus le problème que ça a été, les femmes sont de nos jours suffisamment averties pour que la baise ne soit plus à chaque fois un test de virilité. Ce que c'est bon, les femmes, depuis qu'elles ont décidé d'être nos conquérantes et nos mamans, vous ne pouvez pas savoir! Il faut les avoir connues AVANT et maintenant pour apprécier.

Elle dort. Je n'en peux plus de lire. Les yeux me brûlent. Je n'ai pas sommeil, pas du tout. Excité comme un pou enragé. Je regarde la nuit, par-delà le rond de lumière de la lampe voilée. Crâne douloureux, ventre poisseux, queue piteuse. Je marine dans l'après.

Bon. Nous avons fait l'amour. Longtemps, longtemps. A corps perdus. Et voilà. Et maintenant? Allons, sois franc. Maintenant, eh bien, je m'emmerde, voilà. Et toute ma saloperie me monte à la gorge. Tita que j'abandonne, qui se sent lâchement délaissée, qui a peur, seule dans la nuit, qui ne dira rien, ne se plaindra pas, à qui je ne peux pas, je ne sais pas parler... Celle-ci qui dort, repue, confiante, rassurée, qui ne sait pas à quel point déjà je ne suis plus là... Je voudrais la prendre dans mes bras, m'y bercer, pleurer tout mon soûl... C'est moi qui ai besoin d'être rassuré! Les prendre toutes les deux dans mes bras, les inonder de mon amour, sentir qu'elles m'aiment, sans arrière-pensée, sans restriction, que leurs tendresses mêlées m'enveloppent et me protègent... Qu'elles sentent de quel violent et doux amour je les aime, l'une et l'autre, l'une et l'autre, qu'elles le sentent, qu'elles le sachent et qu'elles l'acceptent, qu'elles se laissent aller, qu'elles me prennent tel que je suis, m'aiment comme je suis, je les aime tant, moi! Je suis difficile à vivre, un sale cadeau, mais quand j'aime, bon dieu, j'aime si fort!

Tita, Gabrielle, aidez-moi! Soyez avec moi! Vous m'enfoncez, vous me tuez! Aidez-moi! Je vous aime tant! Une seule me manque, tout est perdu... Une seule est malheureuse, je suis aux cent coups.

Mais non. Ne rêve pas, Ducon. On est tout seul dans sa peau. Chacun cherche son salut : l'oubli, un instant, de l'humaine misère. De la tête de mort au bout du chemin. Chacun noie l'autre pour ne pas se noyer, même l'aimant plus que sa vie (qu'il croit).

Sur cette pente-là, pas de raison de s'arrêter. De plus en plus marécageux :

« L'amour, c'est même pas la recherche du plaisir. C'est une pulsion dans le bas du ventre, ça te pousse au truc à coups de pied dans le cul, ça t'allume des feux d'artifice dans la tête, tu vois le réel à travers des lunettes truquées, tu y fourres en vitesse de l'inouï et de l'idéal, tu fonces, propulsé par le jus de tes glandes, et puis ça te recrache, vidé, ahuri, le cul à l'air et le bout de tuyau empoissé, et tu te demandes ce qui t'a pris, et qu'est-ce que tu fous là, à côté de ce gros cul, et tu voudrais bien être ailleurs... »

Oh! l'heureux temps où tu ne te laissais pas avoir! Où tu prenais le bon de l'amour et laissais le reste. Oh! les excuses bafouillées, les chaussettes furtivement enfilées, la porte, ouf, refermée sur ton dos, l'escalier dégringolé, l'énorme soulagement, la nuit bleue de la rue, la grande goulée d'air froid, les réverbères amis, ton pas sonnant haut dans Paris désert... Paris de trois heures du matin, l'heure de l'irréel silence, l'heure où même les malfrats sont couchés puisqu'il n'y a plus de traînards à dévaliser. Paris de la liberté sauvée de justesse, et pour cela si parfumée. Les collines dévalées la joie au ventre. Paris pour toi tout seul, les couilles vides, la queue ratatinée, douloureuse d'avoir tant frotté... L'infini étoilé aspiré à pleins poumons, au sortir du lit-piège des cuisses-étouffoirs... Loin de la femme, de son ventre, de ses replis, de ses yeux battus, de son sourire gavé d'après la baise...

Dans le saccage figé des draps, aussitôt le coup tiré, la grande rage du cul soudain tombée, quand le néant bienheureux du coup de trique sur la tête peu à peu tourne en langueur de plus en plus lucide, de plus en plus saumâtre, une idée émerge, devient obsession : foutre le camp, s'arracher à la femme-ventouse, plonger dans le désert des rues, marcher à grands pas sonores vers l'antre chéri de ma solitude... Besoin aussi violent que le fut, tout à l'heure, celui du cul... Retrouver le matelas-mousse par terre, la petite lampe, le polar commencé, attendre sans hâte le sommeil, remuer une jambe de loin en loin, une seule, à peine, rien que pour sentir le poids familier de la fatigue dans le mollet, bien la savourer... Je m'étire tout de mon long, mes pieds se forcent une trouée là-bas au bout, mes orteils s'épanouissent à l'air libre (je ne peux pas supporter d'avoir les pieds enfermés, absolument pas) et, bien à plat, je lâche un gros pet, un mahousse pépère qui me soulève sur son dos comme un hippopotame s'arrachant à la vase. Va donc péter au lit avec une femme, toi! Ou alors t'es un beau dégueulasse.

Solitude, ma solitude, mon nid, mon refuge, ma force, mon père et ma mère!

Et bon, me voilà baisé, jusqu'au trognon, pis qu'un homme marié. Deux fois marié!

Pourquoi le cul – je mets dans ce mot cul et cœur, tous les émois de l'amour, c'est tout un – pourquoi le cul ne se contente-t-il pas d'être la chose fabuleusement délectable, excitante, fantasmatique et motivante qu'il est? Je dis sensations, sentiments, conquête, stratégie, victoire, déceptions, exaltation de toute la fibre... Pourquoi met-il soudain en jeu la vie? Pourquoi la famille? Pourquoi au bout de la queue et du frisson amoureux, y a-t-il les gosses, la contrainte, les traites, les vacances, la responsabilité, l'ulcère, l'habitude, les chaînes et les fers? Pourquoi faut-il tant ruser pour ne pas se retrouver pieds et poings liés en mariage ou collage? Pourquoi ne sait-on pas tout cela d'instinct et ne l'apprend-on – quand on l'apprend! – que lorsqu'il est trop tard et la bête en cage?

Arrivé là, je m'aperçois que j'ai suivi l'itinéraire-type du beauf' moyen. Appelons ça le rêve de Don Juan. Sauf que le beauf', quand il a tiré son coup, il roupille. Enfin, c'est comme ça que je vois les beauf's, il faut bien que j'aie une petite supériorité sur eux, un petit quéquechose qu'ils n'ont pas, ne serait-ce que l'insomnie post-coïtale. Le beauf' a rempli Maimaine, les petits cons roupillent à côté, alors le beauf' rêve qu'il se tire dans la nuit brune salut-bonsoir, nez au vent et cœur à l'aise, en avant vers de nouvelles aventures!

Axiome de beauf' :

Les femmes veulent se faire planter des gosses dans le ventre. Les hommes veulent se vider les couilles.

De beauf' mon cul. TU penses cela, toi, François, qui te prends pour un profond et un délicat. C'est vrai. Mais c'est la rage. L'amour piège à rats. Je me cogne aux barreaux et je tourne en rond. Même pas l'amour : des tas de types aiment et ne se laissent pas piéger. Ce n'est pas l'amour qui te piège, c'est ton incapacité femelle à dire non, à décevoir, ou plutôt à affronter. Et c'est ÇA qui détermine ta vie, qui t'empoisse les pattes et te cloue à ce plumard comme à du papier tue-mouches. Et c'est tellement con que je n'ose le dire à personne. On ne me croirait d'ailleurs pas. Et puis, je n'ai de toute façon personne à qui le dire.

Bon. L'aurore déjà faufile ses doigts sales à travers les persiennes. Si je ne roupille pas au moins deux petites heures, je ne serai bon à rien. En avant pour une autre tournée de Binoctal avec un coup de vodka pour amorcer le plongeon.

*

Nous venions de nous séparer, une fois de plus, dans le déchirement et la violence, une fois de plus. C'est à chaque fois nouveau, imprévu, en coup de tonnerre. Nous marchons à fond l'un et l'autre, chaque fois, nous nous faisons des peurs terribles, car nous ne trichons pas, pas consciemment, disons, nous dégustons bien bien. Evidemment, quelle que soit l'occasion, la vraie profonde raison est mon incapacité à me trouver ici et là-bas en même temps, et aussi ce sacré besoin qu'elle a, elle, de vouloir créer un « couple » avec son « lieu » et ses banlieues. Ce que fut l'occasion cette fois-là, je l'ai oublié. J'avais claqué la porte en jurant que plus jamais. Toujours est-il qu'aux aurores elle tournaillait, les yeux fous, place Saint-Michel, au milieu de la chaussée, en chemise de nuit, pieds nus, poitrail au vent, cheveux sur le nez. Coups de frein. Klaxons.

« Ça va pas, la tête ?

— Encore une camée ! T'as pas honte, salope ? »

Elle me cherchait. Elle avait couru comme ça jusqu'à ma piaule. Je n'y étais pas. Alors, elle ne savait plus. Tournait en rond. Les larmes lui ruisselaient. Elle se serait fait embarquer. Une moto s'arrête, le gars lui prend le bras. Elle sursaute, se trouve nez à nez avec un casque « intégral » de cauchemar. Bafouille, se rend compte qu'elle est quasiment à poil, prend peur. Le motard ôte son casque.

« Madame, vous ne me reconnaissez pas ? Je suis votre dentiste ! Votre dentiste, voyons ! »

Il voit que ça ne va pas du tout. Elle claque des dents. Il lui parle doucement, jusqu'à ce qu'enfin elle le reconnaisse, là prend sur le tand-sad, lui passe son blouson sur les épaules, la ramène chez elle. Et puis il gagne son cabinet, un peu songeur.

Quand j'apprends de ces épisodes ou quand, alerté par une amie affolée, j'accours, la queue entre les jambes, je la trouve fermée, hostile, montrant les crocs. Elle a ce seul mot :

« Alors? »

Ou peut-être pimpante et gaie, maquillée comme pour une fête, l'œil trop brillant, tendre, attentive, la dînette prête, rien ne s'est passé. C'est possible aussi. Je ne sais pas laquelle des deux versions me fout le plus la trouille.

*

Quand on ne sait plus quoi dire pour faire comprendre ce qu'on ne dit pas, on parle de suicide. Tous les cons sont passés par là. Je n'allais pas manquer ça.

« Je me fais tellement chier, j'ai envie de crever. Il y a des moments, je suis au bord, au bord... »

Tu te rends compte? Parler de se tuer dans la maison d'une suicidée! C'est aussitôt tombées de la bouche qu'on s'avise de ses plus somptueuses conneries... Elle ne ricane pas. Ne retient que ceci : je parle de me tuer, donc je ne suis pas heureux. Ne pas être heureux est lui faire injure. Je l'aime, je l'ai voulue, je l'ai, elle m'aime. Je suis malheureux? Alors, c'est sans espoir. Elle ne peut donner que ce qu'elle a, c'est-à-dire elle-même. Mes problèmes et inconforts intimes, c'est à moi de les régler. Je suis un salaud, l'ayant prise en charge, de brandir soudain ma non-disponibilité. Non, « salaud » est de moi. Elle ne porte pas de jugements moraux. Disons, pas en termes moraux. N'empêche que je la sens me jaugeant. Et que je lui en veux de voir clair, implacablement clair, et d'être, moi, aussi misérable et aussi transparent.

Je patauge :

« De toute façon, tu me tueras. C'est sûr. Je suis une planche pourrie. Et toi, tu ne transiges pas. Quand tu en auras bien marre. Quand tu auras vraiment compris, compris dans le fond de la tripe, que ça n'évoluera jamais. Et tu feras ça très mal. Par méchanceté ou par maladresse, tu vas cochonner le boulot, tu me feras souffrir comme un chien, alors j'aime mieux prendre les devants et faire ça à ma main, à mon heure, en profitant d'un bon coup de cafard ou d'une bonne grosse colère... »

Pour qui cette comédie piteuse? Eh, pour moi, pardi! Pour moi tout seul. Je joue à me faire peur. Je contemple mon malheur, pauv'petit lapin. Je m'attendris sur moi. Tu parles que je veux crever! Mais j'arrive à y croire, un petit peu, « quelque part ». Je me ferais presque pleurer. Un type aussi lamentable que moi, je pourrais pas le fréquenter. J'ai beaucoup de mérite à m'aimer.

*

Oh! que c'est donc facile à aimer, les parents! Papa, comme je t'aimais, sans tourment, sans problème, sans même m'en rendre compte, tout naturellement! Maman, comme il était aisé à accepter, à ignorer, ton sacrifice de chaque instant! Ah! ma pauv'dame, m'en parlez pas, on a trente-six femmes, mais on n'a qu'une maman.

LORSQUE L'ENFANT PARAÎT

ELLE a un drôle d'air. Je dirais sournois, mais d'une sournoiserie ostensible, qui appelle la question. Je joue le jeu.

« Qu'est-ce que tu as? »

Les yeux dans les yeux :

« J'attends un bébé. »

Elle me défie. Parée pour l'explosion. Justement, il n'y en aura pas. C'est une bombe, mais comme je m'attendais à une bombe...

« Ton stérilet qui déconne?

– Je me le suis fait ôter il y a six mois.

– Et la pilule?

– J'ai décidé de ne pas la prendre. »

Le terrain devient glissant. Surtout, pas d'éclat. Calme. Naturel.

« Ça te travaille tellement?

– Je veux un enfant de toi.

– On en a parlé bien des fois...

– Il y a six mois, je t'ai dit, pour le stérilet.

– Tu me l'as dit?

– Je te l'ai dit.

– Aucun souvenir! Et j'ai répondu quoi?

– Tu n'as pas dit non.

– Tu es certaine que j'avais bien entendu?

– Tu n'entends que ce que tu veux entendre.

– Gabrielle, tu me mènes en bateau. J'ai toujours

dit non. Catégoriquement, égoïstement, dégueulas-
sement non, tout ce que tu voudras, mais non. Je ne
peux pas avoir une seule fois dit autre chose que
non, même par distraction.

– J'ai cru que tu étais d'accord. Que tu avais
compris à quel point c'est vital pour moi. »

Elle est blanche. Ses lèvres tremblent.

« Gabrielle, je vais avoir soixante ans.

– Mais tu n'AS pas soixante ans! Et puis, ton âge,
je m'en fous! Est-ce que je t'aime comme un déchet,
comme un pis-aller? J'ai besoin d'un enfant! J'ai
toujours voulu être entourée d'enfants! Tu me refuses tout, la vie commune, une maison où tu serais
autre chose qu'un passant, tu me refuses même de
rêver d'avenir... L'enfant, j'en ai besoin. Dans mon
ventre. Dans ma vie. Qu'est-ce que ça peut te faire?
Tu serais assez salaud pour me refuser ça?

– Je ne supporte pas les enfants, tu le sais, c'est
pas nouveau.

– Tu en as supporté cinq!

– Je ne savais pas, au départ. Je t'ai déjà dit tout
ça. Et puis, j'étais jeune, j'encaissais mieux. Maintenant, au moins, je me connais. Je ne veux pas
remettre ça. Je n'ai pas été un mauvais père, j'ai été
bien pis : un père indifférent... Et puis, j'ai beaucoup moins de patience qu'autrefois. Je supporte
moins bien de faire l'hypocrite. L'idée d'un môme à
qui il faut faire risette, s'intéresser à ses conneries
de môme, non et non! Marre! J'ai déjà donné. Je ne
peux plus me raconter d'histoires.

– C'est maintenant que tu te racontes des histoires! Bruno t'adore, il parle toujours de toi, il
demande quand tu seras là...

– Parce qu'il voit bien que sa mère est triste!
C'est un gosse très fin. Il ressent très fort les choses
et les gens.

– Tu nies l'évidence! Tu t'acharnes à repousser
de toi tout amour, à décourager les sympathies!

Bruno ne demande qu'à t'aimer. Tu ne vois donc rien?

– Bruno a son père. Et son père est un père normal, lui. Il aime les enfants, il a bien de la chance, et son fils aussi.

– De la chance? Tu oses dire « de la chance »? Tu te fous de moi ou tu es vraiment inconscient? Tu vois le tas de ruines que tu as fait de sa vie, de la mienne, et tu parles de chance! »

Les larmes lui coulent, tout son désespoir lui monte à la gorge, je me sens sale et puant, mais je ne céderai pas, pas cette fois. Si je suis capable de réunir une pincée de volonté une fois dans ma vie, ce sera cette fois-ci. Allons-y. En férocité :

« Ecoute, Gabrielle, écoute-moi bien. Tu auras ton gosse, bon. Mais si tu veux qu'il ait un père, ne compte pas sur moi. Je refuse de le reconnaître. Je sais, tu as la loi pour toi, la notoriété publique, tout ça, tu trouveras facilement tous les témoins qu'il te faut, tu me traîneras devant les tribunaux, tu auras gain de cause, mais, sache bien, tu m'y traîneras, littéralement. Jamais je ne le reconnaîtrai de bon cœur, jamais. Et je m'en tiendrai aux strictes obligations légales. »

Est-ce ce jour-là que j'ai réussi mon chef-d'œuvre de saloperie? Comment en vient-on à faire autant de mal? Et je l'aime, mon Dieu, que je l'aime... Elle ravale ses larmes, je me retiens de la prendre dans mes bras, elle n'attend que ça pour me foudroyer d'un terrible éclair vert. Si elle savait à quel point je me cramponne... Une voix en sourdine m'insinue que ce ne serait pas si terrible... Pas aussi terrible en tout cas que la peine que je lui fais... Elle n'a pas senti le moment, ne l'a pas mis à profit. Il est passé. Un gosse qui aurait douze ans quand j'en aurai soixante-dix! Vieux fou, vieux con, vieil irresponsable!

Elle me regarde, glaciale.

« Alors? »

Je fais l'andouille.

« Quoi, « alors »?

– Qu'est-ce que je fais? »

Elle ne me laissera pas m'en tirer comme ça. Je devrai étrangler le petit chat jusqu'au bout, jusqu'à ce qu'il ne bouge plus. Mais c'est plus fort que moi, j'esquive.

« Tu fais comme tu veux. Pour moi, je t'ai dit.

– Très bien. »

On ne s'est rien dit de plus ce jour-là.

Une semaine plus tard, je la trouvais pâle, fatiguée, elle finit par me dire – avec quel regard! – que le bébé avait décidé de renoncer, tout seul. Peut-être à cause du choc de notre affrontement. Elle ne me pardonnera jamais ça. Je ne manque pas de penser, furtivement, qu'il ne m'en aurait guère coûté de jouer les jeunes papas comblés, eh oui, mais va connaître l'avenir, toi. Et puis, elle aurait recommencé un peu plus tard... Je lui ai fait un mal de chien, j'ai bouché sa seule fenêtre. Refuser un enfant à une femme, c'est peut-être pire que la tromper. Sûrement, même.

LE BOIS ET LA VIS

La planche m'est plus précieuse que le meuble, le matériau plus que l'objet. J'aime la matière.

Parce qu'elle est riche de tout ce qu'on peut en faire, bien sûr. L'imagination s'y exalte, elle a les yeux trop grands, les bras trop courts, elle galope, elle dessine, elle mesure, elle suppute forces et résistances, elle assemble et renforce, elle jouit de l'objet projeté plus que personne ne jouira jamais de l'objet fait. Et puis elle se ravise, change un détail, ou chamboule tout... La matière fait de l'homme un dieu : il peut CRÉER. Plus qu'un dieu : il peut PROJETER. Un dieu SAIT, de toute éternité. L'homme DÉCOUVRE. La création divine n'est que l'actualisation d'un concept préexistant. L'homme crée vraiment, à partir de rien. L'idée n'était pas là tout à l'heure, elle est là maintenant! Joie! Triomphe! Un dieu, ça ne doit pas rigoler tous les jours... C'est ainsi qu'a dû naître l'idée de dieu : un être qui aurait tiré l'homme, objet fini, d'un matériau propice, comme l'homme tire la table de l'arbre.

J'aime le bois, le fer, la pierre, le cuir et le plastique, j'aime les bouts de bois repêchés, rongés sculptés par la pourriture, les troncs creux, les branches tourmentées, j'aime les bouts de tuyau moussus de vert-de-gris, les clous tordus, les vis rouillées. J'aime les petits machins compliqués, épaves d'un ensemble disparu et précis qui ne peuvent strictement servir à rien d'autre qu'à la fonction prévue mais sur qui on ne peut s'empêcher de rêver. Je les mets de côté, j'en ferai quelque chose, un jour. Ou l'autre.

J'ai toujours été fouille-poubelles. Peut-être parce que papa, déjà, ramassait en chantonnant tout « ce qui peut servir », en remplissait ses poches, et puis la cave, et puis des cachettes secrètes, un peu partout.

Avant de scier un bout de bois, de percer une tôle, j'hésite. Sentiment de profaner. De faire de l'irrémédiable. Ce sera sans doute réussi, pas de raison, je m'y prends proprement, j'ai fait un dessin, mais ce ne sera plus ce beau bout de bois, cette tôle vierge. L'arrêt sera signé, le destin scellé...

Mes outils sont, pour l'essentiel, ceux de papa. Vieux manches polis à la couenne d'homme, fers noircis... Ma truelle est sa truelle, tellement usée maintenant d'un seul côté qu'elle a bientôt l'air d'une faucille. Je n'ai pas de meule, alors j'affûte les ciseaux à bois sur le pavé. Ou bien, horreur, à la lime. M'en fous, personne ne me voit. J'ai appris les rudiments à l'école, il y avait une section « atelier », un an de bois, un an de fer, on se marrait, cela va de soi, on faisait les cons, je ne savais pas que j'apprenais des choses essentielles, qui me resteraient, qui ensoleilleraient mes jours. Après, il y a eu les chantiers, et aussi tout ce qu'on glane par-ci par-là, au hasard de la vie.

*

Visser une vis dans du bois est un acte profondément sensuel. Je ne parle pas seulement de cette satisfaction de sentir la matière obéir, de ce sentiment de toute-puissance, de maîtrise des choses et de l'événement, mais bien d'une autre jouissance, simultanée mais différente, jouissance essentiellement, profondément physique. Les muscles de la paume, des doigts, de l'avant-bras et de l'épaule sont à la fête, chacun d'eux prend sa part de plaisir, un plaisir discret, calme et fort, à chaque tour la vis s'enfonce, et s'enfonce, et s'enfonce, sur la fin du parcours la résistance s'affermit, devient héroïque, elle ne cède que pas à pas, quart de tour à quart de tour, enfin on bloque, langue entre les dents, avec un gros soupir, c'est fini, les muscles se relâchent, on respire, on s'aperçoit qu'on avait oublié de respirer.

Enfoncer un clou est sensuel. On sent le clou céder un peu à chaque coup de marteau, céder à regret, ferme jusqu'au bout, on sait quel coup sera le dernier, on s'en réjouit d'avance, le voilà, à toute volée, victorieusement, c'est le coup qui scelle le clou, qui enfonce légèrement la tête dans l'épaisseur du bois... Et quand un tenon glisse enfin dans sa mortaise, poussé au cul à petits hochements de maillet, et vient buter juste bien en place... On a fait du définitif, on a mis ensemble ce qui était destiné à l'être de toute éternité... Sensuel, le contact du bois poli, du ciment frais lissé... Même la cour bien balayée me réjouit les bras et l'œil : j'ai avancé vers QUELQUE CHOSE, un mieux, le but... Bien sûr, il n'y a pas de but, mais mes bras ne le savent pas, et pourquoi irais-je leur faire de la peine ?

Besoin d'une tâche, difficile mais pas hors de portée.

Un grand plaisir musculaire-sensuel : broyer un cageot entre ses mains.

Je n'en reviens pas, ne m'en lasse pas, ne m'y habituerai jamais : que le mortier de ciment devienne pierre. Je n'arrive pas à y croire, après tant d'années. Cette bouillie semi-liquide? Impossible. Je me relève la nuit voir s'il prend. Chaque fois, il me fait marcher. Le premier jour, ça reste du sable mouillé, le deuxième jour, encore pire : du sable sec qui s'émiette et tombe en poussière, et le troisième matin, soudain, Noël! C'est du roc, c'est du granit, tout tient d'un bloc, je danse de joie.

Que, la ligne posée, clic, la lampe s'allume! Que l'eau chaude tombe de la douche! Que le moteur se mette en marche! Que l'arbre planté, au printemps se couvre de feuilles... Incroyable! Je crèverai désespéré, peut-être. Emerveillé, sûrement.

*

J'aime faire, faire de mes mains. Concevoir dans ma tête, projeter sur le papier (je ne peux bien penser qu'en dessinant, la main va plus vite que l'idée, je m'hallucine littéralement), et puis faire jaillir du néant un objet qui n'existait pas, à la scie, au marteau, à la pince, à la truelle... Pas bricoler, non. Je veux que ce soit fait en professionnel. Rien de désinvolte, d'improvisé. Je suis patient, minutieux, obstiné, je finis toujours par y arriver, si je ne sais pas je tâtonne, c'est le vrai repos de la tête, des problèmes à résoudre, plein de problèmes, mais pas d'angoisse, tu vois ça? Pas d'angoisse! Ecrire, c'est l'angoisse. Toujours. Je n'arrive pas à croire qu'au bout des heures de torture solitaire il y aura un texte qui tiendra debout. Même après toutes ces années et ces tonnes de papier noirci, je n'y arrive pas. Le travail manuel n'engendre jamais l'angoisse. Un problème, ça se résout, à la douce ou à la dure, au besoin en trichant. La matière est bonne fille, même si elle fait parfois la coquette.

Je m'attache aux objets, aux lieux. Surtout à ceux que j'ai faits de mes mains, ou que j'ai conçus, ou sur lesquels j'ai beaucoup travaillé. Tu ne connais vraiment bien, donc tu ne possèdes bien, que ce que tu as marqué de ta sueur, comme le chien marque de sa pisse le territoire qui est le sien. Je m'attache aux choses dans la mesure où j'y ai œuvré. Un lien se crée. Je suis tellement content de moi que j'ai une bouffée de plaisir chaque fois que je marche sur « mon » pavage, que j'appuie sur « mon » inter-rupteur, que je caresse le feuillage pétant de santé de l'arbre par moi planté. Je ferais un détestable artisan. Je serais déchiré à l'idée de vendre quelque chose que j'aurais fait. Ma première maison, celle du Plessis, à laquelle j'ai tant travaillé pendant vingt ans, je ne fais jamais le détour pour aller lui dire bonjour, j'aurais trop de peine d'y voir des étran-gers, jalousie noire, je suis sûr qu'ils l'ont changée, mise à leur goût, donc saccagée : elle était parfaite... Ils auront coupé des arbres, mes arbres, mes chéris, élevés au sein, et toutes les maladies d'enfant, les tempêtes, les trois bouleaux déracinés quatre fois, à chaque fois replantés illico sous la pluie battante, dans la gadoue jusqu'à la ceinture, haubanés, étayés, dans les rafales qui t'envoyaient sur le cul, le tronc faisait catapulte, c'est souple, un bouleau, et farceur, et les bordels de putains de bouleaux de mon cul hurlés à la face du ciel, un lotissement si convenable, les voisins faisaient les gros yeux der-rière leurs carreaux, enfin, bon, j'étais le cinglé du coin, il faut toujours qu'il y, ait un cinglé du coin, pour la conversation.

J'ai vendu ma maison, j'ai vendu mes arbres et le jardin fou triangulaire, et le triangle de ciel au-dessus, et les nuages qui cavalaient d'ouest en est, toujours d'ouest en est, et la Grande Ourse, et le hibou invisible, qui était peut-être bien une chouette, ou un grand-duc, ou une effraie, c'est pas le dictionnaire qui va t'aider, même en couleurs, il t'enfoncerait plutôt. J'ai pu vendre tout ça, comme on vend sa mère, je suis un vrai dégueulasse... Pourquoi, aussi, sont-ils venus planter des tours derrière mon dos, à pas de loup, et puis tout autour, ils s'enhardissaient, et puis un collège carton-plastique bleu-suicide devant mon nez, et puis un super-marché et son parking-concentration à projecteurs-flics (c'est là qu'ils nous parqueront, juste avant les crématoires), et puis une grosse pelote de routes super-astucieuses, un coup je te passe dessus, un coup je te passe dessous, suis la flèche, Ducon, pof, trop tard, dans le cul... Entre quatre murs, mon île déserte. Terrain vague à poubelles, mon paradis. Les bribes de verdure, lugubres vestiges de la campagne à vaches, hideusement souillées par les carcasses de mobylettes, les cuisinières au four béant bavant les vieilles sauces caramélisées sur l'émail livide, les frigidaires-cercueils, les télés ava-chies, les tas de gravats des joyeux bricoleurs... L'horreur montait, montait, la haine du genre humain m'étranglait, et tout ce gâchis, je ne pouvais m'empêcher de couper un bout de fil électrique encore tout bon, de dévisser un petit moteur, une prise de courant, même des vis, des petites vis de rien du tout, c'est plus fort que moi, je ne puis supporter que des choses conçues et fabriquées avec tant d'astuce et de métier ne serviront plus. La moindre vis m'émerveille. Tu tournes l'écrou, ça avance, et ça serre avec une puissance fantastique! Je ne sais pas si c'est vraiment le père Archimède qui a trouvé ça, mais quel cerveau, celui-là! Non? Il t'en faut plus que ça pour t'épater? Ah! bon. Et t'as inventé quoi, toi? Même pas le tiercé : t'es juste bon à te faire plumer.

Si j'étais artiste peintre, je serais mort depuis longtemps. De faim. Je n'aurais jamais pu me rési-gner à vendre un tableau de moi. Dessinateur, ça va : tes dessins sont photographiés, reproduits, et même à des millions d'exemplaires si ça marche pour toi, et puis ils te reviennent, les petits trésors, un peu défraîchis, un peu déchirés, tout griffonnés de crayon bleu, maculés par les gros doigts pleins d'encre grasse, si tu savais ce que l'ouvrier s'en fout, mais bon, ils te reviennent, ils te sautent dans les bras en criant « Papa! », tout tremblants d'avoir eu si peur, douce émotion, le film se termine bien. L'écriture, pareil. Quoiqu'on s'attache moins. Les pattes de mouche sur le papier quadrillé ne sont pas une œuvre en soi. Je n'ai pas l'adulation fétichiste de mon écriture, mais n'empêche, j'aime pas qu'elle se trimballe. Je ne sais pas taper à la machine, je ne vois pas l'utilité d'apprendre, le tacatac me fait claquer des dents, et puis j'aime pas beaucoup la gueule d'un texte tapé, ça a quelque chose de pincé et d'étriqué, quelque chose de bureaucrate, si tu vois. Ni la rondeur de l'imprimé, ni les gambades du manuscrit... Bon, j'écris, ce qui s'appelle écrire, avec le pouce et l'index serrés autour d'un feutre bien noir. Le feutre, avec l'eau chaude, la plus belle invention des temps modernes! Avant, j'écrivais au bic, il faut se crisper, appuyer, j'y piquais de ces crampes dans le coude, j'avais une gouttière au pouce et un gros cal à l'index, je m'applique, je moule comme autrefois à la communale, pas que le type, ou le lino, ou la claviste, ou quoi que ce soit d'autre depuis avant-hier, le progrès galope t'as pas idée, pique le coup de sang à déchiffrer mes tortillons et aille me semer des coquilles partout... Ecrire est devenu du patinage, la main glisse, onctueuse, sur le papier lisse que la pointe effleure à peine, laissant une trace grasse et noire d'écriture bien ronde, à la lisibilité hors pair. La lisibilité a toujours été mon souci premier, depuis que j'ai l'âge d'écrire. Ce qu'on a à dire doit, me semble-t-il, sauter aux yeux immédiatement, globalement, avant même d'être lu, de par je ne sais quoi de spontanément évident dans le graphisme même. Ecrire à la main, quelle allégresse! Tu regardes ta main courir, t'en reviens pas. Elle prolonge vraiment ton cerveau, t'as pas à t'en occuper, les idées coulent du haut en bas, par la manche de la chemise, elles tricotent leur petite affaire sur le papier, les verbes s'accordent, les pluriels se mettent un « s » au cul, un « x » si ça se trouve, les virgules sautent à cloche-pied, oui, bon, d'accord, il m'en faut pas beaucoup. M'en fous. Ma tête, ma paluche et moi, on s'amuse bien ensemble. Sauf les fois où, comme je disais, c'est la grande détresse. C'est-à-dire à chaque mise en route. Mais ça finit toujours par démarrer, chose incroyable, et puis ça trotte pataclop, comme par exemple en ce moment, et c'est le bonheur, le cerveau frais comme un petit-suisse, les idées qui déboulent tellement vite ta main n'arrive pas à suivre, si tu t'arrêtes pour noter tu perds le fil, quel entrain, quel printemps, quel joli métier que le mien !

Mon temps, pendant près de trente années, je l'ai peut-être déjà dit mais tant pis, s'est divisé en deux : les jours où j'allais sur place travailler au journal (réunions, photos, maquette, « marbre », corrections, va-et-vient entre rédaction et imprimerie) et ceux où je restais à écrire à la maison.

Ces jours-là, ceux, donc, où rien ne m'obligeait à quitter l'île déserte, je ne me lavais ni ne me rasais, « habillé en dégueulasse », comme disait papa, qui, lui, ne s'habillait autrement que pour enterrer un copain. Couvert de terre, de plâtre, de mortier, de cambouis, je lâchais la pioche ou la truelle pour m'asseoir à ma planche et me mettre à écrire, à dessiner, enfin à bricoler tout ce qui se bricole dans un journal qui veut avoir l'air d'un vrai sans en avoir les moyens. Je me plongeais dans chacune de ces activités avec la même furie : la maison et le journal. Je commençais par la maison, à cause des angoisses du créateur qui, là, me foutaient la paix. Je m'accordais une heure de sain exercice manuel, et puis, au coup de gong, je laisserais tomber la truelle et la scie, je les abandonnerais sur l'ouvrage inachevé, je casserais le geste en plein vol, promis juré, croix de bois croix de fer, sinon j'étais un pauvre mec et je me causerais plus... Va te faire voir! La nuit me surprenait acharné bec et ongles, et dents, et orteils, sur une saloperie de truc qui résistait, se compliquait, les emmerdements accouchant d'emmerdements pires, sans fin, en poupées russes, et moi suant, souffrant, grinçant, oubliant tout, rappelé sur terre par la nuit alentour, prenant conscience que je n'avais de tout le jour ni mangé, ni bu, ni pissé, et soudain rattrapé par tout ça à la fois, toutes les tortures : estomac, vessie, tête qui tourne, jambes en coton, et, merde, ayant complètement oublié le travail, le vrai, le seul, le sacré : celui qui donne la paie au bout du mois. Et moi j'étais fourbu, et moi je rêvais de mon plumard.

C'est là que ma vieille ennemie intime, la culpabilité (à la communale, au cours de Morale et Instruction civique, on disait « le remords », mais ça faisait pauvre, j'en conviens, vivons avec notre temps, que diable) me mordait au cul. Je dévorais n'importe quoi, ce que je trouvais à la cuisine, saucisson ou fromage, pourvu que ça se mange dans le papier, je buvais au goulot, ou au robinet, le livre en train calé oblique contre le pain, juste au bon angle, la page maintenue ouverte par le manche du couteau, la lame salirait, je ne « casse » pas les pages d'un livre, pas plus que je ne mouille mon doigt, le plus inepte des bouquins m'est sacré, d'ailleurs comment savoir s'il est inepte avant de l'avoir lu, hein?

Il arrivait que mes fringales coïncidassent avec l'heure d'un repas familial, alors les gosses, tout surpris, regardaient en gloussant ce clochard hirsute et taciturne, tout malheureux sans son livre (on ne lit pas à table en compagnie), qui émergeait soudain de sa rumination solitaire parce qu'un mot d'entre les mots de la conversation s'était faufilé à travers les gros os de son gros crâne, et qui, attrapant ce mot par la queue, dévidait le fil d'une démonstration véhémente, volontiers provocatrice, sur un point d'histoire, ou de français, ou de physique, ou de cosmologie, ou de l'art de siffler dans ses doigts, l'air furibard mais ce n'était que conviction extrême, acharné à démontrer comme s'il y allait de la vie, intarissable longtemps après qu'il se fut aperçu que tout le monde était parti se coucher et qu'il parlait tout seul...

Enfin j'attaquais le boulot. L'angoisse du temps perdu qui jamais, jamais ne se rattrape avait chassé l'angoisse infiniment plus terrorisante de la feuille blanche... Oh! le joli métier! (bis). Ce que tu ne fais pas le matin, tu le fais le soir. Ce que tu n'as pas fait le jour tu le feras la nuit. Le sourcil service-service du prote de l'imprimerie me stimulait l'imaginaire. Et de nouveau les heures filaient, les envoûtantes heures de nuit, les feuilles de papier tombaient comme à la hache, une petite fièvre me soulevait au-dessus de moi-même, je ne lâchais prise que la chose dûment scellée, empaquetée, on n'en parle plus. Pour moi, le travail fini, c'est un paquet de feuilles de papier bien carré bien épais, rien qui dépasse, tu peux aller te coucher. Victoire. Soulagement. Une fois de plus, se prouver qu'on pouvait le faire. Il arrivait que la nuit y passât.

*

Je n'ai même pas vu grandir les garçons. Ils ont franchi les années de galopinades, celles qui durent si longtemps, si longtemps, qu'elles resteront dans la mémoire inconsciente comme la seule vraie vie, la suite n'étant qu'un rajoutis cahotant, enlevé au grand galop, un brouillis jamais fixé, et moi, moi qui ai si vivantes ces années en moi, si cuisante leur nostalgie, je n'aurai rien vu des leurs. Moi-même emporté au galop furieux des années d'après, je n'ai plus cet œil qui voit le temps arrêté. Les enfants ont défilé, comme les poteaux télégraphiques devant la fenêtre du train, ils sont maintenant eux aussi dans le train, la vie aux jours sans crépuscule ils l'ont laissée là-bas, dans la flaque de soleil où tous nous la laissons. Ils n'auront été qu'un épiphénomène de mon voyage, bien moins réel, bien moins mordant que le dévorant boulot quotidien, que Choron, que Gébé, que Wolinski, que Reiser, que Daniel le metteur en pages, que Chenz le photographe, que tous les typographes, les correcteurs... Les filles ont aimé, pleuré, fugué, pondu, et j'ai traversé ça comme distraitement... Les chiens, la maison, les arbres, tout ce qui, je le sais parce que je le sais, avait tant d'importance, je m'en souviens aujourd'hui comme d'un rêve effiloché et lactescent.

AU JOUR LE JOUR

ELLE m'a fait chier toute la nuit, toute la nuit. Une nuit de plus. C'était ma faute, bon. Elle m'avait cru. Une fois de plus. J'arrivais, j'avais tout réglé, elle n'était plus la maîtresse qui rase les murs, elle était l'autre épouse, l'égale, j'avais fait ce qu'il fallait pour ça, cette fois ça y était, comment je m'y étais pris peu importe, elle rayonnait. Et puis, non, rien de changé, je m'étais dégonflé, ses questions implacables avaient en cinq sec fait le point, la déception avait été atroce.

Elle n'agresse pas. Elle ne reproche pas. Elle pleure. Elle fait le bilan. Mille fois de suite. Toujours le même. Elle me croit calculateur. Je ne suis pas calculateur. Si je l'étais un tant soit peu, mes saloperies me profiteraient, au lieu de m'enfoncer. Je suis aussi malheureux qu'elle. La preuve, je suis là. Je suis impuissant, voilà. L'horrible soirée... L'épouvantable nuit. Sa pauvre gueule barbouillée de larmes, bouffie, rougie... Cette envie de la prendre contre moi, à pleins bras, de lui dire grande saucisse, ma petite chérie... Et puis? Elle veut des actes. Symboliques, mais qui lient. Je ne peux pas. J'essaie. Je ne peux pas. J'halète comme un vieux chien. Je me traite de con et de lope. Et alors? Mots, mots, mots...

Mille fois de suite. Des heures. La colère m'a pris,

sans prévenir, comme ça vous prend. J'ai balancé la table et tout ce qu'il y avait dessus, j'ai déchiré ma chemise, je ne sais quoi d'autre. J'ai gueulé à m'arracher la gorge. Tout ce que fait le rat une fois qu'il a bien compris qu'il n'y a pas d'issue au piège, et chaque fois qu'il y repense. Elle s'est écroulée, au petit matin, hoquetante, assommée. Moi, dormir, pas question, chaque nerf tiré par un hameçon. J'étais bien décidé. Au diable l'amour, elle a raison mais elle me ronge la tête, j'en crève, je ne fous plus rien, j'en ai marre, merde à l'amour, fini la baise, ça se paie trop cher quand on est aussi con que moi, quelle connerie, la queue, le cœur, marre de souffrir comme une bête, marre, marre, marre, cette grande conne tourmentée m'emmerde... Moi et mes culpa-bilités à la con! Elle a trente-cinq berges, elle s'en sortira. Je vais finir par la haïr, je crois bien que j'ai commencé... Essai de regard haineux sur sa grosse gueule enflée, pour m'endurcir. Elle dort. Règle absolue : ne jamais les regarder dormir. Comme prévu, elle est enflée, et rouge, et barbouillée de noir à cils. Dégueulasse. Une baleine échouée. Deux larmes sales restées en route tremblent le long de son nez. Sa bouche est ouverte, elle doit avoir le nez bouché : quand on pleure, on morve. Elle est laide, bête, dégingandée. Sale chieuse de merde... Et c'est là qu'une grosse tendresse con me prend. Et c'est là que je la re-aime. Je ne me sauverai pas sur la pointe des pieds, comme j'attendais le vrai bon moment pour le faire. Je resterai là, les yeux ouverts, à me traiter de pauvre mec, de cinglé et de couille molle, et à pleurer sur elle, et à pleurer sur Tita, et à pleurer sur moi, et c'est reparti... Ne jamais les regarder dormir.

*

Si les lecteurs de *Charlie-Hebdo* savaient! S'ils le voyaient, le fracassant éditorialiste, champion de toutes les libertés, promoteur de toutes les licences, conchieur de familles, vomisseur de convenances, déchiqueteur de hiérarchies, empaleur de petits jésus, s'ils me voyaient, moi, la grande gueule, moi, le vieux ricanant, le sceptique à tout crin, s'ils me voyaient, jaune de teint et l'œil hagard, vivant cet amour en épais phallocrate d'un autre âge empêtré dans ses contradictions merdeuses, se rongeant le foie, clamant ses bobos à la lune, oscillant de Dumas fils à Feydeau, du drame pompier à l'amant en caleçon dans l'armoire avec le pan de chemise qui dépasse, triste zinzin ahuri dans ce siècle tonitruant, hibou effaré dans ce Luna-Park... Oh! qu'ils rigoleraient, les sales cons! Oh! qu'ils rigoleront! Je leur ai donné l'exemple. Rire de tout. Rien n'est sacré. Alors, tu penses, moi et mes affres petites-bourgeoises... Même pas : les petits-bourgeois d'aujourd'hui sont tout à fait à la pointe, à l'extrême bout, tout à fait dans la ligne du jusqu'où on peut aller trop loin sans se brûler les moustaches. Baisent, partouzent, s'enculent sans faire tant d'histoires, s'invitent à se bouffer le cul entre voisins de palier, s'aiment et se désaiment sans mobiliser le SAMU et la grande échelle, ne prônent pas la liberté mais la mettent en pratique, et plonger leur queue dans un vagin, fût-il surmonté d'yeux verts et auréolé d'une âme exquise, ne chamboule pas sens dessus dessous leur zodiaque. Et merde, ils ont bien raison. Et tant mieux pour eux. Entre-temps ils élèvent des gosses, et pas plus mal que quiconque, ma foi.

*

Moi aussi, qu'est-ce que tu crois, moi aussi je voudrais bien me passionner pour une caméra super-huit, une chaîne hi-fi, le jazz New Orleans, le bateau à voile, les vieilles reliures, une cave, les timbres-poste, les bons petits plats, les armes anciennes, la jeune peinture, le football, un chanteur, un boxeur, une actrice, les papillons, les affiches rococo, les gadgets kitch, le cours de l'or, les cartes postales humoristiques, les premiers albums de Tintin, les étiquettes de camembert, les jades, les laques, les coraux, les émaux, les boîtes d'allumettes, les tire-bouchons pornographiques, les lunettes d'hommes célèbres, les petites culottes de femmes-ministres... Moi aussi, j'aimerais bien, tiens! Est-ce ma faute si tout ça me paraît chiant à pleurer? Si tous ces joujoux permis à nos sages convoitises m'ennuient, m'ennuient, m'ennuient?... Comme m'ennuie le gars des infos qui nous annonce le tiercé... Où sont-ils, les enfants de Mai qui barraient les rues pour gueuler leur horreur de ce monde qu'ils entrevoyaient devant eux, de cette cour de récréation pour bons petits enfants bien cons bien gentils, où sont-ils? Ils sont au Salon de l'auto, ils hésitent entre la nouvelle Citron et la nouvelle Peugeot, ils collectionnent les soixante-dix-huit tours New Orleans, ils savent reconnaître les crus, yeux fermés, et même l'année, ils savent cuisiner un plat, un seul, mais comme personne, ils font les Puces le dimanche, ils carguent un foc par gros temps sans recevoir le machin sur la gueule, de temps en temps ils touchent le tiercé dans le désordre. Ils ne sont peut-être pas heureux – qui l'est? – mais ils s'occupent. Moi, je m'emmerde, dans ce gâteau à la crème. Tant pis pour ta gueule, t'as une mauvaise nature. Crève.

Je pense à maman, qui terrorisa mon enfance avec ses vitupérations à la cantonade contre les voleuses de maris, les ruineuses de ménages, les grandes putes effrontées qui vont par le monde, affolant les mâles puis les recrachant, laissant un sillage de ruines, de mort, d'orphelins et de honte... Maman n'allait pas au cinéma, mais elle avait dû se bourrer la tête de romans à deux sous, le soir, dans sa petite chambre de domestique...

Maman, maman, écoute-moi, où que tu sois : les femmes les plus dangereuses ne sont pas les femmes fatales, oh! non, maman, mais bien les grandes filles toutes simples aux aspirations de bonnes ménagères, celles qui rêvent de foyer, de « couple », d'enfants et de « lieu de vie ». Les autres, les longues vipères froides, les croqueuses de diamants, elles jouent le jeu, leur jeu, elles sont prévisibles, elles annoncent la couleur, tu t'y brûles en connaissance de cause, fasciné peut-être, en tout cas consentant, tu as pris ton ticket pour le grand frisson maléfique. La rêveuse de lieu de vie, elle, tisse sa toile, son implacable toile d'araignée, sacrée Pénélope, s'y prend les pattes la première et, plutôt qu'en avoir le démenti, crève, tout simplement. Crève. Tout simplement. Sans un reproche. Avec un sourire d'ange.

Et que veux-tu faire, toi, pauvre con? La rejeter à l'eau, pardi. T'en aller sur la pointe des pieds. Surtout, surtout, n'appelle pas S.O.S.-Médecins. Réflexe déplorable. Mais je l'aime! A ce point? Bien plus! Alors, personne ne peut rien pour toi, ni pour elle. Le pire qui pouvait t'arriver, c'était de tomber sur elle. Le pire pour elle : tomber sur toi. Le pire est arrivé. Tant pis pour vous.

Serais-je un homme fatal?

Ben, merde...

*

Coïncidence. Je lis *Olympio ou la vie de Victor Hugo*, de Maurois, vers l'époque où passe à la télé *Zola* de Lanoux et Lorenzi. Quelle chance ils avaient, ces deux gros pères! Hugo et Zola, je veux dire. Ou quel savoir-faire. Ou quelle poigne... Chacun une deuxième épouse, en marge, bien sûr, une bonne conne fascinée, adorante, soumise comme un chien, cloîtrée, se tenant à sa place, chialant un peu mais ça passe, travaillant comme une bête (et à l'œil!) à recopier les pattes de mouche du grand homme, comblée quand il lui donnait sa main à baiser... La vache! Ça valait la peine, au temps de la bourgeoisie triomphante, de réussir dans les belles-lettres! Là, oui, le génie était récompensé! Je suis né cinquante ans trop tard.

En nos temps de liberté des sexes, d'égalité devant la baise et de pilule, il faut être plus que jamais chaste et convenable. Grace et Rainier de Monaco, voilà le modèle pour les chaumières. Ou alors, carrément la vie de bâton de chaise, ça aussi, ça plaît au peuple, mais faut opter. T'as choisi le statut « excentrique », « anticonformiste », chaud lapin, boit-sans-soif, bon, faut que tu l'illustres. Quasiment baiser devant les caméras de TF1. Qu'on ne reste pas un mois sans voir ta gueule et le récit de ton dernier tour de con dans *Lui* ou dans l'autre. Et quand un de ces rigolos se flingue, vers l'âge où la braguette fatigue et où ricane la tête de mort, on est tout content, ça fait partie du rôle, on dit « Avec cette vie de dingue qu'il (ou elle) menait... Finalement, j'aime mieux me faire chier, et même être un tout petit peu con, quoi, merde! »

*

Gabrielle m'emmène voir je ne sais plus quel film sur Nietzsche et Lou Salomé. C'est là que j'apprends qu'il y avait une Lou Salomé dans la vie de Nietzsche. (Immensité de ce qui me reste à apprendre... Toutes ces lectures pour l'asile de vieux! Ah! je vais pas avoir le temps de m'emmerder!) Enfin, bon, Lou Salomé, vous, vous savez qui c'est, naturellement. Vous avez vu des films. Gabrielle l'admire énormément. J'essaie d'imaginer Gabrielle vivant la vie d'amazone de cette « grande précurseuse du féminisme ». Gabrielle et son éperdu besoin d'ancrage, d'exclusivité, de dévouement, de mômes, de mômes, de mômes...

Cette Lou Salomé, pour causer d'égale à égal avec des gars comme Nietzsche, quel beau cul elle devait avoir!

*

Un soir de décembre. Nous avons dîné, Gabrielle, le petit Bruno et moi. Bruno était content, il racontait l'école, les copains, la télé, il en oubliait de manger, Gabrielle lui disait mange ton yaourt, et puis le mettait au lit, lui lisait une histoire, il ne s'endormait pas sans une histoire. La toute peinarde soirée familiale. Je me disais elle doit être heureuse, juste comme elle les rêve. Je savais bien que non.

C'était tellement bidon, tout ça, tellement faux jeton. Une caricature. Elle a tout de suite attaqué.

Tout y est passé. Tout y passe toujours. « J'ai tout raté. Trente-cinq ans, pas de vrai foyer, mon enfant perturbé sans recours... »

J'essaie de la raisonner, je n'ai que des arguments

idiots, je sais tellement qu'elle est dans le vrai. Elle me cloue :

« J'ai besoin d'un foyer, d'un ancrage, de construire. Toi, tu es garé, que tu l'admettes ou non. Si tu me perds, tu auras beaucoup de chagrin, mais tu as ta position de repli, tu as ta femme, tu as ta maison, tu le sais bien, tout au fond. Ta femme a fait des enfants, plein d'enfants, elle les a vus grandir, elle a vécu. Moi, je suis la conne, j'ai tout lâché pour ton amour. Pour du vent. Et maintenant je te vois de moins en moins, tu es torturé, tu n'es jamais entièrement là, et toujours à la sauvette. La quarantaine arrive, je n'aurai eu qu'un enfant, et il sera malheureux. Vincent lui-même, qui restait mon ami, s'éloigne de moi, son nouveau foyer le prend complètement. Personne n'a de temps à perdre pour une paumée... Je ne t'en veux pas, tu es comme tu es, j'aurais dû voir clair à temps, c'est tout... Pourquoi m'as-tu menti? Pourquoi m'as-tu laissé croire? Je n'aurais pas imaginé qu'on pouvait jouer avec des choses aussi graves que la vie de quelqu'un...

— Je ne jouais pas.

— Il fallait voir clair en toi! Je ne te reproche rien, à quoi bon? Je n'ai aucun espoir, rien ne bougera, jamais, quand tu n'es pas là je dors dans ta chemise de nuit, je serre contre moi des vêtements à toi, comme un nounours... J'ai tellement peur que tu ne viennes pas que, quand tu es là, je n'arrive pas à en profiter, je pense que demain tu n'y seras pas, je me recroqueville devant la sale minute où tu me quitteras, et je gâche tout, comme en ce moment. »

Je la prends aux épaules, bien doucement, ses belles larges épaules, mais elle secoue la tête :

« Pourquoi ne m'as-tu pas laissée mourir? Puisque tu n'avais rien de plus à m'offrir. Tu n'avais pas le droit. J'avais eu beaucoup de mal à le faire, ç'avait été terrible, terrible... Mais enfin j'avais réussi. Et maintenant je ne pourrai plus. Tu n'avais pas le droit. »

*

Ce vendredi matin. Pas dormi. Pas pu. Somnifères et tranquillisants s'y sont cassé les dents. Mon tourment ne se laissait pas renfoncer la gueule, rien à faire, je me forçais à penser à des conneries anodines, je m'assoupissais, je sursautais dix secondes plus tard, en train une fois de plus de faire le tour de la situation, de me cogner le nez partout au mur de brique, sans une issue, sans une issue. Mal de tête. Cœur qui s'affole. Besoin de soupirer un gros coup, pour mieux respirer après, je suppose, comme un qui se noie. J'ai passé la semaine avec Gabrielle, c'est-à-dire je l'ai rejointe chaque soir après le boulot (Le sien. Le mien se fait n'importe où, n'a ni commencement ni fin), elle était heureuse, harassée et heureuse, comme l'est la petite épouse aimante qui rentre du turbin et trouve son homme à la maison, soir après soir, et l'autre, là-bas, toute seule dans sa maison toute noire, écoutant la vieillesse se glisser sous la porte, et chaque jour qui passe le cœur me serre davantage, et je me dis bon, au moins ce que tu fais, fais-le bien, cette fois c'est Gabrielle, essaie qu'elle en ait un peu de joie, ne gâche pas tout, mais à Gabrielle l'éphémère présent ne suffit pas, il lui faut une fenêtre sur l'avenir, alors dès le lundi elle attaque, avec précaution, croit-elle. Première prudente question : « Alors ? As-tu progressé ? » Elle a dit « progressé », innovation, d'habitude elle dit « Où en es-tu ? », ou bien « As-tu du nouveau ? » c'est-à-dire toujours la même question, la question fondamentale, l'horrible insoluble question fondamentale, je sais quelle est la suite, tu tires sur cette maille-là tout le tricot vient, scénario implacable, au bout il y a les pleurs, l'impasse,

l'impossible qu'on ne peut plus se cacher, le désespoir, la nuit blanche, la porte claquée à l'aube sur
du définitif qui durera trois jours, tout le vieux
cinéma lamentable... Cette fois, je n'ai pas joué le
jeu. J'ai juste murmuré « J'ai progressé ». Ça n'en-
gage à rien. Je l'ai prise dans mes bras, je l'ai bercée,
je n'ai plus rien dit. Elle a laissé tomber l'interroga-
toire. Mais ce n'est qu'un répit. Elle remettra ça. Cet
increvable besoin de projeter, de construire. De se
rassurer. Elle a tout le week-end pour cela. Car c'est
« son » week-end. Nous en sommes là : un dimanche avec elle, un dimanche « là-bas ». Je me fais
l'effet d'être un enfant de divorcés écartelé entre
papa et maman. Tita sera donc seule, en plus, ce
samedi-dimanche. Je n'ose pas téléphoner pour le
lui dire. Pas que je redoute un éclat, non, Tita ne fait
pas d'éclat, ne pleure pas, pas devant moi. La femme
qui pleure, des deux, ce n'est pas celle-là. Je n'ai pas
besoin qu'elle pleure pour me sentir sale et puant.
Va donc l'appeler pour lui annoncer « Je ne rentre-
rai pas de toute la semaine, ni samedi, ni dimanche »! Elle me répondra « Amuse-toi bien », un poil
ironique, bien sûr, mets-toi à sa place, et rien de
plus. Elle le croit, que je m'amuse. Et moi, tout le
temps où je serai ici, tout le temps, chaque seconde,
je penserai à elle, et au fumier que je suis. Alors,
cette nuit, tout ça me faisait pédaler un demi-mètre
au-dessus du matelas. Gabrielle me dit :

« Tu as parlé, cette nuit. Tu disais « Dès que ce
« putain de bouquin est fini, je me pends. » Tu l'as
répété plusieurs fois, tu geignais... Alors, je voudrais
savoir. Ça contredit ce que tu me disais lundi : que
tu progressais... »

De nouveau toute anxiété frémissante. Elle, elle
ne progressera pas, elle. Me harcèlera, me persécu-
tera, jusqu'au bout, jusqu'à ce que je sois acculé à
mon dernier mensonge, à l'enfin impossible déro-
bade. Et alors elle se tuera, c'est tout simple. Ou je

ne sais quoi, mais de l'épouvantable. Oh! merde! Oh! merde! Il n'y aura pas de pitié, j'en ai trop fait, pendant trop longtemps, c'est sa vie contre la mienne, l'un des deux doit crever au bout de tout ça. Ou les deux. Mais ce serait du gaspillage, un seul suffit.

Voilà. C'est vendredi. Il pleut-neige, Paris est jaune sale. Sale seulement à mes yeux, mes yeux de ce vendredi de merde. Il va être chouette, ce week-end. Il faut quand même que je téléphone...

*

La vie d'artiste! L'écrivain célèbre! Tous ces types qui m'écrivent, toutes ces nanas, s'ils pouvaient me voir, ce dimanche, m'emmerdant à hurler, des remords plein la gueule, auprès d'un cul fabuleux à qui je n'ose pas dire qu'il ne m'intéresse qu'en tant que cul, à qui je n'ose pas dire que je m'emmerde et que je me déteste.

Faisant le papa de rechange, moi qui fus un père si inconsistant, moi qui étais content que l'âge m'ait au moins apporté la fin de l'ère des merdeux dans les jambes, me retenant de gifler le môme qui tape des pieds ou criaille ses joyeuses criailleries de môme, me retenant d'envoyer chier la maman, qui balaie et cuisine à tour de bras, béate d'avoir sa petite famille sa petite dînette dans un mouchoir de poche, et me promène sous le nez ce cul cause de tout le mal que je me force à ne pas voir... Me réfugiant dans la chambre de bonne, « mon antre » dit-elle, complice, trois mètres sur deux cinquante, l'énorme boucan des deux quais qui te déferle sur la gueule par la lucarne, et bossant, bossant comme un comptable qui s'est emporté du boulot à finir à la maison, et quoi faire d'autre? Baiser? Quand c'est fait, c'est fait. Et puis, je veux pas baiser, na. Je me punis, je la punis. Je veux me prouver que je peux m'en passer, même si le cul est à portée de main. Elle voit bien qu'il y a du refroidissement, mais elle encaisse, je fais un caprice, quoi, et comme, si fort aime-t-elle ça – et, nom de dieu, elle l'aime vraiment fort – ce n'est pas pour elle l'essentiel, l'essentiel est le fait conjugal, ou à défaut son illusion, les mari-z-et-femme ça tringle pas tous les jours, n'est-ce pas, ça a des passages à vide, justement parce qu'ils sont mari-t-et-femme, pas des amants feu-au-cul qui se jettent dessus d'aussi loin qu'ils se voient, alors elle vaque, la bouille épanouie sur le sourire de la bobonne comblée, il ne lui manque que d'être en cloque... Réparer la lumière? Repeindre le plafond? Merde... Aller se promener? J'aime pas me promener. J'aime marcher. Et tu me vois, aux Tuileries, traînant les pieds dans la poussière ou rattrapant sur le bassin le bateau du môme qui s'est taillé tout seul pour l'Amérique, comme on le comprend...

Tous ces bons branques pue-la-sueur qui me voient comme dans les feuilletons de la télé menant la vie de gendelettre, buvant des choses chères avec des académiciens, baisant des mains de duchesses, tapant sur le bide à Mitterrand, me soûlant la gueule avec d'illustres pochards, niquant toutes les poules du Crazy, rigolant comme une vache avec les mecs les plus féroces du Tout-Paris, ah, dis donc, si qu'ils me verraient, les bons ploucs, eux qui se retiennent de vomir sur le bide à triple pli de leur Fernande et qui n'arrivent pas à trouver marrant le jardinage de ouiquende dans la Sarthe, si qu'ils me verraient me faire chier dans mon bocal comme un rat crevé avec mes affres en prime, si qu'ils se fendraient la gueule, les grisâtres!

Vivement lundi.

*

Va te prendre au sérieux! Au plus noir de ma

mélasse, alors que je ne rumine que mort ou fuite, que je me réveille en hurlant et que mes os desséchés flottent dans mon pantalon, je me surprends à chanter en prenant ma douche. « Ah! ah! m'interpellé-je. La main dans le sac! » Impossible de nier. Je suis vraiment un pignouf.

Drôle de truc, ça : dès que l'eau me cingle la couenne, je chante. Un réflexe conditionné, tu crois? Je ne chante pas distraitement, en pensant à autre chose, non, non. Je m'applique, j'y vais à pleine gorge, je me plais, je me savoure. Comme mes canaris de quand j'étais petit, qui chantaient à tue-tête au moindre bruit. Plus tu faisais du boucan, plus ils y allaient. Quand des bonnes femmes s'engueulaient d'une fenêtre à l'autre, alors c'étaient les chœurs de l'Opéra. Courageuses petites bêtes. Eh bien, moi, la douche, ça me fait le même effet. Vous aussi, peut-être? Bien ce que je pensais. C'est un triste sire, celui qui ne chante pas sous la douche, je n'en ferais pas mon ami. Voilà en tout cas un bon test. Le gars qui chante sous la douche ne peut pas être tout mauvais. Il y a sûrement du récupérable en lui. Ou peut-être, celui qui ne chante pas, c'est qu'il est malheureux pas possible. Je dois convenir que je n'ai jamais été malheureux à ce point-là. Eh bien, voilà qui me rassure. Et me rend modeste quant à mon grand chagrin romantique. Je n'en crèverai pas. Ou j'en crèverai en chantant, c'est moins triste pour la famille.

Vous avez remarqué comme on a une belle voix, sous la douche? Riche, ample, souple, pleine d'harmoniques et de choses émouvantes. Je ne me lasse pas de m'écouter. Je ne sais jamais quelle sera la chanson du jour. Brel, ou Brassens, ou Piaf, ou *La Nuit* de Rameau, ou *Peuples des cités lointaines* de l'autre sourdingue (j'ai appris très tard qu'on dit *La Neuvième* quand on n'est pas un plouc), ou le *Tantum ergo*, ou *La Jeune Garde*, ou le *Horst Wessel*, ou *Les couilles de mon grand-père*, tout le bric-à-brac qu'on peut ramasser au long d'une vie, à la maternelle, à la communale, au catéchisme... Je donne volontiers dans le majestueux. Des fois des javas, tic-tic-tic, tic-tic-tic, j'aime bien. Souvent des trucs russes, la nostalgie à la louche, je fais le chœur à moi tout seul, les femmes, les moujiks, enfin, moi je les entends, l'eau me rebondit dessus à la tierce, c'est si beau que je chiale, merde, l'eau chaude, la civilisation n'a rien inventé de mieux, je donne la télé, la radio, la bagnole, le saucisson à l'ail et même la lumière électrique pour l'eau courante chaude, Louis XIV et Napoléon ont beau faire les fiers, ils n'ont pas connu ça, moi oui, tralalère, ils se lavaient le cul dans des baquets en bois, rien à voir, le bain c'est nouille et débilitant, tu fonds là-dedans comme une savonnette. La preuve : dans le bain, on ne chante pas, où que t'as vu ça?

Parle-moi d'une grosse douche pas mégoteuse, bien cinglante, en parapluie, bouillante à la limite du hurlement et un peu au-delà, tant que j'hurle pas je pousse les feux, c'est ça mon thermomètre, quand j'hurle c'est bon, alors j'hurle tout mon soûl, je vais me priver, tiens, je me savonne en hurlant, à pleines paumes, foin du gant de toilette, pas d'intermédiaire entre moi et moi, et puis quand t'es bien cuit tout propre tu te recules, tu fermes le machin, tu tournes l'autre à fond la caisse, tu replonges, hop, d'un seul coup, glacée à te péter les mâchoires, tu rhurles multiplié par dix, t'as beau t'y attendre t'as la surprise cinq sur cinq, atroce, et tout de suite, dans le dixième de seconde, l'atroce devient jouissance puissante, jouissance à la limite du jouissif, le jus de glace te coule dessus, t'es en bronze, t'es en marbre, t'es en phoque, t'es un iceberg, d'un coup de poing tu passerais à travers le mur, c'est bien ce qui m'est arrivé, le mur était en briques creuses, de la gaufrette, mais dessus il y avait des putains de carreaux de faïence très jolis, ça coupe comme du verre, le tendon scié à ras, hôpital, opération, six semaines dans le plâtre. Anecdote. On cause, on cause. Passons.

*

Avec Gabrielle, nous ne parlons jamais peinture, sculpture, art, bouquins. Pas plus que je ne parle musique avec Tita. Pourtant, je soupçonne Gabrielle, à plus d'un indice, d'une certaine compétence pour la chose graphique, et même d'une passion contrariée qu'elle étouffe soigneusement, en ma présence en tout cas. Des allusions à son passé, certains cartons à dessins soigneusement clos, me portent à croire qu'elle a peint, dessiné... Elle tient à ce que son fils soit initié à tout ça. Elle a des amis peintres, et même confirmés. Il lui échappe, sur les formes, les couleurs, les styles, des jugements sûrs d'eux-mêmes.

Je pense qu'elle évite, consciemment ou non, d'aborder ces sujets avec moi. J'ai dû, un jour ou l'autre, et plus que probablement avec arrogance, avouer, que dis-je, revendiquer mon ignorance, et surtout mon découragement devant les productions modernes au sujet desquelles j'ai la réaction de tout imbécile devant des Picasso. Se savoir imbécile ne confère pas l'intelligence, mais, comme on admet difficilement l'être, on préfère se croire mystifié, et penser que tout l'art contemporain n'est qu'un énorme complot de quelques roublards faisant marcher des millions d'imbéciles. Ainsi, l'imbécile, ce n'est pas moi, c'est les autres. J'en suis là. Et donc Gabrielle, sensible à l'agressivité tapie derrière tout aveu d'incompétence, passe au large. Ce que fait Tita pour la musique...

Mais l'art vous court au cul, vous guette à tous les tournants, dans cette sacrée merveilleuse société civilisée de la fin du vingtième siècle! Et j'ai beau me dire « Ferme ta gueule, Ducon! », je l'ouvre. Parce que ce qu'ils appellent « sculpture » m'aura cueilli à froid sur un socle isolé au pied de la tour Montparnasse. Parce qu'un insolent rectangle rouge sur fond rouge m'aura sauté dans l'œil, à pieds joints, depuis une vitrine de la rue Dauphine. Parce que je me trouve soudain nez à nez avec les parallélépipèdes géants du Front de Seine en marche... Tout m'agresse, je sursaute, je crie de douleur. Comme je suis bavard et sentencieux, le cri se prolonge en procès de l'art, des artistes, de la société et de la cervelle d'homme en général. Gabrielle ne dit rien, je pense qu'elle souffre de me voir si con, si vieux con, et de montrer mon cul aussi ingénument. Elle écarte de moi les sujets où je risque, perdant prudence, de me rendre ridicule, comme une mère écarte de devant son merdeux qui commence à marcher les branches et les cailloux.

Nous ne parlons guère que cinéma, seule forme d'art à ma portée. Bien forcé de viser les grandes masses, le cinéma, malgré les efforts de quelques tourmentés à petit budget vers les ésotérismes élitistes, reste accessible à l'intelligence en friche qui est, hélas! la mienne. L'immense majorité des films sont flatte-cul et lourdement mélo, du moins sont-ils compréhensibles, eux et leur foutu message!

Heureusement, l'art, ça sert juste à lever les filles. Quand c'est fait, tu peux laisser tout l'attirail au rancart, t'abstenir d'apprendre par cœur les critiques du *Nouvel Obs* ou du *Monde*. Et tu t'aperçois que la souris aussi est bien soulagée... Non, là, je crois que percent mes aigreurs d'exclu.

*

L'explosion du printemps me fait peur, un peu plus chaque année. Sauvagerie, violence, férocité, lutte implacable, croissance folle de l'herbe et des branches, rut et meurtre.

J'ai longtemps cru que j'aimais le printemps et ses triomphes, le grand terrible soleil de l'été, les automnes de cuivre, les hivers de neige, que j'aimais ça et que je détestais la pluie, la boue, le ciel gris, l'été pourri, l'hiver sans flocons. J'étais une victime de la littérature.

Je sais maintenant que j'aime les jours douceâtres où le soleil ne paraît pas, où l'horizon est la jointure de deux paupières qui ne se décolleront pas, où la terre gorgée d'eau s'enfonce sous le pied et le tire à elle, où le grand ciel tragique s'effiloche en lambeaux qu'étire un vent tiède au ventre mou, où les arbres nus gesticulent immobiles, coulures d'encre noire en avant-plan, les jours où l'infinie tristesse des choses me prend dans ses deux mains très douces, et pleure avec moi, et me dit que pleurer est bon.

Je sais que c'est parce que l'âge est venu de ces choses. Et alors? Se prive-t-on à vingt ans de l'amour parce qu'on sait que vingt ans est l'âge où les glandes vous poussent à l'amour?

*

J'ai tant travaillé, dans ma putain de vie, tant travaillé, avec une telle frénésie! Bon dieu, ce que j'en ai fait, des choses! Et, depuis vingt-cinq ans j'écris, ces montagnes de papier que j'ai noircies! Je me battais avec le boulot, un combat de voyous, il se défendait, la vache, mais je savais que je serais le plus fort. Je croyais que ça durerait toujours, pas de raison que ça s'arrête, je crèverais la plume à la main, ou le crayon, ou n'importe quel outil qui serait le mien à ce moment-là, j'avais déjà si souvent changé, je pouvais changer encore, suffisait que mon envie soit là, et elle y serait jusqu'au bout, mon envie de faire des choses que moi seul peux faire. J'avais du pain sur la planche, et ce pain je le mettrais à cuire jusqu'au « Couic » final, de mes mains à moi. Jamais j'en manquerais, du pain. Et voilà, ça s'est fait, j'ai rien vu : j'ai plus le goût. L'âge pourtant est loin encore, je suis solide ni plus ni moins, qu'on me donne à faire je le fais, impec toujours, mais, bon, j'ai plus le goût. Du jour au lendemain, je suis devenu feignant. Un vieux feignant. La paresse, qui m'a toujours rôdé autour, que je repoussais à coups de pied dans la gueule, m'est soudain tombée dessus, comme l'ivrognerie sur d'autres, comme une drogue, et moi, proie sans défense.

Les terribles tentations de la feignasserie. Tentation du matelas, de la petite lampe sur le bouquin, des jambes bien allongées toutes longues. Perdre le temps pour le perdre. Pas pour s'amuser, pour jouer aux cartes, aller au ciné, bavasser, rire, se soûler, baiser, chercher aventure, pêcher à la ligne, se filer des émotions... Non. Ne rien foutre, et c'est marre. Sans envie, sans projet. Avec une culpabilité grosse comme ça. Une espèce d'énorme, permanente fatigue, qui me fait, à peine debout, chercher un siège, à peine assis chercher un lit.

Volupté de la décision remise au lendemain. Refuge dans les petites tâches futiles, surtout manuelles. N'importe quoi plutôt que moi tout seul devant le papier quadrillé. N'importe quoi plutôt que regarder en face l'épouvantable problème de la vie, où il y a toujours un chemin à prendre et un à éliminer, et où, quel que soit le chemin choisi, il y a au bout un mur de brique où je m'éclate la tête.

Et donc tout me coule des mains alors que je me croyais sur les rails. Je ne serai pas un patriarche radieux, créant jusqu'à la fin, et jouissant, et triomphant. Je ne serai pas Picasso ni Hugo Victor, pas même Molière qui creva jeune mais en scène, je

serai un clochard dégueulasse et même pas marrant : le pinard me fait gerber.

Dis, t'as pas un p'tit polar un peu usé?

Vous croyez qu'elles me nourriront, mes deux
bonnes femmes, quand moi je pourrai plus les
nourrir?

*

Une vie ratée? Qu'est-ce que c'est qu'une vie
ratée? Je sais ce qu'est un spectacle raté : c'est
quand je m'y suis emmerdé. Une maison ratée :
c'est quand elle se casse la gueule. Mais une vie
ratée? Toute vie est ratée, et ratée d'avance, puisque vouée à la mort. La première vie non ratée sera
celle du premier type à ne pas mourir dans les
temps assignés, c'est-à-dire à ne pas vieillir. Jusque-
là, il faut bien se résigner. D'ailleurs, la « rater » ou
la « réussir » n'est encore qu'un de ces buts illusoi-
res qu'on donne à sa vie, comme si cela avait de
l'importance « quelque part ». Mon chien ne voit
pas si loin, il vit chacun de ses moments le moins
mal possible, je ne dis pas « Il a bien raison », je dis
« Il a bien de la chance : il ne sait pas. » Moi qui
sais, je dois faire un effort. Oublier la mort, et la
vieillesse, et les lendemains, et ce sacré besoin de
ne pas être que poussière (pas celle des curés, qui
n'est méprisée que pour mieux exalter la grandeur
et l'immortalité de l'âme, cette carotte. Non, je dis
poussière sans personne de caché à l'intérieur,
poussière à part entière, poussière et demain
fumier), oublier tout ça, et vivre la seule certitude :
le présent. Encore cette certitude n'est-elle qu'un
mot commode, seuls existent le passé et l'avenir, le
présent n'est que le point de la passation des
pouvoirs... Tout ça, je le sais, je le sens, oh! bon dieu,
oui, et qu'il faut rendre chaque instant qui passe le
moins moche possible, chaque instant puis chaque

instant, seul le présent compte, je le sais, et je suis incapable de le vivre. Et je suis bien plus incapable encore de me payer de monnaie de singe, qui serait de faire comme s'il existait un Idéal, quel qu'il soit...

*

La télé passe des films, plein, où l'on voit des familles modernes. Le mari confie à sa femme ses peines de cœur, sa jeune maîtresse qui veut le quitter, tout ça, la femme lui confie les siennes, symétriques à peu de chose près, ou bien l'un, ou l'autre, ou les deux à la fois, se confie(nt) à leurs grands enfants, très libérés très protecteurs, les enfants, tout ça dans un décor architecte dans le vent ou publicitaire dans le vent qui a un ami décorateur, et bon, ça va où ça peut, en général ça va dans le sens travail-famille-patrie avec un peu de poil autour, attention, je dis érotique bon genre, pas le porno, nuance, tu sens venir la fin désabusée-mélancolique-larme à l'œil parce que les jeunes avec les jeunes les vieux avec les vieux et la morale pour tout le monde ça suppose du sacrifice et des doigts de pied écrasés, forcément, mais enfin, bon, on se cause, dans ces familles, c'est ça que je voudrais souligner... Je ne sais pas si ça fait évoluer la France profonde, ça passe le dimanche à l'heure de la soupe, avant d'aller au lit, la France profonde retiendra surtout le poil autour et le canapé design, je verrais assez bien le même dans le séjour, mais plutôt avec de la cretonne à fleurs, je sais pas si tu vois...

Et alors je prends conscience que je n'ai jamais rien confié à mes enfants, moi. Ni eux à moi. Rien. Pas un sur les cinq. En près de trente berges. Ç'aurait été pis qu'incongru, impensable. Il y a là quelque chose.

Bon dieu, mais nos rapports sont donc à ce point guindés? Nos liens artificiels? Je les ai si peu mis en confiance? Normalement, on se raconte, non? Un minimum? Au moins dans le sens enfants-parents?... Ai-je été un père copain? Sûrement pas. Une présence vague, disons. Une pesanteur.

Je suppose qu'à leur mère ils se racontent. J'en suis sûr, même. Moi, je dois leur faire peur. Mais non, ils me connaissent bien, ça voit clair, ces petites bêtes, ils savent que je suis un guignol taciturne, ou trop bavard, ça dépend, la tête près du bonnet mais pas méchant. Alors, c'est que je leur parais trop con, trop grossier pour les confidences? Non. Pas le contact, c'est tout. Lisse comme un galet, flou comme un brouillard. Pas là. Insaisissable.

Je n'ai su de leurs amours que les émergences dans le visible. Une fille, un mec, apparaît, disparaît. Souvent, je les confondais avec celui, celle, de la fois d'avant. Je finissais par me rendre compte qu'un visage s'était inscrit dans un coin de ma mémoire : un gendre, une bru, était là, attendant que je le remarque, des gniards mangeaient de la tarte, habillés en dimanche. Je me disais « Le temps passe », je refermais ma paupière entrebâillée.

J'ai su une fois ou l'autre qu'ils avaient des chagrins, parce qu'une paire de gendarmes m'informait qu'ils étaient à l'hôpital, l'un ou l'autre, les veines béantes, qu'ils fuguaient, avortaient, divorçaient. De ces choses...

Oui. Où en étais-je? Je me serai perdu en route. J'étais parti pour vous expliquer qu'on ne me raconte rien, que par conséquent j'ai personne à qui raconter quand je vis des trucs douloureux, et voilà que je me relis, et je m'aperçois que je vous ai gentiment avoué que je suis un monument d'indifférence, un égocentrique monstrueux enfermé à double tour en tête-à-tête avec lui-même dans sa cave bétonnée sans fenêtre, « do not disturb... » Eh bien, voilà. J'ai la réponse à mes étonnements. L'indifférence récolte l'indifférence, c'est tout simple. Merci de m'avoir écouté, vous m'avez été bien utile.

*

Je suis ce qu'il y a de plus détestable au monde : un vieux gosse. Un adolescent qui a vieilli sans mûrir. Un dadais avec des rides plein la gueule.

Il ne s'agit pas de ce qu'on appelle flatteusement « avoir gardé l'esprit jeune », mais bien d'une espèce de nanisme affectif. Un arrêt de développement, « quelque part ». Peut-être un refus, va savoir. Quand j'ai affaire à un interlocuteur de plus de trente ans, je prends intérieurement l'attitude du petit garçon devant un adulte. Tout le monde est adulte, sauf moi. Les vrais enfants n'existent pas dans mon moi profond, ou alors comme des exceptions, des anomalies, je n'en tiens pas compte. Moi, seul enfant, perdu dans ce monde d'adultes, si sûrs d'eux, si débrouillards, si présents... Je dois faire l'effort pour me rappeler mon âge et jouer mon rôle conformément aux apparences. Mais ce n'est qu'un rôle que je joue.

*

S'enfoncer dans un ventre de femme. Rêver qu'on s'enfonce dans un ventre de femme... Hélas! l'assouvissement casse le rêve. Le ventre n'est plus qu'un ventre, le sexe qu'un boyau. Le désir enfui, la tendresse aussi... Refuser l'assouvissement. Refuser le plaisir pour garder le désir, et la tendresse ardente... Et non! Tu es encore volé, deux fois volé. Le désir trompé se venge. On ne triche pas! Le désir

est un piège, la tendresse aussi, le plaisir un pourboire jeté. Alors? Alors, rien. C'est comme ça.

*

Quand je sais que tout à l'heure je vais partir, la
laisser, et que je n'ai pas encore osé le lui dire, alors
je « fais de la présence », comme si mes prévenan-
ces allaient atténuer le choc, comme s'il existait un
bilan où les petites gentillesses équilibraient les
grosses crasses... Or, plus tu es présent, plus tu seras
absent.

Me rendre odieux exprès, afin que mon départ
soit désiré? Tu peux être hargneux sur commande,
toi? Je suis malheureux, pas méchant.

*

Je suis un mari chiant.
Je suis un amant chiant.
A part les tout premiers temps, avec moi on ne
rigole pas. Du drame, du suspense, de la gueule de
raie, tant que t'en veux. Du sourire, pas lerche. Les
femmes ont bien de la patience. Et c'est moi qu'on
traite de maso!

*

Je veux la vache et le prix de la vache, je veux la
rose sans les épines, je veux aimer et ne pas être
pris au filet. L'amour, oui. Pas le piège à rats. Suis-je
un monstre? Eh bien, je suis un monstre qui
réclame son droit à la vie. On dorlote bien les
handicapés! Je suis un handicapé, na. Elles m'emmerdent, avec leurs larmes secrètes, leurs yeux
battus, leurs muets reproches dignes! Personne ne
se soucie de mes tourments, à moi. C'est normal : je
suis le bourreau. Même moi, moi tout le premier, je

joue le jeu, je me mets à ma place dans la pièce : celle de l'infâme. Ceux qui ont dramatisé l'amour ont gagné. Je marche à tous les coups.

La femme a besoin, foncièrement besoin, d'admirer l'homme qu'elle aime. Chez elle, l'admiration précède l'amour. Elle aime parce qu'elle admire. En tout cas, elle s'en persuade. Elle trouvera toujours quelque chose de sublime dans celui qu'elle aime, puisqu'elle l'aime.

L'homme n'a nul besoin d'admirer une femme pour l'aimer. Il se joue moins la comédie, n'essaie pas d'idéaliser, s'abandonne en bon cochon à l'appel de ses glandes.

*

Est-il donc impossible d'échapper à la caricature, à l'adultère de vaudeville, au fait divers ? Sans doute pas, mais il faut être doué. Je ne le suis pas.

Chaque moitié de ma vie est une fiction pour l'autre. Je cours d'un bout à l'autre d'un itinéraire rectiligne (même géographiquement parlant), transportant avec moi la bête qui me bouffe le foie... J'en viens à me demander si les seuls moments de trêve ne seraient pas ceux de la route. Non, même pas : tout dolent du choc passé, je me prépare au choc à venir. Je combine un mensonge, minutieux ou vague, qui ne trompera personne, mais me vaudra peut-être un sursis, par lassitude mutuelle.

*

Un couple établi se met au lit pour dormir. Accessoirement pour faire l'amour, puisque l'homme est le seul animal qui prend sur son temps de sommeil pour se reproduire. Des amants ne se mettent au lit que pour faire l'amour. Ils se retrouvent essentiellement pour ça.

Un mari peut garder sa flanelle pour baiser. Surtout s'il est enrhumé. Un amant baise à poil. C'est d'autant plus vache qu'un amant ne peut pas se permettre d'être enrhumé. Vous l'imaginez éternuant en plein ciel? C'est valable aussi pour l'amante, mais une femme peut toujours passer un pull-over sans être ridicule. Et puis, elles ont une santé de cheval.

*

« Dis-moi quelque chose de gentil... »
Ça, c'est la phrase la plus efficace pour te rendre muet. Muet et coupable de l'être. Tu peux toujours te creuser la tête... Bien sûr, tu passes ton bras autour de ses épaules, tu la serres tendrement, c'est plus éloquent que tous les mots gentils, mais elle insiste. Tire-toi de là tout seul, mon vieux, ne compte pas sur moi.

*

Finalement, si, je suis un salaud. Il n'y a pas que les salauds cyniques, pervers, inémotifs. Il y a les salauds vibrants, qui se prennent à leur propre jeu, les salauds par excès d'émotivité, que leur désir contrarié rend malades, prêts à tout pour que cesse l'insupportable état anxieux. D'abord faire cesser l'anxiété. Après, on verra. Et après finit toujours par arriver. Et le salaud fait machine arrière, ergote, louvoie, tombe dans un état pire qu'auparavant, cette fois sans espoir. Et qu'il soit lucide et souffre du mal qu'il fait ajoute son propre malheur aux malheurs qu'il a semés, sans les soulager en rien. Seuls, les faits comptent. Alors, autant être cynique? Ben oui, mais on ne se refait pas.

L'image du « penseur ». Il a le menton sur le dos de la main, le regard perdu, le front plissé, et il pense. Ça a l'air de durer longtemps. Voilà qui m'épate. Je suis bien incapable de « penser », je veux dire de mener une démarche mentale organisée, suivie, cohérente, seul, le menton sur la main ou la tête entre les paumes. Aussitôt je glisse dans la rêverie, une rêverie même pas échevelée, non, rien qu'une rumination de choses minuscules et disparates qui se chassent l'une l'autre au gré de petits coups de mémoire imprévisibles, comme un gosse qui fouille distraitement dans son coffre à joujoux et en tire une bille de couleur, puis un soldat de plomb, puis une roue de meccano... Je ne pense utilement que très vite, en un éclair, quand je parle (ou quand j'écris : c'est la même chose, on écrit toujours à quelqu'un), parce qu'alors je veux convaincre. Alors le raisonnement m'apparaît. (Littéralement. Je le « vois », j'en vois le schéma, il part de la gauche et va vers la droite, il zigzague ou bifurque comme un itinéraire de chemin de fer, les étapes s'allument au fur et à mesure). Réfléchir nécessite la parole, et donc l'interlocuteur, présent ou imaginé. S'il me donne la réplique, si lui aussi veut me convaincre et s'il joue correctement le jeu de la logique et des preuves à l'appui, alors ça galope. C'est là le seul mode de conversation qui m'intéresse. Tout le reste n'est que constatations rabâchées, paradoxes miteux savourés, bruit fait avec la bouche, ennui, douloureux ennui...

*

La passion n'est pas un état supérieur, plus exalté, de l'amour. La passion n'a rien à voir avec l'amour, sinon les organes où ça se passe. La passion est solitaire, se nourrit d'elle-même. L'objet de la passion n'est, précisément, qu'objet. La passion se monte la tête, bat en neige, fantasme, court la campagne. En général, un seul des deux vit cela en passion. Si même les deux le font, c'est chacun pour soi. Parallèles. Malgré les apparences, il n'y a pas de dialogue, mais deux discours solitaires, chacun interprétant ce que dit l'autre dans le sens du renforcement de sa propre imagerie. Il me semble même qu'une passion partagée s'envole moins facilement jusqu'au délire qu'une passion unilatérale. La passion est superficielle, irrésistible, égoïste, destructrice. Mortelle, pourquoi pas. L'amour est constructif. S'il y a mort quelque part, il s'agit de passion. Là où il y a passion, la mort rôde.

*

Cette terrible incapacité d'organiser ma vie! Non que je ne puisse prévoir à longue échéance, mais agir en fonction de ces prévisions. Je subis la vie au jour le jour, incapable de prendre l'initiative. Quand la vie me fout à l'eau d'un grand coup de pied au cul, je bois la tasse, et puis je nage. Mais je ne plonge pas de moi-même. Le coup de pied au cul finit toujours par venir. Parfois bien tard.

*

La femme pense à l'homme. L'homme pense à soi.

Si la femme passe des heures devant son miroir, ce n'est pas par auto-adulation, c'est même tout le contraire : pour le plaisir de l'homme. Ou des hommes, c'est la même chose.

L'homme est tout naturellement, tout ingénument égoïste. Il s'aime. Il est content s'il est beau, mais ce n'est pas l'essentiel, il n'a pas à être beau pour se plaire. Par la beauté on peut attirer le regard des femmes, mais ce n'est pas avec ça qu'on les subjugue, qu'on les domine, qu'on se les attache. Et donc l'homme renonce sans drame à sa juvénilité, il laisse son corps s'épaissir, s'avachir, n'est pas obsédé par le souci de paraître svelte. Ses vêtements ne sont pas là pour le faire beau, mais bien pour l'affirmer socialement, le rendre redoutable, ou imposant, pour afficher sa réussite, ou son défi.

Paradoxe amusant : c'est parce qu'il s'aime et ne se refuse aucun petit plaisir que l'homme devient vilain. C'est parce qu'elle aime l'homme plus qu'elle-même que la femme reste belle.

*

Une de mes consolations. Je me répétais :
« Si j'ai la malchance de dépasser les cinquante berges, je me mets à l'alcool. A soixante-dix, les drogues dures... »
Mais ce n'étaient que fanfaronnades. La picole me rend méchant bien avant d'être bourré, l'idée de la seringue me hérisse le poil. Je suis parti pour traîner ma carcasse jusqu'à des cent vingt ans, toujours nuageux, toujours infantile, bon pied, bon œil, rien vu rien compris, con comme un balai.

BEYROUTH

J'avais un journal, il est mort. J'avais chaque lundi une page à remplir, deux pages, autant de pages que je pouvais en remplir. Je ne les ai plus. J'avais un journal et j'avais des copains. J'avais des copains parce que nous avions un journal. Le journal, on le faisait ensemble, c'est comme ça qu'on était copains. On l'avait mis au monde ensemble, nous, les copains. C'était quelque chose.

On a étonné le monde. Nous, trous du cul. Nous, bricoleurs. On a fait un vrai journal, plus vrai que les vrais, en tâtonnant dans nos vieilles ferrailles, en ricanant nos rires de sales mômes.

On a inventé le journalisme. Il en avait bien besoin. Le seul journal au monde dont chaque collaborateur était une vedette. Etait devenu une vedette, en même temps que son journal. Notre journal était le plus beau parce que nous étions les meilleurs.

Notre journal est mort. Il ne plaisait plus. Il avait été trop nouveau, il ne l'était plus assez. Condamné à étonner toujours plus, il ne pouvait se contenter d'être le meilleur, l'inégalé, il fallait qu'il se renouvelle de fond en comble, sans cesse, c'est cela qu'on attendait de lui. Numéro de cirque. Les autres, les suiveurs, les raisonnablement exigeants quant à l'inspiration, ils pouvaient, ceux-là, ayant fait le trou initial, voguer pépères à vitesse de croisière. *Char-*

lie-Hebdo devait sans cesse et sans cesse faire le trou. Il ne faut pas habituer les gens à l'inouï.

Charlie-Hebdo est mort, l'amitié agonise. Veuille ou non. C'est comme ça. Rien n'unit des hommes comme une tâche commune. Et moi, je suis chômeur. Et je m'emmerde.

Le vide où je marine me révèle quelle place tenait ce journal dans ma vie. Je vivais dans la trouille de ne pas y arriver. Chaque lundi était une agonie qui commençait deux jours avant, j'étais persuadé que je ne m'en sortirais pas, l'actualité était sinistrement répétitive, je n'avais rien à en dire, je remplissais des paniers de brouillons chiffonnés, très très pénible, comment au bout de tout ça y avait-il un moment où je noircissais feuille sur feuille dans une frénésie lucide et foisonnante, je n'ai jamais pu le savoir. Je quittais la planche fourbu, vidé, moulu, affamé, vainqueur. Chaque lundi, je gagnais le marathon. Les autres aussi. Tous ensemble, nous fêtions notre fatigue et notre victoire.

Je maudissais ce bagne : quoi qu'il puisse se passer dans le monde, ou ne pas se passer, avoir quelque chose à en dire. Pas n'importe quoi! On te guette. Quelque chose de fort, auquel « ils » n'avaient pas pensé, et qui leur ferait dire : « Mais bien sûr! C'est exactement ce que je pensais! »

Je n'ai plus rien à dire, puisque je n'ai personne pour m'écouter. Et c'est maintenant que le monde se met à être vraiment marrant! Ils n'arrêtent pas.

Guerre au Liban. Les auxiliaires chrétiens de l'armée d'Israël massacrent tranquillement quelques centaines de civils arabes dans les camps de Beyrouth. Ça vient à se savoir. Pas de pot. Horreur dans le monde. Sang sur les petits écrans. Les Israéliens bien emmerdés. Emeutes à Jérusalem... La planète entière tellement révulsée qu'elle ne se demande même pas comment une telle tuerie a pu être possible. Du seul fait qu'elle est horrifiée, la planète, elle est persuadée que c'est un acte inouï, monstrueux, donc exceptionnel. Condamne l'acte à cor et à cri, focalise son indignation sur l'acte. Or la bonne question est celle-ci : si les auxiliaires chrétiens de l'armée israélienne ont fait cela sous le contrôle bienveillant et peut-être avec l'aide de ladite armée israélienne, c'est qu'ils en avaient l'habitude. Ils accompagnaient, précédaient ou suivaient l'armée d'invasion depuis son franchissement de la frontière israélo-libanaise, faisaient pour elle la sale besogne qui consistait essentiellement à « nettoyer » le pays de l'engeance palestinienne. Toutes les armées « propres » ont toujours recouru à de tels auxiliaires, plus ou moins clandestins, pour se charger des tâches « sales ». L'armée française avait en 1914 ses nettoyeurs de tranchées, l'armée nazie ses Einsatzgruppen, l'armée d'Algérie ses harkis, Napoléon ses Mamelouks... Quand on ne trouve pas sur place une minorité flambant de haine pour faire le boulot, on va chercher dans les prisons... Au Liban, ce n'était pas nécessaire. Et si ces idiots se sont fait prendre la main dans le sac à Beyrouth, c'est parce qu'ils avaient tellement l'habitude de faire ça, une pure routine, qu'ils ont oublié qu'à Beyrouth il n'y avait pas seulement eux-mêmes, l'armée israélienne et les victimes à égorger, comme en rase campagne, mais qu'il y avait en plus un élément nouveau : les journalistes du monde entier. Et les militaires non plus n'y ont pas pensé. Alors ces andouilles ont fait comme d'habitude : dès les combats finis, ils ont retroussé leurs manches et hardi petit, en avant pour l'abattoir...

Ceci nous montre qu'il n'y a pas cinquante manières de faire la guerre. Il n'y en a qu'une : la sale. S'indigner sur cet épisode part d'une bonne nature, mais c'est perdre son souffle. Toutes les guerres sont semblables, la chevalerie et l'honneur n'existent qu'au cinéma...

Oui, bon. Tu vas pas te mettre à rédiger ton article dans ta tête chaque fois que les titres, sur les kiosques, te feront sursauter? Tourne la page, mon gars.

*

Il y a encore ça. Personne ne le sait, personne ne s'en doute : je suis d'un conformisme très gênant. Très, très. Presque toujours en désaccord, sur l'important, avec l'opinion commune – et j'ai bien raison, l'opinion commune est, sur les grandes questions, d'une connerie à crever, d'ailleurs pieusement entretenue – j'ai par contre une ridicule tendance à faire comme tout le monde dans les mille occasions de la vie en société. Ne pas me faire remarquer, ne pas avoir l'air d'un con. Ça aura dominé ma vie. Je redoute plus que tout le ricanement du mépris sur la face plate de l'andouille tout venant. C'est bête, hein? Un grand garçon comme ça !

*

Quand la politique était affaire de potentats, elle fonctionnait comme n'importe quel racket entre gangsters, comme n'importe quelle exploitation commerciale (c'est la même chose) : concurrence, intimidation, ruse, violence, trahison, traités reniés, alliances d'opportunité, bref : le fort dévore le faible, et que crèvent les vaincus.

Maintenant que la politique est affaire de peuples, elle fonctionne comme une religion. Puis, deuxième temps, cette religion ayant amené de nouveaux potentats au pouvoir, elle fonctionne suivant le bon vieux système.

Les religions politiques sont les utopies. Leur moyen d'action : les révolutions.

L'anticonformisme est le marchepied du conformisme.

La révolution est le marchepied du despotisme.

Ceux qui, la révolution faite, continuent à croire à l'utopie sont des déviationnistes. Ils meurent généralement de mort violente.

Le rêve utopiste type :

Refaire la Révolution (avec majuscule), SANS les erreurs des révolutions précédentes. Refaire l'U.R.S.S. sans le Goulag. Rejouer 1789 sans la Terreur et sans Bonaparte.

Ils n'ont pas compris, ils ne veulent pas comprendre (cramponnés à leur rêve, à leur besoin religieux d'un paradis à portée de la main) qu'il n'existe qu'un pouvoir, toujours le même (le « pouvoir du fusil » du petit père Mao), toujours despotique. Car le pouvoir ne peut pas échapper au despotisme. Peu importent les idéologies de départ, les sacrifices, les bonnes intentions et les sincérités. Les circonstances sont implacables, le pouvoir leur est soumis. La démocratie elle-même, tyrannie du plus grand nombre (c'est-à-dire des plus bêtes et des moins informés), est un despotisme camouflé sous des apparences bonasses (tant que les gars qui en profitent ne sont pas menacés).

Axiome : le pouvoir est toujours de droite. Qu'il le veuille ou non.

Le pouvoir est au bout du fusil, mais c'est le pouvoir du fusil.

Il ne s'agit pas de juger. Les choses sont ce qu'elles sont. C'est implacable comme une loi biologique, c'est-à-dire physique (c'en est une en effet).

Tant qu'il sera impossible d'agir (autrement que par contrainte ou séduction) sur les psychologies individuelles et sur la psychologie des masses, il en sera ainsi. Et quand enfin on pourra agir (par tripotages génétiques, chimiques ou autres), ce sera au profit de la psychologie primaire de quelques-uns (despotes) qui continueront à manipuler les masses, cette fois avec une certitude mathématique.

Ou le chaos actuel, multiplié par la puissance de la technique, ou le *Meilleur des Mondes*.

« Mais c'est fataliste!

– Je n'y peux rien.

– Mais c'est pessimiste!

– En effet. Citez-moi une seule révolution qui ne soit pas tombée dans le despotisme ou dans la contre-révolution, citez-moi une seule vie d'homme qui ne se soit pas terminée par la mort, alors je réexaminerai tout ça dans le sens optimiste.

– Mais le pessimisme est de droite!

– Nous y voilà! Tu es soulagé, tu as trouvé l'étiquette. A mon tour : l'optimisme est un mensonge.

– Qu'importe! Il est généreux.

– Non. Il est fourbe. Croire à l'utopie possible, c'est devenir proie consentante et participante du prochain despotisme. Ou partie prenante. C'est se vouer à être victime ou bourreau.

– T'es pas marrant.

– Oh! si. Quand je veux. Tu connais la dernière histoire belge? »

*

Petits Français merdeux que nous sommes, qui n'arrivent à survivre – c'est-à-dire à préserver leur petit confort, leurs 'tites bagnoles, leurs gadgets made in Japan, leurs vacances de neige, leurs sorties ciné-restau du vendredi soir et tout leur petit luxe miteux de faux petits-riches – qu'en fabriquant des armes et des machines à tuer en masse pour les vendre aux petits pays hargneux suintant de pétro-dollars (un million de Français directement concernés, je viens de le lire dans *Le Monde*, il en est tout fiérot *Le Monde*, et l'Etat trafiquant de mort subite qui se bourre les poches), ça s'appelle « sécurité de l'emploi » en langage syndical, ça s'appelle « maintien du pouvoir d'achat » en langage préélectoral, ça s'appelle « si c'est pas nous qu'on le fait un salaud le fera » en langage cynico-vinassier... Et ça milite pour le désarmement! Pour la paix! Ça ose! Ça s'incline devant les monuments aux morts! Ça a peur des fusées russes! Ça donne à la quête pour le cancer! Pour les lépreux! Ça manifeste avec banderoles pour exiger que le gouvernement « trouve des débouchés » à leurs mitrailleuses, à leurs missiles, à leurs super-avions. Comme s'il existait d'autres débouchés que la guerre et le coup d'Etat. Qualité France! V'z'avez vu, aux Malouines? Tout ce qu'on voudra, ça vous fait quelque chose. Salauds. Salauds merdeux. Honnêtes gens. Honnêtes assassins. Pères de famille. Fumiers. Salauds tranquilles, salauds à bonne conscience, salauds au coude-à-coude avec les millions d'autres salauds sans problème... Horribles petits salauds de merde qui dormez sur vos deux oreilles et serez suffoqués par l'injustice des choses le jour où ça vous retombera sur la gueule...

*

Avoir davantage pitié des bêtes que des hommes, c'est pas très bien vu chez les hommes. C'est considéré comme une espèce de désertion, de trahison, voire de perversion ou d'infirmité mentale.

Eh, bon dieu, nous sommes hommes par hasard. Tant mieux, c'est chouette, j'aime bien comprendre le monde. Et c'est justement parce que je suis homme que je puis transcender cet instinct grégaire, irréfléchi, purement animal, qui fait se serrer les coudes aux hommes, les incite à diviniser l'homme par-dessus toute créature. Réflexe spontané, réflexe normal. Normal chez une oie, chez un phoque, chez un hareng. Un homme devrait aller plus loin. C'est parce que j'essaie d'être vraiment, pleinement homme, c'est-à-dire une bête avec un petit quelque chose en plus, que je mets sur un pied d'égalité ce qui est homme et ce qui ne l'est pas. M'emmerdez pas avec votre François d'Assise, j'ai pas de paradis à gagner. Mon « amour » des bêtes est bien autre chose qu'un attendrissement devant le mignon minet, bien autre chose qu'une lamentation devant les espèces « en voie de disparition ». Qu'elles disparaissent, les espèces, je m'en fous, je ne suis pas collectionneur d'espèces, des millions d'espèces ont disparu depuis que la première lave s'est figée. Seuls m'intéressent les individus. Mon horreur du meurtre, de la souffrance, du saccage, de la peur infligée, fait de ma tranche de vie une descente aux enfers. Nous tous, les vivants, ne sommes-nous donc pas des passagers de la même planète?

L'homme n'a pas besoin de ma pitié. Il a largement assez de la sienne propre. S'aime-t'y, le bougre! La littérature, la religion, la philosophie, la politique, l'art, la publicité, la science même n'intéressent les hommes qu'en tant qu'elles les mettent au premier plan, toutes ne sont qu'exaltation de l'homme, incitations à aimer l'homme, déification de l'homme...

Les bêtes n'ont pas, si j'ose dire, la parole. Elles n'ont pas d'avocat chez les hommes. Elles ne sont que tolérées. Tolérées dans la mesure où elles sont utiles, ou jolies, ou attendrissantes... Ou comestibles. Les hommes les ont ingénieusement classées en animaux « utiles » et animaux « nuisibles ». Utiles ou nuisibles pour les hommes, cela va de soi. Les Chinois ont patiemment détruit les oiseaux parce qu'ils mangeaient une partie du riz destiné aux Chinois. De quel droit les Chinois sont-ils si nombreux qu'il n'y a plus de place pour les oiseaux, ni pour la nourriture des oiseaux? Du droit du plus fort, eh oui. Voilà qui est net. Ne venez plus m'emmerder avec votre supériorité morale. Ni avec vos bons dieux, faits à l'image des hommes, par les hommes, pour les hommes.

Si les petits cochons atomiques ne mangent pas l'humanité en route, il n'existera bientôt plus la moindre bête ni la moindre plante « nuisible » ou « inutile ». Le travail est déjà bien avancé, et le mouvement s'accélère. La mécanisation libérera – peut-être – l'homme du travail « servile ». Elle a déjà libéré le cheval : il a disparu. On n'a plus besoin de lui pour tirer la charrue, il n'existe plus à l'état sauvage, adieu le cheval. Oui, on en gardera quelques-uns, pour jouer au dada, pour le tiercé, pour le ciné, pour la nostalgie... L'insémination artificielle a déjà réduit l'espèce « bœuf » à ses seules femelles. Un taureau féconde – par la poste – des millions de vaches. Oui, on s'en garde quelques-uns pour les corridas, spectacle d'une bouleversante grandeur où l'Homme, intelligence sublime, affronte la Bête, les yeux dans les yeux... Oui, on se garde quelques faisans, quelques lapins, quelques cerfs, pour la chasse... On se garde quelques éléphants, pour que les petits merdeux aillent les voir dans les zoos, et quelques autres dans des bouts de savane pour que les papas des merdeux aillent faire des safaris-photos après le déjeuner d'affaires.

Pourquoi je m'énerve comme ça ? Eh, parce que je les voudrais semblables à ce qu'ils se vantent d'être, ces tas : un peu plus, un peu mieux que les autres bêtes... Mais non. Ils le sont, certes, mais pas assez. Pas autant qu'ils croient. A mi-chemin. Et, à mi-chemin entre ce qu'est la bête et ce que devrait être l'homme, il y a le con. Et le con s'octroie sans problème la propriété absolue de la Terre et de tout ce qui vit dessus, et même de l'Univers entier, tant qu'une espèce plus forte ou plus avancée techniquement mais tout aussi con ne l'aura pas traité lui-même comme il traite ce qui lui est « inférieur ».

« Inférieur »... Rien que ce mot ! Il y a même toute une hiérarchie.

OH! LE PLEUTRE!

Oh! le pleutre! Oh! le ladre! Oh! le rétréci! Oh! la fausse couche! Incapable de vivre à pleines dents les furieux élans de son cœur. Toujours retenu par le pan de chemise au moment de faire le saut. Incapable aussi de mettre un panier sur la tête de cet amour et de s'asseoir dessus. Cul entre deux chaises, morfondu d'incertitude, tiraillé de çà, tiraillé de là, souffrant mille agonies et les faisant payer à la pauvre gosse qui fut assez confiante pour l'écouter, assez conne pour l'aimer.

J'ai laissé mourir, j'ai poussé à la mort, j'ai assassiné un amour comme il ne s'en rencontre guère. Parce que je rampe à ras de terre, à ras de cul. Ce don énorme, total, ce cadeau royal, me fait peur et m'accable. J'ai les bras trop courts. N'offrez pas Versailles à qui rêve d'un pavillon de banlieue.

Son amour était flamboyant. Il acceptait tout, en connaissance de cause, assez sûr de soi pour s'accommoder de tout : de la vieillerie imminente, de l'humeur de bouledogue, du partage... J'étais là, elle s'illuminait. Et moi, je faisais ma gueule de carême, je poussais des soupirs qui ne laissaient rien ignorer de mon terrible calvaire, je trimbalais mes remords sur ma figure... Oh! le con, l'ignoble sale con! Aussi tristement minable qu'un notaire du siècle des notaires allant sur la pointe des pieds, en chemise de nuit et bonnet de coton, rejoindre la servante dans son galetas sous les toits.

*

On ne vit qu'une fois.

Constatation triviale à force d'évidence, philosophie de beauf'. Comme tout ce qui patauge dans l'imbécillité de la condition humaine. La vie est beauf'. Si quelqu'un a créé ça, ce quelqu'un est un beauf'. Dieu est un beauf'.

On ne vit qu'une fois, plaise ou non. Rien ne devrait avoir d'importance que ça. Nul plus que moi n'en est persuadé. Nul n'en est plus constamment conscient. Et je suis incapable d'y conformer ma vie.

Je vis moralement. Je ne veux pas dire que je me conduis toujours comme un bon petit garçon, oh! non. Mais je vis comme s'il existait une chose invisible et transcendante que l'on nomme la morale, à laquelle on obéit ou bien que l'on viole. Et moi, je n'arrête pas de la violer, voilà. Tout en sachant parfaitement qu'elle n'existe pas. C'est au fond de moi que ça se passe, là où c'est tout noir, là où je ne suis pas le maître. Mais qu'est-ce que j'ai donc dans la peau? Qu'est-ce qu'on y a fourré, dans ma peau? Ça s'est fait quand j'étais tout petit, j'en suis sûr. Un petit enfant sans défense, confiant comme l'agneau. Qui a fait ça? Ma maman, d'abord. Morale comme tout, ma maman. Un adjudant. Travail, exactitude, ténacité, persévérance, honnêteté, fierté... Fierté, surtout. C'était pas tellement une morale de bonté, la morale de maman, c'était une morale de fierté. Elle la formulait en aphorismes qui faisaient mouche :

« J'aime mieux passer pour une peau de vache que pour une imbécile. »

Tout Corneille est là-dedans. Quand, en classe, on a étudié *Le Cid*, la religion de l'honneur, tout ça, moi j'étais de plain-pied. Les proverbes de maman se contredisaient souvent :

« La fierté, ça tient chaud aux imbéciles.

– T'as beau faire le glorieux, ton cul embrasse ta chemise. »

Mais la contradiction n'est-elle pas justement le propre des morales, leur coquetterie et leur attrait ? La morale de maman était une morale âpre, noire, se délectant de sa propre sauvagerie, tu dirais : sado-maso comme une vache. C'est cette morale-là que j'ai tétée avec mon premier lait. J'étais le sujet idéal. En moins de deux, conditionné comme le chien qui salive au coup de sifflet. Plus tard, on m'a injecté la morale des curés, puis celle de l'école (il y avait une morale à l'école, en ces préhistoires). Elles étaient légèrement différentes quant à l'objectif, mais tout à fait semblables pour l'essentiel, et l'essentiel de toute morale, c'est :

Tout se mérite.

Quand tu as compris ça, tu es apte à te faire moine, ou instituteur, ou militant révolutionnaire, ou S.S., ou pêcheur à la ligne, ou gigolo, ou employé de la Caisse d'Epargne, ou terroriste, ou boxeur, ou cambrioleur, ou cosmonaute, ou pute, ou premier secrétaire du parti communiste (bolchevik) de l'U.R.S.S... Car ceci est la texture même de cet espace-temps où nous gémissons. Il aurait pu en être autrement, une chance sur deux, eh bien, non. Cet espace-temps est euclidien et moral. N'en déplaise à Einstein et à Jean-Paul Sartre. Pas de pot. Peut-être qu'ailleurs, sur d'autres galaxies... ?

La pesanteur est morale : il est plus fatigant de ramasser quelque chose que de le laisser par terre. Or, si tu veux manger la pomme, il faut que tu la ramasses. La satisfaction est au bout du travail. Tu peux aussi grimper dans le pommier : encore un travail. Juguler ses instincts est plus fatigant que les laisser s'exprimer en leur piaffante spontanéité.

Violer la morale a des conséquences toujours fâcheuses et de deux ordres, on me l'a appris à l'école, j'ai bien retenu. D'abord on fait du tort, à soi-même, ou à quelqu'un d'autre, ou aux deux à la fois. Voler fait du tort à autrui. Voler et se faire prendre fait du tort aux deux. Ensuite, on s'abîme l'âme. Même si l'on n'est pas pris, on devra faire face au REMORDS. Et ça, c'est pire que tout, pire que la honte d'être pris, pire que la fessée, pire que la prison, pire que l'échafaud. Voilà ce qu'on m'a, à l'aube de ma vie, non seulement appris, ce qui ne serait pas trop grave, on apprend on désapprend, mais, hélas! incrusté au plus profond de la moelle.

Quand tu es, pour ton malheur, affublé comme voilà moi d'une fibre morale, peu importe que ta raison raisonnante, tes lectures et, surtout, l'expérience de la vie t'aient amené à la ferme certitude qu'il n'y a ni bien ni mal, ni par conséquent de morale, je veux dire au sens absolu, transcendant et idéal que l'on donne à ce mot, qu'il n'existe que de l'utile et du nuisible et un ensemble de règles pratiques visant à incliner nos actions vers l'utile et à éviter le nuisible autant que faire se peut, peu importe, peu importe, tu es vaincu d'avance. Cette saloperie de fibre morale se fout de tes raisonnements et convictions, elle est tapie dans son cul-de-basse-fosse et ne veut rien savoir de ce qui se passe dans les étages. Et en dépit de ton nez tu constates ceci :

Ou tu te conduis conformément à la morale (à une morale), ou tu as les affres.

J'ai les affres.

Ma fibre, sa morale n'est plus celle de maman. Ni celle du curé, ni celle de l'école. Pour autant que je puisse savoir. Elle est comme je vais vous dire. Mais sachez déjà que peu importent les modalités et même l'idéologie de base. Le fait important, la tare originelle, ineffaçable, le boulet à traîner, c'est l'existence même d'une structure morale dans le bonhomme. Morale de huguenot ou morale d'anarchiste, morale de mafioso ou d'ancien combattant, d'ami des bêtes ou de partisan de la peine de mort : morale.

La mienne, donc, est comme ça : ne pas faire souffrir. Qui que ce soit. Homme ou bête. Je ne l'ai pas choisie. En tout cas, je ne me rappelle pas. Il me semble que, si l'on m'avait consulté, j'en aurais choisi une plus sportive, plus contraignante, même jusqu'à l'ascèse, mais portant en soi sa récompense sous forme de vives satisfactions d'amour-propre. La morale de l'honneur, par exemple : ça ne fait pas mal à la tête ni ne vous plonge dans les perplexités, on sait tout de suite quel bras il faut se trancher, quel œil s'arracher, ce qu'il faut faire à la femme qui vous a trompé... Oui, mais on ne m'a pas demandé mon avis.

Hélas! cette force irrésistible qui tire mes ficelles de marionnette et me paralyse plus souvent qu'elle ne me met en branle est une force négative, mollassonne, larme-à-l'œil. Femelle, pour tout dire. Ne pas faire bobo!... A hurler de rire.

Naturellement, je passe ma vie à faire souffrir. A décevoir. Car je ne suis pas à la hauteur, même de cette morale nounouille. Je suis très vulnérable aux tentations. Je promets tout ce qu'on veut, puisque ça fait plaisir et que refuser de promettre ferait de la peine. Et puis je ne tiens pas. On ne peut pas tenir deux promesses contradictoires. On ne peut pas se trouver, par exemple, en deux endroits à la fois. Alors, deuxième étape, je mens. Je mens avec prudence et juste le nécessaire, mais c'est déjà beaucoup, c'est considérable, et je finis toujours par m'emmêler, un indice qui traîne, elles vous font les poches, vous savez? Là, je suis extrêmement honteux de m'être laissé prendre, mais ce n'est pas le pire et ça passe vite, l'honneur, ou l'orgueil, ou la dignité, appelle ça comme tu voudras, n'étant pas mon fort, ou mon point faible, quelle langue marrante, le français. Le vrai pire, c'est que je fais de la peine, chose à moi insupportablement pénible. Autant je m'en fous de passer pour un con aux yeux de la France entière (ça m'est déjà arrivé), autant je suis malheureux à crever des pleurs que je cause (ou que je me figure avoir causés).

Je ne suis pas bêta au point de ne pas me dire que, sûrement, je m'exagère l'énormité des chagrins qui me doivent la vie. L'orgueil trouve toujours une fente par où se faufiler. Que l'heur ou le malheur d'un être dépendent de moi, c'est me faire bien important.

Si bien que je me conduis en dégonflé, non par peur des cris (nous sommes entre gens civilisés), des scènes, ou des conséquences fâcheuses pour moi, mais bien pour ne pas faire de peine... Allons, sois franc : pour ne pas faire de peine tant que tu es là. D'accord. Je m'accommode pas trop mal des chagrins que je cause si je ne suis pas là pour les voir. Comme ces gens qui pour rien au monde n'étrangleraient des petits chats un à un, mais trouvent beaucoup plus « humain » de les fourrer dans un sac, le sac dans une lessiveuse pleine d'eau, et puis le couvercle par-dessus avec une grosse brique. Quitter la pièce très vite avant les premiers terribles miaulements et aller au cinéma. Les fumiers. Toi aussi, mon pote. Moi aussi, bien sûr, sauf pour les petits chats.

*

« Je ne veux pas être subie comme une espèce de maladie! L'amour fatal, la femme dévoreuse, c'est pas mon genre, je n'y trouve aucun plaisir. Si tu ne peux m'aimer qu'en pleurant de rage et de désespoir sur ta faiblesse, autant qu'on se quitte tout de suite. »

A-t-elle dit. C'était une fois où on s'était fâchés pour de bon, une fois de plus. J'ai répondu « D'accord » et j'ai dégringolé l'escalier. J'étais fou enragé contre moi-même d'être effectivement aussi dépendant et aussi malheureux de l'être. Ce fut une séparation d'entre nos séparations. Scénario des jours qui suivent : d'abord stupéfaction. Hébétude. « Qu'est-ce que j'ai fait là? » Le coup sur la tête a été rude. Que ce soit moi qui, cette fois, aie décidé d'arrêter ou bien elle, peu importe. Pour se séparer, il faut être deux. Un qui s'en va, l'autre qui claque la porte. Hébétude, donc. Fin du monde. Fantasmes consolatoires de suicide. En même temps, dans un petit coin, un lumignon, tout pâlot tout tremblant : enfin libre... Un « ouf » qui n'ose encore gonfler les joues, qui attend l'accalmie. J'essaie de me cramponner à ce « ouf » naissant. De me focaliser dessus. De le tirer au premier plan, pour masquer l'horrible vide et le goût de mort. Je me répète « Finis les mensonges et les prétextes! Finis les furtivités et les faux acquiescements! Finies la main forcée, la pression, la contrainte... Tu es libre, Ducon! Libre! Tu te rends compte? Cette liberté à laquelle tu rêvais désespérément, au long des longues nuits d'après baise, tu l'as, penses-y, cramponne-toi, sauve-toi vite, fuis loin de la femme, de ses tiédeurs, de ses odeurs, de ses yeux tristes, de ses pleurs! De ses problèmes! Tu tiens le bon bout, ne le lâche plus! »

Pendant vingt-quatre heures, je me martèle ça. Vingt-quatre heures. je commence à y croire. Et puis l'angoisse monte. Ah! Celle-là!

L'angoisse, je ne sais pas si vous connaissez. Je vous souhaite que non. En tout cas, pas aussi cannibale. Je suppose qu'une anxiété modérée donne du piment à la vie, souligne les instants dramatiques, une espèce de musique de film. Mais cette épouvantable cochonnerie qui vous broie l'intérieur, vous liquéfie les jambes, vous fait cogner le cœur et vous vide la tête... Même dans les moments où l'on n'est pas en train de penser à la cause première de tout cet abattoir. L'angoisse – j'appelle ça « angoisse », ce n'est peut-être pas le vrai mot – démarre toute seule, grandit et dévore, sans demander son avis au « moi » conscient. C'est même sa violence qui vous révèle à quel point on est touché, alors que peut-être on ne s'en doutait pas. Mon « moi » conscient essaie de se raccrocher aux aspects avantageux de l'événement, liberté retrouvée, vie simplifiée, disponibilité, tout ça tout ça, et v'lan, l'angoisse monte, monte, du fond de la tripe, et envahit tout, bientôt tu n'es plus qu'un paquet de trouille, un hurlement muet, tout fout le camp, il est bien question de liberté et de bon côté de la chose !

« Je ne veux pas être une maladie... »

C'est pas toi, la maladie, ma pauvre grande. La maladie, elle est dans les globules de ce triste con : moi. Pas que j'aime ça ! Enfin, je ne crois pas. Non, j'aime pas souffrir, ça j'en suis sûr. C'est même parce que je m'évite trop les petites souffrances que je tombe tout cuit dans les grandes. Qui a peur d'avoir mal chez le dentiste aura bien plus mal encore quand la carie lui piochera au marteau-piqueur toutes les dents de la gueule. Le monde est moral, on n'en sort pas.

Bien sûr, on a de la lecture. On n'a pas manqué de se demander, les yeux dans les yeux, si ces affres ne seraient pas, par hasard, la condition même de notre plaisir, par nature ou par perversion. Chatoyant paradoxe. Si l'on n'en serait pas venu à être en quelque sorte conditionné aux affres, hm ? A ne pouvoir prendre plaisir qu'à la condition expresse qu'il y ait affres ?... Serais-je maso, tordu, ce qu'on voudra, enfin, bref, compliqué dans ma tête et ayant à mon insu besoin d'affres plus que de quiétude ? Question intéressante. Qui lancera un magazine freudien destiné au grand public ? Cent pages sur vous-même ! Testez-vous, scrutez-vous, analysez-vous, faites-vous peur, dégoûtez-vous... Une idée formidable. Succès garanti. Oui, mais, et la déontologie? Oh! dis, eh, les magazines de médecine populaire existent, et prospèrent, à ce que je me suis laissé dire! Il y a toujours moyen de s'arranger avec la déontologie. La psychanalyse n'est plus tellement « in », paraît-il. C'est donc juste le vrai bon moment pour la mettre à la portée de la ménagère. Toujours à la pointe du ringard, la ménagère! Oui, mais, et la pub? Ah! ah! Là, effectivement. Un journal, c'est fait pour ramasser de la pub. Quelle pub pourrait fleurir dans le sillage des analystes, gens furtifs et, apparemment, très huguenots sur l'éthique? A part les divans et les calepins à reliure spirale, ça ne va pas loin... Oh! ben, pardi, comme partout : nouilles Panzani, sels de bain, lessive lave-plus-blanc, éditions de luxe pour chambres de bonne, croisières aux Bahamas, papier cul, Madame Dugland – mariages chrétiens, maigrir sans se priver... En avant, les pionniers! Créez! Si vous aviez cent balles, ça me rendrait bien service.

*

Quand je vais chez moi, dans « ma » campagne, si durement conquise par bec et ongles en toute une vie, je me figure que je vais goûter quelques jours, quelques heures, de cet intense bonheur d'être arrivé au port après lequel j'ai toujours couru. Et non. Même pas. Quand j'y suis, je ne fais qu'entrevoir par éclairs ce que pourrait être cette jouissance si désirée. Je ne suis qu'un passant, déjà l'élastique me tire en arrière, les yeux tristes de la délaissée me hantent, j'ai le paradis à portée de la main, il a le goût de paradis perdu. Dans l'autre sens, je cours à Gabrielle avec la fougue tremblante d'un premier amour. A peine l'ai-je rejointe, la pensée de la désolation dignement supportée que je laisse derrière moi prend le relais, voilà ces autres plaisirs eux aussi gâtés d'avance.

Et je me demande. Ces paradis entrevus, si colorés, aux plaisirs si intensément imaginés, seraient-ils, si j'en jouissais en leur plénitude, aussi merveilleux que je les pressens? Le bonheur pressenti, effleuré et jamais pleinement accompli, n'est-ce pas justement ça, le meilleur du bonheur? L'accomplissement serait peut-être décevant? On croit qu'on n'a que des miettes grappillées à la sauvette, on ne sait pas qu'il n'existe rien de plus. Les bouffées de piètre bonheur menacé nous font sentir ce que serait le bonheur sans obstacle, et c'est justement là, dans cette sensation, qu'est le seul bonheur : dans l'illusion du bonheur. Car le bonheur est illusion et fantasmagorie, et sans la précarité, sans la fugacité, nous n'aurions point ces illuminations de perfection. En somme, si je t'ai bien suivi (tu cours vite!), le bonheur est une marchandise imaginaire qui se manifeste par des visions-éclairs où nous croyons voir l'image du bonheur, et c'est ça le bonheur? Eh bien, voilà, t'as tout compris. Encore faut-il qu'il y ait commencement de réalisation pour donner du corps à la chose et du poignant à son manque. C'est grandiose.

Vu de l'extérieur par un observateur pas spécialement bien intentionné, tout se passe comme si je me donnais l'excitation d'émotions violentes dans un sens, et puis dans l'autre. Un fin gourmet de l'angoisse contrôlée. Un esthète fabuleusement décadent. Que ce soit involontaire ne change rien à la scélératesse de la chose. Ce que tu n'as pas voulu, ton inconscient l'a voulu. Et qu'est-ce que t'as à répondre à ça? Tortille tant que tu voudras, tu es coupable QUELQUE PART. Quelque part! Mots formidables, mots indispensables, qui n'ont pas fini de nous étonner... Enfin, bon, va donc expliquer à Tita, à Gabrielle, que la vie de chien que je leur fais mener est une façon, non voulue mais efficace, de leur faire mieux goûter les bons petits moments de l'existence!

NARCISSE

Ce chien-là, Tita se l'était choisi. C'était bien son tour. L'amour lui en était tombé dessus à l'improviste, et certes c'était le chien créé tout exprès pour elle, et elle pour lui, comme Nicolas le hirsute avait été le reflet de mon âme. Ce chien-là était un lévrier russe, un « barzoï », bête formidable, non, pas un candide afghan au museau noir, aux pantalons à pattes d'éléphant balayant le trottoir, non, non, pas du tout, je dis bien russe, race méconnue, race magnifique, des gaillards puissants, hauts presque comme des danois, athlètes maigres aux muscles secs finement dessinés à fleur de peau, terribles chasseurs s'attaquant seul à seul au loup et à l'ours, dit-on, torse profond, ventre aspiré, collé aux vertèbres, dos arqué en demi-cercle, interminable étroit museau tirant en avant un interminable cou, somptueuse fourrure blanche aux longs poils de soie floche, panache triomphal de la queue. Pas d'épaisseur. De face, rien que cette tête en pointe de flèche, ces grands yeux attentifs. De profil, un ours blanc.

On l'appela Jérémie, c'était l'année des J. Je n'étais pas tellement emballé, ce genre de bête faisait un peu trop aristo pour mon goût, presque caricatural. Et là je me suis pris en flagrant délit de pensée mesquine. Alors j'ai plongé mes yeux dans les candides yeux aux longs cils et je me suis laissé aller... Aristo, tu parles! Ce chien était tout amour, comme tous les chiens, comme si nous en étions dignes, nous, sale race.

Ensuite arriva Joséphine, sa sœur. Ils grandirent, eurent des petits – dix d'un seul coup, toutes ces queues de rat en l'air! – qu'il fallut placer, chose pas facile, les gens ne veulent plus que du berger allemand, et bien féroce, surtout, mais bon, Tita les plaça, sauf deux : Narcisse et Nadège, c'était l'année des N.

Qui n'a pas vu des barzoïs jouer entre eux et piquer des galops fous a perdu quelque chose. Au repos, affalés, disloqués, peaux vides, membres de bois. Un bruit au loin sur la route, les voilà debout, frémissants, oreilles collées au crâne, dos bossu, ressorts tendus à fond qu'une dissonance perçue projettera soudain droit devant eux.

Ne laissez pas ces chiens-là chahuter après manger. Personne ne me l'avait dit, alors moi je vous le dis. Pour avoir fait le fou le ventre plein, Jérémie, Jérémie le superbe, le chef de la tribu, eut une torsion de l'estomac. Et mourut. En quelques heures. Dans d'abominables souffrances. Malgré le transport d'urgence dans une clinique véto. Sachez-le, l'estomac des chiens n'est pas, comme celui des humains, fixé au péritoine par des brides solides. Il ballotte et, lorsqu'il est plein, peut même faire un tour complet sur lui-même, et du coup obturer ses deux orifices. Surtout chez les grands chiens. C'est la mort à peu près sans recours. N'oubliez jamais cela, vous qui les aimez.

Un jour, une négligence, voilà les trois chiens partis ventre à terre dans la campagne. Une meute. Cours après! Deux rentrent à la nuit, langue pendante, statues de boue. Narcisse manquait. Il pleurait à cris d'enfant sous la pluie, la patte prise dans un piège à loup. Sciée. Grangrène. Deux ans de soins à peu près désespérés. L'os à nu sur dix centimètres. Il s'en remet! La chair, lentement, repousse, Narcisse cavale comme si de rien, avec juste, en souvenir, une bague rose de peau sans poils... Et un soir d'hiver, en rentrant, Tita le trouve criblé de gros plomb, la tête en sang. Un petit rigolo l'avait tiré bien à son aise depuis la route, peut-être d'une auto. Le chien, fou de douleur et de terreur, avait couru vers la maison, s'était jeté contre la vitre, tête la première. Des plombs de chasse dans le corps d'un gros chien, ça n'est pas trop grave tant que ça ne touche rien d'essentiel. Sur une trentaine de plombs, il avait fallu qu'un, un seul, tranche, au passage, la branche du nerf pneumogastrique qui commande les muscles du larynx et de l'œsophage. Tout ça, on l'a su par la suite. Narcisse ne donnait plus de la voix, vomissait, respirait avec un râle déchirant. L'œsophage relâché béait « comme une chaussette », dit le radiologue, et pesait sur la trachée, gênant la respiration. Les chiens sont bêtes émotives, sachez aussi cela. Les barzoïs le sont excessivement. Il avait fallu faire des séries de radios nécessitant des manipulations qu'il avait mal supportées, malgré notre présence et nos caresses. Le retour fut épouvantable. Narcisse cherchait l'air, gueule béante, son cœur s'affolait, le râle dans sa gorge couvrait le bruit du moteur, sa langue devenait noire. Posé à terre, il ne tenait plus sur ses jambes, se traînait vers la fraîcheur.

Tita cria :

« Il est en train de mourir! »

Je me suis alors rendu compte que, depuis un moment, je refusais de me dire ces mots-là.

Nous avons chargé les soixante kilos de chien inerte dans la voiture et nous avons foncé chez le vétérinaire local, qui lui fit une injection de gardénal et une de solucamphre. Cela le calma peu à peu, nous l'avons ramené à la maison, couché à sa place favorite. Il dormait paisiblement. Nous en aurions pleuré de joie. Nous avions eu si peur! Une heure après, il était mort.

Il y a des types capables de ça. Ils voient des êtres beaux, joyeux, une fête des yeux et de l'âme, leur réflexe immédiat : tuer. Par sport, par ennui, pour faire une blague, par haine de ce qui est beau, parce qu'ils sont laids, eux, les lourdes panses, les trognes vineuses, les fronts fuyants... Par méchanceté, car les hommes peuvent être méchants, gratuitement, ce que ne sont jamais les bêtes. Par connerie, surtout. Oh! leur souveraine, leur triomphale connerie! Tuer. Ils aiment ça, je vous dis.

La mort, toujours la mort. Je hais la mort.

LA JUNGLE

« JE suis un solitaire. » Mot bien prétentieux, qui a
trop servi à trop de m'as-tu-vu littéraires. Disons
plus simplement que je suis seul. Oh! je ne me
drape pas dans ma solitude, vraiment pas de quoi
en faire un plat. Je suis seul par tempérament, voilà
tout. Les autres me pèsent, et si j'avais eu le choix
j'aurais opté pour une planète moins surpeuplée.
Un bon kilomètre de distance entre chaque être
humain me paraît être le minimum vital.

Je ne veux ni exploiter les autres, ni vivre à leurs
dépens, ni les dominer, ni les diriger, ni combattre
avec eux main dans la main pour améliorer mon
sort en même temps que le leur. Mon sort est entre
mes mains, mes mains seules. Les autres font partie
de l'environnement, et l'environnement est beaucoup plus souvent hostile que favorable. Presque
toujours, même. Je dois me garder d'eux comme du
reste. La vie, c'est la jungle, je suis nu dans la jungle,
les autres font partie de la jungle. Se faufiler. Passer
le plus possible inaperçu d'eux. Je ne veux pas les
exploiter, ça ne m'amuse pas, je veux juste survivre,
mais si eux m'exploitent – ils le font toujours, de
mille manières –, tant pis, je m'en accommode,
comme je m'accommode de la pluie, du froid, de la
maladie, de la certitude de ma mort. Faut faire avec.
Les autres n'aiment pas les ours solitaires? Faisons

semblant que pas. Ils veulent que je fasse risette, que je trouve délicieuse leur existence, leur compagnie ? Faisons l'andouille cinq minutes pour avoir une heure de paix.

Les autres sont parfois – rarement – source de joie (par exemple quand j'aime, sexuellement ou autrement). Ils sont infiniment plus souvent source de contrainte, d'ennui, de danger. Par-dessus tout quand ils t'imposent leur amitié, leur gentillesse. Leur amour, jamais en résonance avec le tien. Ils ne se demandent pas s'ils t'importunent. Puisqu'ils s'offrent, souriants, empressés, il va de soi que tu t'épanouis à l'unisson. Ils t'accablent en toute ingénuité.

La pression sociale m'est odieuse. Tout ce qui est communautaire m'est viol. Je ne pose pas cela en doctrine. Je hais les doctrines, ces pensées de confection. Des petits malins, de ceux qui ont toujours tout compris, m'ont découvert, avec le soulagement d'avoir trouvé la bonne case, « anar de droite ». Mais non, mais non. Ni anar, ni de droite. Rien de ce qui m'est offert ne me convient, ni ne peut me convenir, puisque de toute façon il y a une doctrine à la clef, si floue soit-elle, même réduite à un vague mot d'ordre, à un intérêt commun passager, à un dégoût commun. Rien en commun. Je suis une bête qui sait qu'elle n'est que ça, un tube qui transformera un certain tonnage de nourriture en merde avant de cesser de fonctionner pour devenir merde à son tour, ET QUI LE SAIT, et que ça ne fait pas rire, mais qu'y faire ? Une seule cause vaudrait qu'on milite : changer ÇA. Supprimer la fin du tube. Faire en sorte que le tube continue indéfiniment à tuber. Vous n'avez pas ça en magasin ? Allez vous faire foutre.

La pression sociale aura gâché à peu près tous les instants de ma vie.

Je ne veux pas militer. J'ai essayé. Ça m'emmerde.

Il faut rabâcher, et rabâcher. Enfoncer le clou. Se mettre à la portée. S'intéresser à la tactique. Etre malin, débrouillard, culotté, savoir parler... Surtout, aimer ça. Aucune cause ne me passionne assez pour que j'y consacre une partie importante de mon activité. Même celles qui me mobilisent violemment, comme le militarisme, la torture, la chasse, la misère de ce qu'on appelle le tiers monde... Pas assez pour me mettre en avant, me battre. Non que je craigne les coups, en donner ou en recevoir, ça m'exciterait même plutôt, mais, encore une fois, l'action militante, les réunions, les manifs, les tracts, les discussions, c'est d'un chiant! La polémique tombe toujours, toujours, au niveau le plus imbécile, le plus passionnel. Les antagonistes ne soupçonnent même pas ce que peut bien être l'objectivité ou alors ils la vomissent avec mépris, c'est très chic depuis Mai 68, ils revendiquent arrogamment la partialité, ils brandissent leur connerie, ils en sont fiers, ils sont prêts à crever en martyrs pour leur droit à être cons, ne cherchent ni à convaincre ni à être convaincus, ils veulent GAGNER, écraser l'autre, gueuler plus fort, avoir le dernier mot, fût-ce un calembour, bien décidés à repartir tels qu'ils sont venus, renforcés dans leurs positions par le nombre de gueulards autour d'eux.

Les « grandes » causes... Les militants. Ils croient raisonner, ils récitent un catéchisme. Ils s'aboient des phrases cinglantes à la gueule... Ridiculiser l'adversaire, plaire au public, plaire, plaire, plaire... Spectacle. Les « grandes » questions réglées à coups de pulsions primaires, au premier plan la peur et l'agressivité... Ridiculiser, c'est-à-dire symboliquement tuer, piétiner, déchirer, réduire à néant l'« autre » exécré. N'utilisent la partie « noble » – je veux dire la partie valable – de leur machine à penser que pour « l'action », ou pour les minuscules problèmes professionnels.

L'ingénieur, tenu à la stricte cohérence de pensée dans son travail, « raisonne » avec le jus de ses glandes lorsqu'il s'agit de l'essentiel.

Dans cette jungle dont les lianes, les épines vénéneuses, les fleurs carnivores, les tigres et les crocodiles sont les autres hommes, je ne suis pas viable. Ne pouvant – ne désirant – ni les vaincre, ni les dominer, ni les exploiter, ni me fondre en eux, je suis foutu d'avance. Surtout si tu le proclames, ballot! Eh, oui. Mais c'est un luxe que je veux me payer, au moins une fois.

TANTALE

Il y a du nouveau : nous ne baisons plus. Rien n'a été dit, on n'est pas des grossiers, tout se passe dans l'impalpable. On évite même le contact. J'ai senti la barrière invisible. Je suis entré dans le jeu, vrai con bien docile. Toujours très subtil très à l'affût très coopérant quand il s'agit de me priver de dessert. Comme je ne m'étonnais pas, ne demandais rien, tout naturel, il a bien fallu qu'elle y fasse allusion. Alors, voilà. Elle a atteint le bout du bout, elle touche le fond, la certitude de l'inanité de ses efforts s'est soudain faite écrasante, le désespoir est sans fissure, quelque chose en elle, dans son ventre, est mort.

« Je n'ai plus confiance. Mon corps refuse. »

Je baisse la tête. Chaque jour m'est révélée une conséquence plus profonde de mes insuffisances. Une nouvelle zone de démolitions. Voilà maintenant que cette triomphale connivence de nos corps, cet appétit de nous qui était au-dessus de nous, indépendant de nous, plus fort que nous et que tout, rien à voir avec nos bisbilles et nos angoissettes existentielles, ce fleuve de rut et de tendresse, voilà qu'il se tarit... Il était donc tarissable ? J'ai pu t'esquinter à ce point, mon amour ?... Et moi, bien sûr, ce n'est pas moi qui vais m'imposer, supplier, tenter des travaux d'approche. Pas le genre ! Tout au contraire, j'en remets. Je me tasse à l'extrême bord du matelas, je me fais étroit, j'évite tout frôlement. Si j'étais sincère avec moi-même, je dirais que je la punis en abondant dans son sens. Elle, strictement de profil, le livre à bonne hauteur, la joue bien ronde dans la lumière douce. Visage légèrement douloureux, oh, une ombre, un rien. S'aperçoit que je la regarde depuis un moment, elle sait bien que je la dévore des yeux, que je la caresse par les yeux, que la regarder est pour moi la fête, chaque seconde, tu parles qu'elle le sait, elle tourne la tête vers moi, comme surprise, me fait un sourire, un doux sourire courageux, un sourire « Tu m'assassines, mon cher amour. Vois ce que tu as fait de ta bien-aimée. Allons, ne sois pas triste, profitons de cet instant de paix, laissons dormir les monstres jusqu'à demain » et puis replonge dans son livre. Si c'est une tactique, quelle maîtrise! C'est de toute façon une tactique. Une attitude est toujours une tactique, consciente-inconsciente, un signal, un message, un appel, une tentative... Et moi, eh bien, moi, je bande, comme un gros dégueulasse. Elle est là, tu te rends compte, longue, lourde, chaude, odorante. Désemparée. Un type sain, il la prendrait dans ses bras, allons, allons, ma grande... Non, il ne dirait rien, il lui écarterait doucement les cuisses, doucement mais sans réplique, ses blanches longues fortes cuisses, il ne la ferait peut-être pas jouir – et encore, pas sûr, ce genre de perturbation, c'est peut-être justement ça que ça demande, la main un peu forcée, va savoir... –, en tout cas il remettrait les choses comme elles doivent être : l'homme dans la femme, la peau sur la peau, le ventre contre le ventre, le mamelon dans la bouche... Son mamelon REMPLIT la bouche.

Au lieu que, vexé, crâneur, et puis sidéré par l'imprévu de la chose, ne sachant par quel bout ça se prend, si je la touche elle hurle, la grande crise hystérique, va savoir? Alors, digne et con, je boude.

Elle sent que je sèche sur pied, tu parles qu'elle le sent, si j'étais une marmite mon couvercle sauterait, elle allonge une main tâtonnante sous le drap, me prend la main, et puis la garde, très grande sœur très infirmière. Là, elle va réussir ce qu'elle n'a pas réussi en sept ans : elle va me faire fuir, pour de bon, rouge de honte. Pour qui elle me prend? Pour feu Tantale? Maso, bon, mais y a des limites. Ou bien elle est vraiment innocente? Je me regarde et je me trouve l'air fin. Et puis je retire ma main, aussi doucement que je peux, je prends un édredon et je vais dormir dans l'autre pièce, sur le canapé.

Et je rumine, saumâtre. Que la vie de chien que je lui fais mener l'ait perturbée jusque dans son fonctionnement, je ne le mets hélas! pas en doute. Mais justement, c'était CELA qui la raccrochait aux branches, nos frénésies. C'est par LA que la grosse vie vivante s'engouffrait en elle, et balayait les miasmes, et nous dans le tourbillon, cul par-dessus tête, le mufle dans l'herbe, la gueule pleine de terre, nos braiments mêlés à ameuter le quartier... Elle a découvert la baise, nous l'avons découverte ensemble, ça nous est tombé sur la tête, à ce point-là nous n'imaginions pas que ça puisse exister, à perdre haleine, à corps perdu, à couilles rabattues, à ventre arraché, le gouffre sans fond, la vie réconciliée, l'énorme, l'immonde, la surhumaine, la divine baise, jamais auparavant, jamais, jamais... J'étais elle, elle était moi, jus, baves, sueurs, odeurs, râles, et nos rires, et nos yeux incrédules devant nos interminables extases! Depuis, nulle autre qu'elle, nulle autre. Elle était l'étoile polaire de mon sexe, qui ne s'émeut que pour elle, qui toujours est prêt pour elle...

Et je ne lui serais plus rien? J'aurais coupé le jus de glandes à cette fantastique baiseuse? A tout jamais? Parce que je lui refuse un gosse, un « couple », un avenir? Foutaises! Mais qu'est-ce que c'est, ça? Mais elle sait bien que je serai là, toujours. Mais qu'elle m'accepte donc, fou cinglé mal dans ma peau comme je suis, avec tout ce que je trimbale, je l'accepte bien, moi, elle l'est pas, cinglée, peut-être? Cinglée obsédée ruminante, oui, à chier partout. Faut-y que je l'aime!... Enfin, bon, elle peut plus, elle peut plus, quoi. « Même le contact », elle a dit. C'est vrai. Je la prends aux épaules, j'adore la prendre aux épaules, mes mains sur ses épaules, ses belles fermes larges épaules, j'y pense d'avance, et puis je le fais, c'est encore meilleur que ce que j'avais pensé, et alors, elle, rien, un sac. Avant, à peine mes mains, elle frémissait, à fleur de peau, ses longs muscles de cheval à fleur de peau, elle avait un mouvement du cou, impossible à décrire, un femelle mouvement de son flexible cou qui te faisait bondir la queue, tchiak, à la surprise, presque douloureusement, et elle, aussitôt la chair de poule, sur son cou sur son poitrail, j'aime ce mot, son vaste poitrail plat résonnant sous la paume, les seins petits coniques dansant sous le pull échancré, je pensais aux gros mamelons foncés, plus gros que les seins, posés dessus comme des bols, une curiosité de la nature... Un sac. Elle ne recule pas, ne se dégage pas. Simplement, ça ne répond plus. Elle me regarde, l'air de me prendre à témoin, et ce triste sourire navré qui dit « Tu vois? ».

Mais où allons-nous? Mais c'est pas possible!

Mais tu peux pas faire ça! Mais tu es ma maman! Qu'est-ce que je deviens, moi? T'es quand même pas assez conne pour avoir pris pour argent comptant mes beuglements comme quoi tu n'es pour moi que cul, cul et cul, non? Tu sais bien tout ce que je mets là-dedans, comprends la pudeur du mâle, merde! Cul, ça veut dire mon amour mon amour mon amour, ça veut dire yeux, âme, lumière, ciel, flamme, tout le bazar, bon dieu! Tu connais un mot plus beau pour dire tout ça, toi?

Et si elle faisait semblant? Non, pas elle. Elle ne ment jamais (elles ne mentent jamais). Je m'en veux pour cette abjecte pensée. Et comme je suis abject autant que quiconque, j'examine ça de plus près. Ça pourrait être son truc. Me tenir la langue pendante. La carotte au bout de la fourche. Mais non : elle serait la première frustrée. Sursaut. Étape suivante : et si elle avait « ce qu'il lui faut », en ville? De plus en plus abject, mais bon, personne ne me regarde, je suis tout seul dans ma tête. Et voilà la jalousie qui me mord là où ça fait si mal, et du premier coup m'arrache un kilo de viande. J'ai honte de penser ça et j'ai honte d'être aussi con que d'y penser seulement maintenant. Je veux replacer la chose sur le plan noble chevalier, je suis sûr que c'est là que ça se joue, pas dans mes entreponts infects. Elle ne baise pas pour baiser, pas elle, il faut qu'elle aime, je l'ai bien vu, tout marche ensemble, cœur et cul, mais si elle ne m'aime plus elle ne peut pas aimer ailleurs aussi vite, faut que ça cicatrise, enfin, voyons, nous ne sommes pas dans une anecdote grivoise, nous sommes dans une histoire d'amour, très douloureuse et très belle, en tout cas pas triviale, elle ne peut pas aller se faire tringler par un copain et puis venir me jouer la comédie de la fille perturbée au point de ne plus supporter que je la touche, pas elle, pas dans cette histoire, c'est pas le genre, pas du tout. Le jour où elle en aimera un autre, elle me le dira, les yeux dans les yeux, navrée mais impitoyable : « Voilà. J'ai rencontré quelqu'un. C'est dur, je sais. Sois courageux. Toi aussi, tu aimeras encore. Tchao, mon grand. »

Je pense « La salope! », et puis je m'endors, j'ai pris ce qu'il faut pour ça.

Au matin, elle me dira :

« Dans la nuit, j'étais oppressée, je t'ai cherché de

la main, tu n'étais plus là, une terreur m'a prise, je crois que j'ai crié, et puis tu étais sur le canapé..., »

Mais elle le dit du haut de son air d'hier soir, son air lointain de grande blessée au plus profond de sa chair. Alors je réponds :

« On n'est pas mal, sur ce canapé. »

Il me semble que, dans mon escalade de l'incohérence par la face nord, je ne dois plus être très loin du sommet.

EPILOGUE

JE traîne dans ce que j'appelle « mon » domaine, ce gros bateau immobile, cette arche échouée où devait s'épanouir ma solitude. J'ai dans la bouche toute l'amertume, toute la dérision de ce « mon ». Rien n'est à moi, vraiment à moi. J'ai un pied dessus, l'autre est ailleurs, sur du mouvant. Ces bâtiments vénérables, ces géométries ordonnées, si réelles, si massives, qui devaient être mon ancrage, et qui me tiennent si peu au corps, qui me reniflent et ne me reconnaissent pas, pas vraiment, je suis l'hôte de passage, reconnu comme tel et toléré tout juste, pas le maître aimé, celui dont l'odeur imprègne les murs... Les maisons, il ne faut pas seulement les arracher à coup d'argent économisé sou à sou, de sueur, d'ampoules et d'enthousiasme, il faut en plus être là, et il faut surtout être conforme. Elles aussi sont dans la ligne. Je ne savais pas. Elles ont des yeux, des yeux qui jugent. Elles ne se paient pas de rêves et d'intentions, elles veulent de la présence, des habitudes, des manies, elles se donneront à qui les salit et les dégrade par l'usage machinal, pas à qui les fait renaître, les répare et les orne, fût-ce avec passion... La patine d'affection née de la caresse du même coude au même endroit du même mur, une vie durant.

Je traîne dans ces greniers que j'aime tant, qui

m'ignorent, toutes les tâches projetées ou commencées surgissent au passage, chicots noircis de mes velléités. Mes livres empilés sous la poussière sont ternes et froids comme des poissons morts. La mappemonde scolaire gonfle ses fesses pédantes dans sa cuivraille, aussi con que le train électrique d'un vieillard cramponné à son enfance. La scie ni le marteau ne me bondissent dans la paume, c'est bien la première fois. Je n'ai pas envie. « Faire de mes mains », ma morphine et mon tonique, faire de mes mains n'agit plus. Je me dis « Je suis chez moi, merde! Chez moi! Je suis le roi de tout ça. Le Robinson de cette île, le Petit Prince de cette planète! Je fais ce que je veux, quand je veux, comme je veux. » Je n'y crois plus. La bâtisse trapue est aussi menacée, aussi peu vraie que si les bulldozers et les grues à boule étaient en train d'en jeter bas les murs. Elle me coule entre les doigts comme coulait la vie de papa pendant cette nuit irréelle. Elle est là et déjà plus là.

Je grimpe jusqu'au plus haut grenier, celui dont la formidable et délicate charpente à demi-cercles de chêne posant sur des corbeaux de pierre en saillie me fait rire tout seul de plaisir, bonne pomme que je suis, imbibé de planches de *L'Encyclopédie*, de baratin « compagnons du devoir » et tout le folklore... Lui aussi est con, et creux, et me boude, et me crache au nez tant de projets avortés. Le mort-né, c'est pire que les décombres. Bien pire.

Dans la poussière je trouve un rat crevé. Il est tout sec, momifié, il ne reste que la peau tendue sur les os, les asticots ont bouffé le reste. Il gît sur le dos, les quatre pattes écartées, ses petits doigts bien détachés. Deux longues dents jaunes lui donnent un air anglais.

Il fait froid, sous ces tuiles. Je frissonne. J'ai mal à l'âme. Le marasme prend du pathétique. Je me donne le spectacle du gâchis grandiose. Je me regarde prenant mon piteux envol, agitant mes moignons d'ailes de poulet plumé. Les autres, eux, ont des ailes. D'aigle, de vautour, de canard, de pigeon, de fauvette, de chauve-souris... Des ailes. Sacrés lascars! Moi, j'ai des moignons. Plumés. Crève, Ducon. Ils m'en auront assez fait baver, les autres. Ceux que j'aime plus que tous. Celles. Elles me tuent. Oui, mais sans elles, le noir. Pas viable, Ducon. Je joue à frôler le truc. T'en fais pas, j'y crois pas. Je me pleure dessus, vieille merde molle. Je me contemple cadavre, je me fais bien pitié. Si elles lisaient en moi, en ce moment, elles sauraient combien je suis sincère, et combien malheureux. Si elles lisaient en toi, Ducon, elles se diraient :

« Tiens, Ducon qui se donne les affres de la mort regardée dans les yeux. Il les lui faut toutes, les sensations. Chochotte, va! »

T'es bien tout seul. Ta comédie, c'est pour toi tout seul. Triche pas. Alors, l'attendrissement fout le camp. La colère prend la place. Font chier, merde! Tous, toutes, et moi le premier. Monde de hyènes!

Il y a un bout de corde, par terre, un « cordage » de maçon, du temps où les maçons dressaient le long des façades des échafaudages de bois dont les boulins d'acacia transversaux étaient fixés aux échasses verticales de sapin par des cordages de chanvre. C'est comme ça que j'ai débuté sur le front du travail. Je sais porter un tronc de sapin de douze mètres à bout de bras comme un cierge, je sais faire le nœud spécial, la « cravate », qui fixe le boulin à l'échasse et plus tu le charges plus ça serre. Et ne pas mettre les planches « en bascule » : danger de mort. Papa m'a appris. Et Arthur Draghi, qui avait si peur que je me tue. A un bout du cordage, il y a un œil, c'est une petite boucle tressée, très solide. Dans le grenier, il y a aussi la petite échelle, la très légère, celle que je trimbale sur l'épaule un peu partout, je me demandais justement où elle était passée tous ces temps, eh bien voilà, elle était là, dans le haut grenier à la belle charpente. L'échelle et le cordage, rien d'autre. On se croirait dans un film, au temps du muet, quand il fallait que l'image explique bien tout au spectateur pour qu'il comprenne, il n'avait pas encore le sens du raccourci et des symboles, fallait vraiment insister.

Je fais passer le bout sans œil par l'œil de l'autre bout, ça fait un nœud coulant magnifique, et il coule faut voir, je me juche sur l'échelle, tout en haut, ça me met juste à bonne hauteur pour passer la corde autour de l'arc de chêne, je fais une cravate, impeccable, j'ai pas perdu la main, je tire dessus, ça supporterait une demi-tonne de briques, je passe la tête.

Je suis toujours en boule. De plus en plus. Autrefois, ça m'arrivait, je cassais quelque chose. Quelque chose à moi, à quoi je tenais. Pour bien les faire chier, eux. Cherche pas à comprendre, c'est la logique de la colère. Je me dis « La maison est payée. Tita peut y vivre, chichement mais elle peut, je ne serai plus là pour assurer vaille que vaille la matérielle, eh bien, ça lui fera le cul, et puis ses enfants l'aideront, ils sont cinq, j'ai bien entretenu ma vieille, moi, et j'étais tout seul, et elle n'avait pas de retraite... Et puis, il y a les droits d'auteur qui continueront à courir... Et puis je dois bien avoir un bout de retraite, je serais trop feignant pour m'en occuper mais elle s'en démerdera... Et puis, elle louera des chambres... Des boxes pour les chevaux... Elle élèvera des chiens, elle rêve d'élever des chiens... » Là, je me prends la main dans le sac en train d'organiser les choses pour APRÈS. Faut être con, non ? Comme s'il y avait un « après » ! Comme si je ne savais pas que, quand je ne serai plus là pour voir le monde, le monde n'existera plus... La force de l'habitude. Tout ce que j'ai su faire, dans ma vie, c'est rapporter la paie. D'une façon ou de l'autre, on veut pas le savoir, mais rapporter la paie au bout du mois. Bon petit prolo, ça, madame. Bien dressé. Chiant, sinistre, cavaleur, mais rien à dire : la paie ric et rac. Alors, voilà, je me fais de la bile pour la paie, APRÈS.

Triste con! De me découvrir sans cesse, à tous les tournants, aussi débile déclenche l'accès de rage noire. Vous m'emmerdez, connards, professionnels de la vie! Moi, je ne suis qu'un amateur, un nez-en-l'air, un pas d'ici. J'ai vécu comme un con, j'ai marché à côté de mes pompes, j'ai rien vu, j'ai rien eu, du vent, de la merde, celles qui ont cru en moi je ne leur ai rapporté que cendres et ruines, je suis pas doué, basta! Je tire sur la corde avec mon cou, un peu, prudemment, je me rappelle avoir lu que quand on appuie avec les pouces sur les carotides le sang n'arrive plus au cerveau et on perd doucement connaissance. Je voudrais bien voir si c'est vrai. L'intérêt de l'expérience me fait oublier ma grosse colère. Je tire, donc, et en effet. La corde serre. A peine. Aussitôt un vertige léger, un peu affolant parce que je pense au cerveau, là-haut, qui tire la langue, mais pas désagréable du tout, comme la première gorgée d'un whisky-perrier bien tassé, quand on a bouclé le canard et qu'on se retrouve autour de la grande table. J'appuie un peu plus, tout en me disant « Fais gaffe, eh! Pas perdre le contrôle! » Là, j'ai le trou noir. En même temps, ça me bat dans la tête, comme un gros cœur qui serait dedans. Je relâche juste à temps. Le sang, en coup de bélier, vient se cogner au bout de mes doigts. Une onde de trouille me passe sur la colonne. Je me dis « Ben, merde... » Et puis je pense à tous ces brutaux qui plongent du tabouret, se cisaillent la moelle épinière, rien que l'idée, quelle abomination, alors qu'ils seraient parvenus au même résultat dans la douceur et l'agrément si seulement on leur avait expliqué. Je m'étonne de n'avoir pas bandé. Toutes ces histoires de pendus qui jouissent, encore une légende. Pourtant, il paraît que, dans certains bordels chics... Bon. J'ai une crampe, je change de pied. Et merde, l'échelle glisse, l'échelle fout le camp...

*

La disparition de l'écrivain François C... ne fournit guère de matière à sensation aux journaux ni aux autres médias. D'abord parce que sa personnalité n'offrait pas l'impact spectaculaire de celle d'un Jean-Edern Hallier, par exemple, et d'ailleurs, après l'enlèvement tapageur de celui-ci, le public était provisoirement blasé sur ce genre de clowneries publicitaires. La deuxième raison est que cette disparition elle-même ne fut pas reconnue comme telle avant plusieurs semaines. La femme de l'écrivain pensait qu'il était chez sa maîtresse alors que celle-ci le croyait chez sa femme, toutes deux ayant trop le sens de leur dignité pour s'enquérir de lui auprès de la rivale, malgré leur respective inquiétude.

Ce n'est qu'après plusieurs mois que son fils aîné, à la recherche de certaine petite échelle dont il avait besoin pour atteindre un pot de confitures, découvrit dans un grenier perdu ladite échelle, étendue à terre, et, juste au-dessus d'elle, pendu par le cou à une pièce maîtresse de la charpente, un corps humain curieusement desséché, qu'on eût dit momifié, peut-être sous l'action des courants d'air qui soufflaient là d'abondance. Ce corps fut par la suite formellement identifié comme celui de François C..., la moustache blanche si caractéristique ne pouvant laisser place au moindre doute.

L'inspecteur chargé de l'enquête – enquête de pure routine – avait eu cette réflexion :

« Il a raté son faux suicide, on dirait. »

Le gendarme avait haussé les sourcils. L'inspecteur s'était expliqué :

« Tout l'air du gars qui a voulu se donner le cinéma, pleurer un peu sur lui-même, se faire un peu peur, vous voyez ce que je veux dire, et puis l'échelle qui glisse, pfuitt... »

Le gendarme avait fait « Hm... » Un suicide est un suicide, quoi. On va pas chipoter le poil de cul.

Les suicides d'écrivains sont chose banale, surtout aux approches de la soixantaine. Celui-ci, n'offrant pas aux gens des milieux littéraires un aliment de quelque piquant pour la conversation ni aux téléspectateurs le minimum de sensationnel au-dessous duquel le seuil de leur intérêt reste de marbre – cet intérêt était d'ailleurs monopolisé ce jour-là par le transfert d'un joueur de football d'un club à un autre pour la somme fascinante de vingt milliards de francs (deux mille milliards de centimes) –, n'eut que le mérite très limité de dénouer une situation familiale et extra-familiale devenue proche de l'insupportable.

Madame C... se remit péniblement de la macabre mais, heureusement, ultime trahison de son époux. D'abord tentée de vendre la propriété – en fait pratiquement invendable –, elle se ravisa sur les instances de ses enfants et petits-enfants et décida de rentabiliser les bâtiments superflus en y installant un élevage de chiens de race barzoï, race injustement méconnue en France en dépit de sa grande beauté. Cette activité lui laissant quelques loisirs, elle fonda un petit conservatoire populaire où elle insuffle avec dévouement et bonne humeur l'amour de la musique aux enfants des environs.

Gabrielle D... reçut le choc avec plus de fermeté qu'on aurait pu s'y attendre. Le long silence de François C..., en la plongeant une fois de plus dans les angoisses familières de l'abandon, avait en quelque sorte absorbé en partie le ressort de sa réactivité. La mort expliquait le silence et, sans abolir le chagrin, ne faisait que le proroger en lui donnant un sens précis. Gabrielle constata, non sans surprise, qu'elle était, à son insu, depuis longtemps préparée à quelque chose de ce genre, et que, alors même qu'elle se croyait encore, de bonne foi, aussi éprise qu'au premier jour, les arguments réitérés de François C... contre lui-même avaient insidieusement accompli leur œuvre dissolvante. « Quelque part », « quelque chose » en elle avait déjà renoncé. Elle se trouvait alors à l'aube d'une belle réussite dans la carrière difficile qu'elle s'était choisie et, le succès appelant le succès, il arrivait que des hommes de goût et de grande sensibilité posassent leurs yeux sur elle. Ils ne les en ôtaient pas tout de suite.

Les amies de Gabrielle furent unanimes à estimer que, bien sûr, c'était fort triste, mais que du moins la situation était enfin débloquée et, maintenant on pouvait bien le dire, quel dommage ç'avait été de voir la gaieté fantasque et la puissante ardeur à vivre de cette grande belle plante confisquées au profit de ce vieillard égoïste et rabat-joie.

La brève réussite de l'écrivain François C..., réussite si peu conforme aux habitudes du monde littéraire qu'on peut parler d'anomalie, ou d'une de ces étranges aberrations du goût du public qui éclatent comme des modes et, heureusement, n'ont généralement pas de suite, ne laissa aucune trace, sinon quelques phrases de référence dans les ouvrages spécialisés à l'usage des universitaires. D'autant plus qu'entre-temps le raz de marée audiovisuel des années 80 avait, comme chacun sait, balayé dans leur totalité les vieilles cultures ringardes de l'âge de l'imprimé.

TABLE

IMPRIMÉ EN FRANCE PAR BRODARD ET TAUPIN
58, rue Jean Bleuzen - Vanves - Usine de La Flèche.
LIBRAIRIE GÉNÉRALE FRANÇAISE - 14, rue de l'Ancienne-Comédie - Paris.

ISBN : 2 - 253 - 03639 - 0 ✠ 30/6036/5